9,95

De laatste sauriër

D0230977

Ook van Thomas Thiemeyer:
Het oog van Medusa

Abonneer u nu op de Karakter Nieuwsbrief.
Ga naar www.karakteruitgevers.nl en:
* ontvang maandelijks informatie over de nieuwste titels;
* blijf op de hoogte van speciale aanbiedingen en kortingsacties;
* én maak kans op fantastische prijzen!
www.karakteruitgevers.nl biedt informatie over al onze boeken,
Nova Zembla-luisterboeken en softwareproducten.

Thomas Thiemeyer

De laatste sauriër

Karakter Uitgevers B.V.

Oorspronkelijke titel: *Reptilia*
© 2005 Knaur Verlag. Ein Unternehmen der Droemerschen Verlagsanstalt
Th. Knaur Nachf. GmbH & Co. KG, München
Vertaling: Studio Imago, Ammerins Moss-de Boer
Opmaak en redactie: Studio Imago, Amersfoort
© 2006 Karakter Uitgevers B.V., Uithoorn
Omslag: Björn Goud

ISBN 90 6112 235 X
NUR 332

Niets uit deze uitgave mag worden openbaar gemaakt en/of verveelvoudigd door middel van druk, fotokopie, microfilm of op welke andere wijze dan ook zonder voorafgaande schriftelijke toestemming van de uitgever.

Voor mijn ouders, Hildburg en Manfred.
Hun liefde voor de natuur heeft me in hoge mate beïnvloed.

Toen zag de dappere het vervloekte monster uit het diepe,
het machtige meerwijf;
Hij stootte met het zwaard, de hand
weigerde de slag niet, zodat het met ringen versierde wapen
op haar kop een gretig lied zong.
Toen zag de krijger dat het vlammenzwaard niet
wilde snijden, niet het leven wilde schaden,
want de punt liet de heer in nood in de steek.

Uit: Beowulf

1

Donderdag 4 februari
In het Congolese regenwoud

Naamloze eeuwigheid.
Wereld van jade.
Vergeten rijk vol wonderen.
Als een etterende, dampende oceaan van chlorofyl bedekte het regenwoud het land. Traag tegen de oever van de tijd klotsend, klaar om het licht van de zon op te zuigen, die langzaam boven de horizon uit piekte. Een nieuwe ochtend gloorde boven de boomkruinen en verdreef de duisternis in het diepe oerwoud.
Met het licht kwamen ook de geluiden. Het krijsen van de grijze roodstaartpapegaaien, het snateren van de chimpansees, het tsjirpen van de vogels. Bonte spikkels stegen op uit het beschermende bladerdak en vingen de eerste lichtstralen. Zwaluwstaarten, pauwenogen en koningsvlinders dartelden om elkaar heen in de zware geur van de bloesems. Ze dansten een speelse, dronken dans, die slechts zo nu en dan onderbroken werd door hongerige vorkstaartscharrelaars, die pijlsnel opdoken en na wat geflikker van hun staalblauwe verenpak weer in de duisternis verdwenen, met een snavel vol voer voor hun altijd hongerige kroost.
Diep in de jungle was van de nieuwe dag nog weinig te merken. Het had de hele nacht geregend. De ochtendnevel hing als een wolk tussen de dikke stammen van de oerwoudreuzen en slokte elk geluid op. Egomo liep lichtvoetig over de ondergrond die tot aan zijn enkels was bedekt met een laag half verrotte plantenvezels. De grond was week en gaf bij elke stap mee. Je zou bijna denken dat er een antilope voorbijkwam, zo snel liep de pygmeeënstrijder. Hij gleed door de schemering, terwijl hij de doornentakken ontweek en onder luchtwortels door dook. De zweetdruppels op zijn huid fonkelden als kristallen in het eerste ochtendlicht.

Egomo behoorde tot de stam van de Bajaka. Al vroeg in de ochtend had hij zijn eenvoudige hutje in zijn dorp verlaten en was de duisternis van het regenwoud ingedoken. Het doel van zijn jachtpartij was de dwergolifant, een geheimzinnig wezen dat iedereen behalve hij voor een hersenschim hield.

Sommige mensen beweerden dat het om een jonge *doli* ging; zo noemden de Bajaka de schuwe bosolifanten. Maar hij wilde niet naar hen luisteren. Hij wist dat hij de dwergolifant niet had verzonnen en wist waar hij moest zoeken. Met snelle tred baande hij zich een weg door het struikgewas. Ergens boven de horizon was de zon opgekomen, maar hier, in het rijk van de eeuwige schemering, heerste nog stilte.

Egomo was de enige van zijn stam die kon zeggen dat hij de dwergolifant al eens had gezien. Drie jaar was het nu geleden dat hij oog in oog had gestaan met de schuwe bewoner van het drassige woud. Sinds die tijd was er geen dag voorbijgegaan dat hij er niet op werd aangesproken, geen dag waarop hij niet aan het dier had gedacht. De scepsis waarmee mensen naar zijn verhaal luisterden was groot, maar de nieuwsgierigheid was nog groter. Zelfs ervaren jagers luisterden gefascineerd naar zijn woorden en steeds weer moest hij vertellen van die spannende ontmoeting. De dwergolifant had bedekt met modder voor hem gestaan, een paar meter van hem vandaan, half verborgen in het metershoge moerasgras rond Lac Télé. Omdat het dier zo oplettend was, had hij Egomo direct gezien, maar toch bleef hij nog een paar tellen staan voordat hij briesend weer in het water verdween. Misschien was dat de reden waarom tot nu toe alleen Egomo de olifant had gezien: niemand van zijn volk had zich ooit zo dicht bij het vervloekte meer gewaagd. Het Lac Télé lag in verboden gebied. Het gerucht ging dat er een monster leefde. Op de bodem van het diepe meer zou het liggen wachten tot onvoorzichtige mensen te dicht in de buurt van het spiegelgladde water kwamen, om ze dan te grijpen en mee te sleuren naar de groene diepte. Niemand had dit wezen ooit gezien, maar alle pygmeeën in de wijde omtrek, tot duizenden kilometers ver, kenden de legende van Mokéle m'Bembé, die zo groot zou zijn dat hij met zijn lichaam hele rivieren droog kon leggen. Er deden hardnekkige geruchten de ronde dat drie jaar gele-

den een van de monsters was gedood. Maar door wie, dat wist niemand. Ook niet wat er met het kadaver was gebeurd. Als je navroeg, bleek dat de informatie altijd kwam van een vriend van een vriend van een ver familielid, die zeer waarschijnlijk niet meer leefde. Maar zo ging het toch altijd met dat soort verhalen.
Egomo bleef even staan en tilde zijn hoofd op om zich te oriënteren. Hij geloofde niet in het bestaan van het monster – de verhalen waren volgens hem de wereld in geholpen om kleine kinderen bang te maken en ervoor te zorgen dat ze naar hun ouders luisterden. Maar de dwergolifant bestond wel, net als Lac Télé. Hoe nauw Egomo's lot met het meer verbonden was, bleek wel toen op een dag een blanke vrouw met een aantal begeleiders in zijn dorp arriveerde. Het was misschien zes of zeven maanden geleden. Ze had van naburige stammen gehoord dat hij de enige was die zich in het verboden gebied had gewaagd. Ze had hem geprezen om zijn moed en overladen met geschenken, alleen maar om meer te weten te komen over het meer en zijn geheimen. Op een gegeven moment had hij genoeg gekregen van haar nieuwsgierigheid en pas toen hij haar een onomwonden aanzoek had gedaan, was ze met het gevlei gestopt. Maar in de tussentijd was hij bij zijn dorpsgenoten enorm in aanzien gestegen. Niet dat hij er echt op rekende dat hij deze vrouw voor zich kon winnen. Eigenlijk had hij alleen maar Kalema jaloers willen maken, en dat was hem, zo dacht hij, gelukt. Ze liet natuurlijk niets merken, maar bij een of twee gelegenheden had hij haar erop betrapt dat ze hem lang en smachtend aanstaarde. Toen wist hij dat zij net zo verliefd was als hij. Het enige dat hij nu nog nodig had om haar voor zich te winnen, was wat tijd en geluk bij de jacht. Egomo was vastbesloten de dwergolifant te doden en met het dode dier terug te keren naar zijn dorp. En als hij niet het hele beest mee kon nemen, dan toch in elk geval de kop, een voet of een slagtand. In elk geval een trofee.
Wat er met de blanke vrouw was gebeurd, wist hij niet. Ze was na een week weer vertrokken, naar het schijnt naar Lac Télé. Hij had nooit weer wat van haar gehoord of gezien.
Egomo bleef als aan de grond genageld staan en tilde zijn hoofd op toen hij een diep, grommend gebrul hoorde, dat door het regenwoud

galmde. Zoiets had hij nog nooit gehoord. Niet dat de geluiden van nijlpaarden, waterbuffels en andere grote dieren hem onbekend waren, maar dit was iets anders. Iets griezeligs.
De geluiden van de andere oerwoudbewoners verstomden direct, alsof de hele jungle was veranderd in een reusachtig, luisterend oor. Egomo drukte zich tegen een boom en greep naar zijn kruisboog. Hij hield zijn adem in.
Kort daarop weerklonk het geluid opnieuw. Maar dit keer klonk het meer als huilen. Een huilen alsof een storm over de toppen van de bomen joeg. Het leek een eeuwigheid te duren voordat het geluid in de verte verstomde.
Egomo liepen de rillingen over de rug. Het huilen had geklonken als een mengeling van woede en verdriet. Even dacht hij na of het misschien een van die reuzen was die steeds vaker te zien waren terwijl ze zich een weg door het oerwoud vraten. Een van die roestige, stinkende monsters die hele bomen verslonden om plaats te maken voor straten. Nee, besloot hij. Dit klonk anders. Die dingen hadden geen ziel. Het gebrul kwam van een dier. Een heel groot dier. En het kwam precies uit de richting waar hij naartoe wilde.

2

Vrijdag 5 februari
Aan de Californische kust

De zweetdruppel die langs mijn slaap naar beneden drupte, voelde aan als een insect dat zich een weg naar het binnenste van mijn schedel probeerde te banen.
Ik probeerde mijn gedachten op een rijtje te zetten. Hoe lang was ik nu al onderweg? Waren het tien uur, twaalf of veertien? Het antwoord was me ontglipt nadat ik bij aankomst in San Francisco mijn horloge had verzet. Waarom was ik hier eigenlijk en wat stond mij te wachten? Ik probeerde me te concentreren, maar de aanblik van de snorrende rotorbladen boven mijn hoofd deed mijn poging teniet.
'U hebt echt geen idee waarom Lady Palmbridge u heeft uitgenodigd, Mr. Astbury?' De stem van de piloot uit de luidspreker in mijn helm overstemde blikkerig het trillen van de helikopterturbine. Met moeite slaagde ik erin mijn ogen los te rukken van de Grote Oceaan, die vijftig meter onder ons tegen de kust van Big Sur sloeg. Het uitzicht had iets onwerkelijks en ik dwong mezelf me niet meer af te laten leiden.
'Ik zou er heel wat voor over hebben om dat te weten te komen,' antwoordde ik en ik keek op. 'Denkt u echt dat ik me in colbert en leren schoenen had gewurmd als ik zou vermoeden dat ik ben uitgenodigd voor een gezellig samenzijn?'
'U verwacht iets anders?'
'Om eerlijk te zijn heb ik geen idee wat ik moet verwachten. Ik weet alleen dat ik direct uit Londen kom en weemoedig word als ik aan mijn sweatshirt en spijkerbroek in mijn koffer denk.'
De piloot keek me aan en keurde mijn kleding. Aan de blik te zien die hij me van achter zijn vizier toewierp, was hij tevreden.
'U hebt de juiste keus gemaakt, Mr. Astbury. Zoals u weet stamt Lady Palmbridge uit een oude Engelse adellijke familie en hecht ze

aan nette kleding. Ook al is ze wat losser geworden sinds ze in Amerika woont. Alleen uw stropdas, daar moet u nog iets aan doen. De knoop zit scheef. Trouwens, mijn naam is Benjamin Hiller en ik ben de persoonlijke assistent van Lady Palmbridge. Eigenlijk ben ik haar piloot, haar chauffeur en haar kamermeisje. Sinds de dood van haar man, vijf jaar geleden, heeft ze me meer nodig dan ooit. Noemt u mij maar gewoon Ben.'

Hij stak zijn hand uit en ik schudde hem.

'David,' antwoordde ik kort.

Bens hand voelde warm en droog aan, in tegenstelling tot de mijne. Omdat ik vermoedde dat mijn nervositeit pijnlijk duidelijk begon te worden, zocht ik naar een spiegelend oppervlak. Wat stropdassen betrof, was ik een echte hannes en zonder spiegel compleet hulpeloos. Ik droeg ze nooit als het niet hoefde. Ik haatte ze zelfs en dat terwijl mannen in Engeland bijna met de stropdas om geboren worden. Misschien daarom juist. Stropdassen en maatpakken, al die symbolen van zakelijk succes, waren dingen waar ik me niet mee wilde identificeren. Ze waren niets meer dan een pantser waarmee mensen zich wapenden tegen het dagelijkse leven en ongrijpbaar probeerden te worden.

Ik trok wat aan de knoop en bedacht kort of ik zou moeten vertellen dat Lord en Lady Palmbridge jeugdvrienden waren geweest van mijn vader en dat hun dochter Emily mijn eerste grote liefde was geweest. Ik verwierp die gedachte weer, want ik wilde Hiller niet te veel afleiden. Hij scheen het als een sportieve uitdaging te zien om in duikvlucht over de hoge golven te glijden. Voor ons stoof een zwerm meeuwen uiteen. In het vroege middaglicht leken de dieren net sneeuwvlokken. Ik wilde al vragen of de vogels geen gevaar vormden toen ik Hiller zag grinniken. Hij scheen te hebben gewacht op een angstige reactie van mijn kant. Maar die voldoening wilde ik hem niet geven. Ik dacht aan hoe het zou voelen als een van de rotorbladen tegen de klippen zou slaan en in een grote boog zou wegzeilen, terwijl wij in zee neerstortten.

Geen prettige gedachte.

'Waarom is ze zo?' vroeg ik, in een poging aan iets anders te denken.

'Hoe bedoelt u? De Lady? Ik dacht dat u haar kende. Ik heb gehoord dat ze een goede bekende was van uw vader.'
Ik trok mijn wenkbrauwen op. Hiller scheen meer te weten dan ik dacht. 'Ja, dat klopt,' gaf ik toe. 'Maar ik was pas tien toen de Palmbridges ons op ons landgoed bezochten. De Lord en mijn vader hadden zakelijk veel met elkaar te maken, maar waren meestal in Londen. Ik ben Lord en Lady Palmbridge alleen bij deze ene gelegenheid tegenkomen; kort daarna vertrokken ze uit Engeland en verhuisden naar de Verenigde Staten. Daarna is het contact verwaterd.'
Ben trok de machine omhoog naar ongeveer honderdvijftig meter. Ik slaakte een zucht van verlichting.
'Sinds de dood van haar echtgenoot is mevrouw Palmbridge erg veranderd,' zei hij. Hij scheen zijn bazin wel te mogen. 'Is u over het pakketje verteld?' Ik schudde mijn hoofd en keek hem vragend aan. 'Ze kreeg het een week geleden. Er zat iets in waar ze erg van is geschrokken. Het was van haar dochter.'
'Van Emily?'
'U kent haar? Och ja, natuurlijk, u woonde allebei in Hever, nietwaar? Had Winston Churchill daar niet ook een landgoed?'
Ik knikte. 'Hij woonde direct naast ons, in Chatwell.'
'Mooie buurt. Emily heeft me er veel over verteld en foto's van de prachtige bakstenen huizen laten zien. U kunt zich voorstellen dat haar verhalen over uitjes, butlers en banketten voor een jongen uit de Bay Area klonken als sprookjes uit duizend-en-één-nacht.'
'Hoe lang kent u Emily al?' vroeg ik en ik voelde de jaloezie in me naar boven komen.
'Ik werk al sinds mijn negentiende op Palmbridge Manor. Mijn oom Malcolm was hier in dienst. Voor mij was dat een kans die ik nooit weer zou krijgen. Ik heb nooit spijt gehad. En Emily was gewoon betoverend.'
Ik knikte. 'Dat was ze zeker. Maar wij waren nog kinderen, toen.' Mijn gedachten dwaalden weer af naar het verleden, en ik stelde vast dat ik vaak aan haar had gedacht. Emily was, zonder het te willen, een vast onderdeel van mijn leven geworden – en dat terwijl ik geen idee had hoe ze als volwassen vrouw was. Achteraf gezien vergeleek

ik alle vriendinnetjes die ik in de loop der tijd had met haar. Een onmogelijke opgave, maar misschien was dat ook wel de reden waarom ik het nooit langer dan een halfjaar met iemand uithield. Het laatste slachtoffer van mijn bindingsangst was Sarah, die waarschijnlijk op dit moment woedend zat te wachten op een verklaring voor mijn plotselinge verdwijning. En terecht.
'Alles in orde?' Hillers vraag haalde me weer terug naar het heden.
'Mijn excuses,' antwoordde ik. 'Ik zat na te denken. Wat zat er in het pakketje dat de oude dame zo van haar stuk bracht?'
'Dat weet ik niet. En zelfs al zou ik het weten, dan mag ik er met u niet over praten. Het gaat alleen u en mevrouw Palmbridge aan. Daarom heeft ze u ook laten komen. Ik kan alleen dit zeggen: het heeft iets te maken met Emily's reis naar Congo.'
Mijn vermoeidheid verdween als sneeuw voor de zon. 'Wat doet ze daar in godsnaam? Daar heerst toch al jaren een burgeroorlog? Meer dan vijf miljoen mensen zijn daar al afgeslacht!'
Hiller schudde zijn hoofd. 'U haalt twee dingen door elkaar. Het Congo waar het nieuws het over heeft, is de Democratische Republiek Congo, het vroegere Zaïre. Emily zit in de Republiek Congo, die ten westen daarvan ligt. Een veel kleiner land waar het tot voor kort rustig was. Maar volgens mijn informatie zal dat niet lang meer duren. Het is er erg onrustig. Maar ik moet mij nu even verontschuldigen. Voor ons ligt Palmbridge Manor. Ik moet me op de landing voorbereiden.' Hij glimlachte kort naar mij en verdiepte zich vervolgens in zijn instrumenten.
Emily in Congo? Hoe was ze daar nou verzeild, in donker Afrika? Ik realiseerde me hoe weinig ik over Emily wist. In al die jaren was ze voor mij altijd dat meisje met de blonde vlechtjes gebleven. Maar vergeleken met mij bleek ze een avontuurlijk leven te leiden.
Terwijl ik probeerde mijn gedachten op een rij te zetten, dook voor ons een schiereiland op dat met steile klippen in zee stak. Het werd bekroond door een bouwwerk dat verbazend veel leek op de vroegere woning van de Palmbridges in Hever, ook al scheen het groteske afmetingen te hebben aangenomen – alsof de centimeters op de bouwtekeningen waren verwisseld met inches. Aan de andere kant paste de

omvang juist perfect bij de drang van Amerikanen naar het overdreven grote. De bakstenen glinsterden vurig in de middagzon, terwijl de vier hoektorentjes als vingers de lucht in prikten. Over het smalle schiereiland liep een weg naar het landgoed van de Palmbridges. Deze kwam uit op een enorm parkeerterrein, omzoomd door pijnbomen, waar meerdere auto's geparkeerd stonden – allemaal luxueuze limousines, stelde ik met een vleugje jaloezie vast. De genprojecten van Palmbridge hadden hem geen windeieren gelegd. Zover ik wist, had hij een onderzoekscentrum geleid ergens in de Californische woestijn.
'Houdt u zich alstublieft vast, we gaan landen,' deelde Hiller mee, waarna hij de machine een flauwe bocht naar links liet maken en de helikopter zachtjes op het gras naast het parkeerterrein zette. De landing was bijna niet te voelen, en toen werd de turbine uitgezet.
'We zijn er,' zei hij stralend, terwijl hij zijn helm afdeed. 'Welkom op Palmbridge Manor.'
Hij sprong uit de helikopter, liep om de zilverkleurige neus heen, opende mijn deur en hielp mij uit mijn gordel. Blij dat ik weer vaste bodem onder mijn voeten voelde, stapte ik uit. Ik wilde mijn bagage van de achterbank halen, maar Hiller hield me tegen.
'Laat u dat maar aan mij over. Ik zal uw koffer naar uw kamer brengen. Ik zou u willen aanraden direct naar binnen te gaan. De andere gasten schijnen al te zijn gearriveerd, en de Lady heeft een hekel aan mensen die te laat komen.' Hij gaf me een bemoedigend knikje.
Ik bleef even onzeker op het gras staan, terwijl mijn armen als bij een marionet slap langs mijn lichaam bungelden. Hiller merkte mijn verlegenheid op en sprak me moed in: 'Geen nood, gaat u maar gewoon naar de hoofdingang. Aston zal u binnenlaten.'
Ik haalde diep adem en liep snel op het prachtige herenhuis toe. Het grind knerpte onder mijn leren zolen toen ik over het parkeerterrein liep. Mijn horloge vertelde me dat ik door de mist in San Francisco een halfuur vertraging had opgelopen.
Bij de ingang keek ik verward om me heen. Ik kon nergens een deurbel bekennen, alleen maar een enorme gietijzeren deurklopper in de vorm van een drakenkop, die mij boosaardig toelachte. Ik raapte al mijn moed bijeen en liet hem tegen de deur vallen. Mijn kloppen

stierf dof weg, de diepte van het huis in. Ik wachtte even. Net toen ik begon te denken dat niemand mij had gehoord, hoorde ik binnen schuifelende voetstappen. Iemand morrelde aan het slot en daarna draaide de zware poort naar binnen open.
Een oude butler in vol ornaat deed de deur open, met een gelaatsuitdrukking die vertelde van vervlogen glorietijden. Deze man moest wel uit Engeland komen. Geen enkele Amerikaan had zo'n waardigheid kunnen uitstralen.
'Met uw permissie: mijn naam is Aston,' stelde hij zich met een krakende stem voor. 'Wie kan ik Lady Palmbridge zeggen dat er is?'
'David Astbury.'
'Volgt u mij naar de salon, sir. U wordt al verwacht.'
Ik stapte over de drempel en het was alsof ik een tijdmachine binnenstapte. Ik ademde de geur van exotische bloemen in, net als twintig jaar geleden, toen ik voor het eerst het oude huis van de Palmbridges binnenstapte. Rechts van de ingang stond een manshoge vaas met daarin ranke, vreemde orchideeën, die ik zelfs tijdens mijn plantkundelessen nooit had gezien. Links probeerde een klein bosje zeldzame bonsaiboompjes naar het daglicht toe te groeien. Ik zag een prachtig gekweekte ginkgo en een dwergmangrove, waartussen een gouden volière hing waar een paradijsvogel in heen en weer hupte. Zijn gekwetter vervulde de hal met vreemde melodieën.
Aston bekeek mij van top tot teen, alsof hij iets van mij wilde aannemen. Maar nadat hij zich ervan had overtuigd dat ik geen mantel, stok of hoed bij me had, kuchte hij teleurgesteld, draaide zich om en schuifelde naar de kamer rechts van ons. Hij liep zo langzaam dat ik tijd genoeg had om om me heen te kijken. Mijn respect voor de Palmbridges nam toe bij elke kamer waar we doorheen liepen. Exotische planten, afgewisseld met boekenkasten die tot aan het plafond reikten en voortreffelijke antieke meubels. De tafels waren allemaal versierd met weelderig inlegwerk en de leren stoelen zagen er zo comfortabel uit dat niemand er vrijwillig weer uit zou willen opstaan. Ik kwam zelf ook uit een gegoede familie, maar bij het zien van deze pracht en praal verstarde ik van eerbied. De familie was toen

al welgesteld geweest, maar hier in de Verenigde Staten moesten ze een vermogen hebben verdiend.
Terwijl we met een slakkengangetje door een kamer met open haard liepen, kon ik achter een gesloten deur horen dat in de kamer ernaast werd gepraat. Het waren de stemmen van drie mensen, die niet meer van elkaar hadden kunnen verschillen. De vrouwenstem was resoluut en droog en behoorde ongetwijfeld toe aan onze gastvrouw. De tweede stem was van een man en had een accent dat ik niet kon plaatsen. Bij de derde stem spitste ik mijn oren. De stem leek diep uit de keel te komen en was niet te vergelijken met iets wat ik ooit eerder had gehoord.
De butler was bij de deur aangekomen en klopte aan.
'Binnen!' klonk het en Aston deed de deur open. Met een onbehaaglijk gevoel in mijn maag stapte ik naar binnen.

3

Een dikke wolk tabaksrook sloeg me tegemoet. Lady Palmbridge zat met twee mannen aan een salontafel; ze rookten en keken me nieuwsgierig aan.

'Eindelijk!' De gastvrouw stond op en liep op me af. Ik zag met verbazing hoe klein ze was. Haar grijze haar was tot een knotje samengebonden en haar ogen en de rimpels om haar mond getuigden van een onbuigzame wil. Het was duidelijk te zien dat ze vroeger een schoonheid was geweest.

'Wat heerlijk om je te zien, lieve David. Ik ben erg blij dat je mijn verzoek hebt ingewilligd en op het vliegtuig bent gestapt. Laat me je eens bekijken. Wat zie je er goed uit! Het is bijna niet te geloven, maar die kleine jongen is veranderd in een imposante man. Met een goede smaak, als ik dat mag zeggen.' Ze pakte mijn hand en schudde hem hartelijk. 'Mijne heren, mag ik u voorstellen aan de zoon van mijn vriend en strijdmakker Ronald Astbury? Jammer dat de oude charmeur niet meer bij ons is. Hij is vijf jaar geleden overleden, bijna tegelijk met mijn geliefde echtgenoot. Met die twee mannen is een deel van mijn jeugd verloren gegaan.'

Even leek ze in gedachten verzonken, maar toen tilde ze haar hoofd weer op en keek ze naar de twee mannen die zichtbaar moeite hadden uit de zware lederen stoelen omhoog te komen.

'Blijft u toch zitten,' zei ik en ik liep op ze af. De mannen namen mijn aanbod dankbaar aan. De ene, een bijna twee meter lange reus met een scherpe neus en diepe inhammen, stak een kolenschop naar me uit. Zijn onderarm was een en al spier. 'Stewart Maloney,' zei hij. Zijn stem was, net als zijn handdruk, verrassend zacht en aangenaam. Toch dacht ik in zijn ogen een fonkeling te zien die wees op een onverbiddelijke wil. Mijn blik viel op een merkwaardig oud uitziend amulet dat hij om zijn hals droeg. Een gestileerde hagedis in een ronde vatting van hout, die met talrijke gravures was versierd. 'Dit hier is mijn assistent,' zei hij, wijzend naar zijn begeleider.

Ik keek hem vol verbazing aan. De man was aboriginal en had een glimlach die van oor tot oor liep. Toen ik naar de grond keek, zag ik dat hij geen schoenen droeg. Hij pakte zijn kleine houten pijp uit zijn mond en reikte mij de hand. 'Sixpence,' zei hij met de onmiskenbare stem die ik al door de deur had gehoord. 'Het is mij een genoegen u te leren kennen.'
'Het genoegen is wederzijds,' antwoordde ik en nam zijn hand – een grote fout. Had ik geweten wat voor ijzeren greep deze man had, dan was ik voorzichtiger geweest.
Toen hij mijn hand weer losliet, dacht ik dat mijn vingers waren veranderd in botsplinters. Mij werd direct duidelijk waarom Maloney met zo'n gek accent sprak en waarom zijn amulet me bekend voorkwam. Hij kwam eveneens uit Australië en het amulet was een dromenvanger.
Lady Palmbridge lachte naar mij, alsof ze mijn gedachten had gelezen. 'Mr. Maloney en Mr. Sixpence hebben de reis van de andere kant van de wereld om dezelfde redenen gemaakt als waarom ik ook jou heb gevraagd te komen. Maar daarover wil ik pas vanavond, na het diner, meer vertellen. Nu zou het mij een groot genoegen zijn als u zich allen eerst ontspant. Wat kan ik je aanbieden, David? Cognac, whisky of liever sherry?' Ik keek snel naar de glazen van de anderen en koos spontaan voor whisky. Niet omdat ik dat zo lekker vond, maar omdat iedereen het dronk. Mevrouw Palmbridge knikte naar Aston, die wankel naar de bar liep. Hoe luisterrijk de villa ook was, zonder Emily was het niet meer dan een luxe bejaardenhuis.
'Scotch of bourbon, sir?' vroeg de butler.
'Scotch – zonder ijs graag.' Ik had het gevoel alsof ik een halve meter naast mezelf stond. Hoe was ik hier ooit verzeild geraakt? De Lady bracht me naar een stoel aan de smalle kant van de tafel, tegenover Maloney en Sixpence. Ik liet me in de stoel zakken. Hij zat heerlijk. Onze gastvrouw wachtte tot ik mijn glas had en hief toen het hare. 'Op u allen, dat u de moeite hebt genomen om een oude vrouw in de knel te komen helpen. Dat ons samenzijn onder een goed gesternte mag staan.' Ze sloeg de inhoud van haar glas in één keer achterover en liet het nog eens volgieten.

Terwijl ik me nog verbaasde over het vreemde gedrag van onze gastvrouw, vroeg ik me af wat die trieste woorden betekenden. De whisky was, zoals te verwachten was, uitstekend. Zacht en soepeltjes gleed hij door mijn keel; mijn maag werd heerlijk warm.
'David, vertel eens. Hoe bevalt het leven aan de universiteit? Gaat het er nog altijd aan toe als in mijn tijd?'
Ik keek verlegen om me heen. 'Dat kan ik moeilijk zeggen, mevrouw, maar ik denk niet dat er veel is veranderd sinds u hebt gestudeerd. Het is een traag instituut voor iemand die iets wil veranderen. Toch heb ik onlangs mijn eerste lezing mogen houden over intracellulair signaaltransport. Een enorme doorbraak.'
Lady Palmbridge wendde zich tot Maloney, die mij aankeek met een mengeling van scepsis en vermaak.
'Ter informatie, mijn lieve Stewart: David streeft een professoraat na aan het Imperial College in Londen. Het Imperial College is de op een na beste elite-universiteit van Engeland. Nog voor Oxford, maar helaas na Cambridge.'
'Ik hoop dat wij dat misverstand de komende jaren kunnen corrigeren,' voegde ik er met een knipoog aan toe.
'Daar heb ik alle vertrouwen in. David is trouwens gepromoveerd op een onderwerp uit de structurele biologie, een veelbelovende nieuwe onderzoekstak op het gebied van de genetica. Als we meer tijd hebben, zou ik hier graag nog uitvoeriger met je over spreken.'
'Met genoegen,' antwoordde ik en ik nam nog een slok. Intussen ging Mrs. Palmbridge verder: 'David treedt in de voetsporen van zijn vader, een van de grootste taxonomen en etnologen uit de geschiedenis. Met dat verschil dat Ronald een echte wereldreiziger was. Hij kon niet goed thuiszitten, moest altijd de wijde wereld in. Ik heb nog nooit zo'n rusteloze persoon als hij gezien. Mijn man en hij waren collega's. Zij beiden hebben, dat mag ik zonder valse bescheidenheid toch wel zeggen, belangrijk fundamenteel onderzoek verricht. Maar genoeg over het verleden en weer terug naar jou, David. Jij schijnt totaal anders in elkaar te zitten.'
'Dat klopt,' gaf ik onomwonden toe. 'Mijn vader heeft me lang genoeg de halve aardbol rond gesleept om me te doen beseffen dat

dit niet het leven was waar ik voor zou kiezen. Ik zit het liefst in mijn laboratorium, en doe mijn onderzoek in stilte, achter een gesloten deur.'
Lady Palmbridge moest hierom lachen en draaide zich weer om naar Maloney. 'U kunt u niet voorstellen hoeveel obstakels er liggen op het pad van assistent naar professor. Een man als u, die uit het veldonderzoek komt als ik dat zo mag formuleren, moet de universiteit bijna als een vreemde planeet beschouwen.'
'Voor mij zou het niets zijn,' bromde Maloney in zijn glas. 'Alle respect hoor, maar ik ben meer zoals uw vader, Mr. Astbury. Ik heb frisse lucht in de longen nodig en adrenaline in mijn bloed. Met boeken en hoorzalen kan ik helemaal niets.'
'Interessant,' haakte ik in, met een bitse ondertoon. 'Wat voor veldonderzoek doet u dan?'
'Mr. Maloney en zijn assistent zijn de twee beste jagers op groot wild op deze planeet,' lichtte Lady Palmbridge toe, waarna ze met een knipoog zei: 'Ze zijn er zogezegd verantwoordelijk voor dat de universiteit genoeg onderzoeksobjecten heeft. Zij behoren tot die kleine groep mensen die ooit een levende okapi in het wild hebben gezien en hebben gevangen. Wat zou u de moeilijkste vangst van uw leven noemen, Mr. Maloney?'
Maloney dacht even na en ik zag hoe zijn kaakspieren onder de perfect geschoren huid op en neer gingen. Hij scheen te twijfelen. Uiteindelijk zei hij: 'Dat was drie jaar geleden op Borneo, in de buurt van Ketapang. Een zes meter lange zeekrokodil, een ongelooflijk monster. Voor een levend exemplaar van dat formaat wordt op de vrije markt omgerekend een half miljoen dollar betaald. Het was de god onder de krokodillen.'
'Hebt u daar die verwondingen aan overgehouden?' Ik wees op zijn onderarmen.
'Nee,' zei hij. Even dacht ik weer die fonkeling in zijn ogen te kunnen zien, maar toen ging hij verder: 'Ik had het beest drie keer met een verdovingspistool in de buik geraakt. Hij sliep als een baby, dat dachten we in elk geval. We wilden hem net met een hijstuig uit het water en in een houten kist tillen toen hij wakker werd, zich bevrijd-

de en wild om zich heen zwiepend tussen de helpers viel. Ze hadden geen idee hoe snel een krokodil kan zijn. Ik had mijn geweer nog niet eens ontgrendeld of hij had al drie van mijn mannen gedood. Daarna verdween hij, een bloedspoor achter zich aan trekkend, in het brakke water.' Maloney nam de laatste slok uit zijn glas en liet zich weer inschenken door Aston.
'En hoe hebt u hem uiteindelijk gevangen?' vroeg ik.
'Het heeft vier dagen geduurd,' zei hij. 'Elke nacht kwam het beest uit het water om een van ons te halen. De tweede nacht drong hij een van onze tenten binnen en wist hij de kok te pakken te krijgen.' Hij lachte droog.
'Waarom hebt u het kamp niet verplaatst of gewoon de jacht opgegeven?'
Maloney keek me aan alsof hij niet begreep wat ik bedoelde. 'Op de derde dag vertrokken onze helpers,' ging hij verder. 'Ze zeiden dat we de Mowuata, de god van het water, boos hadden gemaakt en dat ze ons niet meer konden helpen. Dus zijn Sixpence en ik gaan posten aan de waterkant en hebben gewoon gewacht. En de krokodil wachtte ook, veertig meter verderop in het water. We konden zijn ogen zien die ons boosaardig aanstaarden, dag en nacht. Hebt u weleens een krokodil in de ogen gekeken die u wil pakken, Mr. Astbury? Hij heeft absoluut onbeweeglijke ogen, als de ogen van een dode. Ik kan u zeggen: iets vergelijkbaars bestaat er niet op deze aarde. Sixpence en ik hebben in die tijd niet geslapen. Het gevaar dat een van ons even niet zou opletten terwijl de ander sliep, was gewoon te groot. Zesendertig uur hebben we tegenover de krokodil gezeten en gewacht. Het was de meest zenuwslopende oorlog die ik ooit heb uitgevochten. Op de ochtend van de vierde dag na onze komst kwam het monster eindelijk uit het water. Langzaam en op zijn gemak. Hij maakte geen enkele aanstalten ons aan te vallen of te vluchten. Hij stond daar gewoon maar, met hangende kop, en liet ons hem bekijken. Eerst dachten we dat het een truc was. Krokodillen kunnen zeer sluw zijn, maar in dit geval was het iets anders. Zijn hele houding gaf aan dat hij vrede met ons wilde sluiten. Hij respecteerde ons, omdat wij niet bang voor hem waren.'

'Wel zeer ongewoon gedrag voor een krokodil, vindt u ook niet?' viel ik in, om tegelijkertijd mijn grote mond te vervloeken.
'Waarom?' Maloney gleed naar voren op zijn stoel als een roofdier, klaar voor de aanval. Iedereen keek me vol verwachting aan. Nu zat ik in de penarie.
'Nou ja, ik heb nog nooit gehoord dat een krokodil zulk, laten we zeggen, menselijk gedrag kan vertonen. Krokodillen zijn eigenlijk vrij dom. Begrippen als vrede of respect hebben in het leven van een krokodil geen enkele betekenis,' voegde ik eraan toe.
'Als u dat zegt.' Maloney lachte kil.
'Hoe dan ook...', zei ik, om het jagerslatijn eindelijk tot een einde te brengen en de onaangename situatie om te draaien, '...toen kon u hem verdoven, vangen en een half miljoen incasseren.'
'Nee.' Maloneys ogen troffen mij met een hardheid die de rillingen over mijn rug deed lopen. 'Ik heb hem gedood. Met een schot recht in de kop, van dichtbij. Zijn schedel hangt nu aan de muur van mijn huis in Leigh Creek. U kunt hem daar komen bekijken als u eens in de buurt bent.'

De staande klok in de kamer sloeg kwart voor zeven toen ik de kracht vond om op te staan en me klaar te maken voor het diner. De reis had toch meer van me gevraagd dan ik dacht, en ik merkte dat het nog dagen zou duren voordat ik de jetlag kwijt zou zijn. Ook het bezoek zelf had emotioneel nogal wat bij me losgemaakt. Ik had nog steeds geen idee waarom ik hier eigenlijk was. Hillers spaarzame informatie over Emily, Lady Palmbridges raadselachtige aanwijzingen en vooral de aanwezigheid van Maloney en Sixpence hadden de nodige vragen bij me opgeroepen. Een ding was duidelijk: Maloney en ik konden elkaar niet luchten of zien, dat was vanaf de eerste seconde al duidelijk geweest. Achter die vriendelijke buitenkant zat een keiharde killer. Ik kon alleen maar hopen dat de Lady niet verwachtte dat ik vrienden zou worden met deze slager. Mijn hele lichaam kwam in opstand als ik aan het verhaal van de krokodil dacht. Wat was dat voor man die een premie van een half miljoen dollar afsloeg om zijn eigen wraak te kunnen botvieren? Niet echt professioneel.

Ik nam een bad, scheerde me, waste mijn haren en trok mijn kleren weer aan. Toen ik voor de spiegel stond en mijn stropdas nog eens goed bekeek, stelde ik vast dat ik wel erg nieuwsgierig was te horen wat er met Emily was gebeurd. Lady Palmbridge had ons beloofd het geheim van onze uitnodiging na het diner prijs te geven, en ik hoopte dan ook iets meer over Emily's verblijfplaats te weten te komen. Hoe zou ze er nu uitzien? Misschien was ze in de twintig jaar dat ik haar niet had gezien dik en lelijk geworden? Nee, dat was onwaarschijnlijk. Tenslotte had Hiller met bewondering over haar gesproken. Ze was vast en zeker nog even betoverend als vroeger.
Ik liep naar het raam en schoof het open. Een mild avondbriesje droeg de zeelucht de kamer in. Onder mijn raam strekten zich een pijnboombos en gemanicuurd gazon uit tot aan de rotsen, waarachter ik de branding kon horen bulderen. In de verte hoorde ik het gebrul van zeeleeuwen.
Ik rekte me uit en sloot het raam. Het was tijd om te gaan. Aston stond onder aan de trap op me te wachten en bracht me naar de eetzaal. Links van ons hoorde ik het gekletter van potten en pannen en de heerlijke geur van gebraden vlees bereikte mijn neus. Jongens, wat had ik een honger.
De butler opende de deur en de realiteit trok me snel weer naar het hier en nu. Ik was de eerste.
'Ik moet u even alleen laten om de andere gasten op te vangen,' zei de butler. 'Neemt u toch een aperitief als u daar zin in hebt.' Hij vertrok met een blik op zijn gezicht alsof hij bang was dat ik het tafelzilver zou stelen. Verkeerde timing, dacht ik, typisch iets voor mij. Maar nu had ik wel de gelegenheid om de prachtige zaal wat beter te bekijken. Hij was, zoals in Engelse herenhuizen gebruikelijk was, van boven tot onder versierd met jachttrofeeën. Tussen een opgezette auerhaan en de kop van een everzwijn ontdekte ik een houten boog naast een koker en pijlen met veren van roofvogels. Prachtig versierd en zeker een vermogen waard. Verschillende wapens als zwijnsspriеten, rapieren en bastaardzwaarden waren afgewisseld met kunstig versierde voorladers. Alles bij elkaar een prachtige verzameling antieke wapens; precies zoals de Engelsen het graag zagen. Alleen met dat

verschil dat deze verzameling eerder in de Tower in Londen op zijn plek zou zijn. Wat mij meer fascineerde dan alle wapens was het schilderij boven de open haard. Een echte Turner, zoals ik van vijf meter afstand al kon zien. Er was een prachtig wit zeilschip op afgebeeld dat door een donkere sleepboot in het dok werd getrokken. De scène baadde in het voor Turner zo typerende nevelige avondrood. Toen ik dichterbij kwam, zag ik een klein messingplaatje op de lijst. *Fighting Téméraire*, stond erop, *Joseph William Turner 1838*. Op de schoorsteenmantel stonden een paar ingelijste foto's van Palmbridge en zijn gezin. Mijn hart maakte een sprongetje toen ik een portret van Emily ontdekte, waarop ze vrolijk naar de camera knipoogde. Ze moest op deze foto ongeveer vijfentwintig zijn en ze zag er heel anders uit dan ik me had voorgesteld. Haar blonde haar was kort en modieus geknipt. Ik ging zo dicht op de foto staan dat mijn neus bijna het glas aanraakte. Haar ronde gezicht was iets langer geworden en haar neus, die vroeger klein en rond was geweest, stak nu iets meer uit. Haar lippen waren vol en rond en haar ogen sprankelden van energie. Haar hele verschijning straalde levenslust en avontuur uit. En plotseling, alsof iemand een magische deur in de tijd had opengetrokken, kwamen de herinneringen. Ik kon haar stem horen, haar heldere lach en haar gezang. Ik herinnerde me de dag waarop wij beiden, nadat onze muzieklerares Mrs. Vonnegut ons een standje had gegeven omdat we niet goed ons best hadden gedaan, de tuin in waren gerend en ons hadden verstopt achter de gigantische vlierbes waar Emily een hut in had gebouwd. We waren gewoon weggelopen en hadden de tierende en kijvende lerares laten staan. Het was ook die dag geweest dat Emily voor het eerst had gezegd dat ze weg wilde. Waarnaartoe maakte niet uit, gewoon weg van huis. De omvang van het huis drukte op haar, bekende ze mij. Het was zo leeg en eenzaam, vooral 's nachts. Als ik er was, was het anders, maar zodra ik de deur achter me dichttrok, waren die gevoelens er weer. Dan was het alsof de muren uit elkaar werden getrokken en er een vacuüm ontstond dat steeds kouder en kouder werd. Ik had geprobeerd om haar te troosten, maar dat lukte niet zo goed. Ik herinnerde me dat ze me lang en diep in de ogen had gekeken en wat ze daar zag, scheen haar tevreden te stellen.

'Heb je eigenlijk wel eens een meisje gekust?' De vraag trof me als een donderslag bij heldere hemel. Ik herinnerde me hoe warm ik het toen kreeg, en dat lag niet aan de meizon die op ons hoofd prikte. Natuurlijk had ik nog nooit een meisje gekust, hoe zou dat moeten? Maar het was erg moeilijk om dat toe te geven. In plaats van te antwoorden, had ik gewoon ontkennend mijn hoofd geschud.
'Zou je het wel graag willen?'
Ik kon me niet herinneren of ik ja of nee had geantwoord. Waarschijnlijk had ik daar gewoon dom gezeten, totaal verlamd, als een muis tegenover een kat, wachtend. Emily had me nog een keer aangekeken en toen, voordat ik kon opstaan en weglopen, haar lippen op de mijne gedrukt. Ik herinnerde me die eerste kus alsof het gisteren was. Het was een gevoel geweest alsof duizenden sterren op mij neer regenden. Nooit, in geen duizend jaar, zou ik dat moment vergeten. Ik zuchtte.
'Is ze niet mooi?' klonk de stem van Lady Palmbridge naast mijn oor. Ik deinsde terug, omdat ik haar niet binnen had horen komen.
'Mijn excuses, ik wilde je niet laten schrikken, maar je was zo verdiept in de foto's dat je mij waarschijnlijk niet hebt horen binnenkomen.'
'Ik heb net even een tijdreis naar het verleden gemaakt,' zei ik vrijmoedig.
'O, dat gevoel ken ik,' zei mijn gastvrouw lachend. 'Wees gerust. Wanneer je zo oud bent als ik, zul je nog vaker in het verleden zwelgen. Mag ik je als goedmakertje een Amontillado uit '69 aanbieden?'
'Zeer graag,' antwoordde ik.
'Hoe bevalt je kamer?'
'Hij is geweldig, Madam. Zoals het hele landgoed... Het doet me denken aan uw oude huis in Hever. De herinneringen daaraan staan in mijn geheugen gegrift.'
'Ach ja, Hever. Ben je er sinds Ronalds dood nog geweest?'
'Nee. Ik heb het huis verkocht. Het zat zo vol herinneringen dat het me bijna verstikte. En zegt u nu zelf, wat zou ik met zo'n bezit moeten? Ik ben een stadsmens. Ik heb van mijn geld een mooi appartement gekocht waar ik erg gelukkig mee ben.'

'Verontschuldig mijn openheid, maar ik denk dat je een fout hebt gemaakt het huis te verkopen,' zei Lady Palmbridge. Ze gaf me mijn glas. 'Geloof mij maar, hoe ouder men wordt, hoe meer men weer naar de wortels van de jeugd terug wil. Dat zul je nog wel merken. Waarom denk je dat mijn man en ik dit huis volgens de oude plattegronden hebben laten nabouwen? We hoopten hier weer wortel te schieten, maar ik zal je iets zeggen. Het werkt niet! Niets en niemand zal je ooit de plek waar je je jeugd hebt doorgebracht, kunnen teruggeven.'
Daarmee hief ze haar glas en we proostten. Op dat moment hoorde ik stemmen in de foyer. Schijnbaar waren de twee andere gasten ook gekomen. De deur ging open en de twee Australiërs stapten naar binnen. Beiden droegen een perfect passend pak, maar toch bleek in elk geval Sixpence zich in zijn kostuum even ongemakkelijk te voelen als ik in het mijne. Ik moest een glimlach onderdrukken toen ik hen zag, omdat ze beiden eruitzagen alsof ze net uit een roman van Henry Rider Haggard waren gestapt. Ook al was mijn scepsis jegens Maloney nog niet verdwenen, toch wilde ik graag weten wat deze twee zo verschillende mensen bij elkaar had gebracht.
'Komt u binnen,' zei Lady Palmbridge met een krachtige stem, en ik begon me af te vragen hoe ze had geklonken als ze al haar krachten nog had gehad.
'Aston, schenk de heren in wat ze willen drinken. Ik hoop dat u een goede eetlust hebt, want Miranda, mijn kokkin, heeft iets erg smakelijks voor u bedacht.'
'Ik heb honger als een paard,' lachte Maloney en hij knipoogde naar Aston die hem een sherry aanbood. 'Niet voor mij vriend, bedankt,' zei hij tegen de butler, die al had ingeschonken en vol verbazing over deze afwijzing de wenkbrauwen optrok. 'Ik blijf liever nuchter om te horen waarom we hier zijn uitgenodigd. Mijn complimenten, Lady Palmbridge, de kamers zijn fantastisch. Ik had niet kunnen dromen dat ik me zo dicht bij zee zo goed zou voelen. En dat terwijl ik echt een oude landrot ben.'
'Waar ligt Leigh Creek precies?' vroeg ik.
'In het zuiden, aan de voet van het Flindersgebergte.' Terwijl hij mijn uitdrukkingsloze gezicht zag, vroeg hij: 'Weet u waar Adelaide ligt?'

'Ongeveer.'
'Leigh Creek ligt ongeveer driehonderd mijl naar het noorden. Een wilde, ongerepte omgeving. Met glooiende heuvels, dichte bossen en visrijke rivieren. Daarachter begint de outback, de grote, eindeloze leegte...'
'Jullie zien hem misschien als leeg,' wierp Sixpence tegen, 'maar voor ons is hij vol dromen en herinneringen.'
'Dan kent u de oude verhalen?' vroeg ik, om eraan toe te voegen: 'Ik heb *De gezongen aarde* van Bruce Chatwin gelezen en ik moet toegeven dat ik het echt fascinerend vond.'
Sixpence liet zijn witte tanden zien. 'Elke abo kent die verhalen. We dragen ze met ons mee.'
'Waar komt uw naam eigenlijk vandaan?' vroeg ik hem. 'Een erg ongebruikelijke naam, vind ik.'
Sixpence lachte, maar iets in zijn gezicht zei me dat het een pijnlijk onderwerp was. 'Dat is de prijs waarvoor mijn moeder me aan de Maloneys heeft verkocht,' antwoordde hij. 'Zes pennies en een fles whisky, dat was alles wat Stewarts vader in het handschoenenvakje van zijn auto had, maar het was genoeg. Waarschijnlijk was de fles alleen al ook voldoende geweest, maar ik ben blij dat hij nog wat kleingeld had, anders had ik nu Whisky geheten. Ik was toen nog een baby en mijn moeder was aan de drank. Zoals veel mensen van mijn volk,' voegde hij er schouderophalend aan toe.
'Een treurig verhaal,' vulde Maloney hem aan. Hij legde zijn hand op de schouder van zijn vriend. 'Ik was drie turven hoog, nog geen acht jaar oud, toen mijn vader hem meebracht van het veld,' zei hij. 'Ik was toen een buitenbeentje in de familie. De schapenteelt interesseerde me niet en ik had me afgezonderd van mijn ouders en broers en zusjes. Maar in Sixpence ontdekte ik een verwante ziel. Ik bekommerde me om hem als om een broer. Hij werd mijn beste vriend en was altijd bij me. Ik zou nu niet meer weten wat ik zonder hem zou moeten doen.' Hij keek hem lachend aan. Ik vroeg me af hoe openhartig Maloney over zijn verleden sprak. Deze eerlijkheid en zijn diepe verbondenheid met de aboriginals lieten ineens een ander licht op hem schijnen.

Terwijl Sixpence het sherryglas van de butler aannam, die het nog steeds in zijn handen had, wees Maloney op de wapens. 'U hebt een mooie verzameling, Mylady,' constateerde hij met vakkundige ogen. 'Vooral die musketten zijn erg indrukwekkend. Een echte Enfield, kaliber 16,5 mm, nietwaar? Hebt u daarmee gejaagd?'
'Wat denkt u wel!' antwoordde ze. 'In mijn jeugd heb ik wel eens deelgenomen aan een vossenjacht, maar dat was het wel. Mijn man en ik hebben altijd getracht leven te creëren in plaats van het uit te roeien. Toch ben ik vrij sentimenteel wat deze wapens aangaat. Ze doen me denken, zoals zoveel in dit huis, aan mijn vaderland.'
'Dan hoef ik u waarschijnlijk niet te vragen of ze te koop zijn.'
Op dat moment luidde Aston de bel.
'Het diner wordt geserveerd.'

4

Het eten smaakte voortreffelijk. Miranda, een vrouw aan wie je kon zien dat ze zelf graag at wat ze op tafel toverde, had een heerlijk menu samengesteld: truffels van ganzenlever en een ijskoude komkommersoep, gevolgd door babytarbot met Chinese groenten en gevulde lamsbout met groene asperges. Bij deze delicatessen dronken we uitstekende Franse wijnen, witte en rode, die ik tot nu toe alleen van horen zeggen kende. Net toen ik dacht dat ik geen hap meer naar binnen kon krijgen, kwam Miranda binnen met een chocoladetaart met gekonfijte sinaasappel, waarbij een smaakvolle Tokay werd geschonken.

Het was jaren geleden dat ik zo heerlijk had gegeten. Maloney en Sixpence leken er net zo over te denken, want ook zij leunden tevreden achterover in hun stoel, strekten hun benen en keken gelukzalig toe hoe Miranda de tafel afruimde en koffie serveerde.

'Hoe dan ook, Lady Palmbridge,' zei Maloney, terwijl de deur achter de kokkin dichtviel, 'met deze kokkin hebt u goud in handen. Ik zou willen dat ik zo iemand in de keuken had staan.' Hij deed een knoopje los van zijn jachtvest en stak zijn buik naar voren. 'Maar het zou wel dodelijk zijn voor mijn figuur.'

'Ze is fantastisch, nietwaar? Ik moet toegeven dat ze vanavond wel erg haar best heeft gedaan. Misschien omdat we zo zelden gasten over de vloer krijgen.'

Maloney haalde een zilveren doosje uit zijn vest tevoorschijn, knipte het open en bood ons een van zijn geurige sigaren aan. Toen wij vriendelijk bedankten, haalde hij zijn schouders op, pakte er zelf eentje en stak hem aan. 'Lady Palmbridge, ik denk dat het tijd is dat u ons uit ons lijden verlost. Gaat u ons nu eindelijk vertellen waarom u ons hebt laten komen?' Hij blies de rook omhoog, waarna de kamer werd gevuld met een mild vanillearoma. Alle ogen waren gericht op onze gastvrouw. Ze ging langzaam staan en ik kreeg de indruk dat haar dit de nodige moeite kostte. Toen ze op de gong sloeg, kwam Aston, die buiten voor de deur had staan wachten, binnen. Zijn bazin wenkte dat hij naar de kastenwand moest gaan, waar hij een dubbele deur opende en een beamer tevoorschijn haalde. Daarna dimde hij de verlichting en zette het apparaat aan. Op de tegenoverliggende muur verscheen een witte rechthoek met het bedrijfslogo.

'Dank je Aston, dat is alles,' zei onze gastvrouw. Ze wachtte tot haar bediende de kamer had verlaten en liep toen naar het projectieapparaat.

'Voordat ik u precies uitleg waarom ik u hier heb laten komen, wil ik u een kort filmpje laten zien over *Palmbridge Genetic Engineering*, kortweg PGE.' Ze zette de beamer aan en we zagen vanuit de lucht een paar platte witte gebouwen, die in een sober, rotsachtig woestijnlandschap stonden. Rondom stond een hoog, dubbel hek van gaas dat het complex op een gevangenis deed lijken.

'Het complex werd al in de jaren zeventig gebouwd,' legde ze uit. 'Toen was het bedoeld voor kernonderzoek, wat ook de ligging, ver van de steden en dorpen in de Calveras, aan de voet van de Sierra Nevada, verklaart. Maar toen duidelijk werd dat kernenergie op den duur toch niet de oplossing was, werd het gebouw gesloten. Voor mijn man, die experimenteerde met virussen en andere agressieve stoffen, was dit gebied natuurlijk ideaal, zowel wat ligging als beveiliging betrof. Wat u op deze beelden niet ziet, zijn de vier verdiepingen onder de grond. Daar bevinden zich de streng beveiligde laboratoria waarin we aan de echt interessante programma's werken.' De camera suisde over het complex heen, langs een wachttoren en het portiershuisje en vervolgens het hoofdgebouw in. Pas nu realiseerde ik me dat het een computersimulatie was. De hele woestijn, de struikjes, zelfs de Joshuabomen, waren allemaal op de computer gemaakt. Onder de indruk van de realistische beelden liet ik me dieper de virtuele wereld binnentrekken.

'Wat u zonet links hebt gezien, zijn de leefvertrekken en een kleine elektriciteitscentrale, die het hele complex van elektriciteit voorziet,' verduidelijkte ze. Aan haar stem was te horen hoe fijn ze het vond om over het levenswerk van haar man te vertellen. Alle lusteloosheid was verdwenen en plotseling stond ze voor ons zoals ze vroeger was, een vrouw vol kracht en ondernemingslust.

'We gaan nu langs de kantoren en komen terecht in het gedeelte van het gebouw waar met microben en de allerkleinste organismen wordt gewerkt.' De virtuele camera gleed langs kleedkamers waar gele beschermende pakken hingen, terwijl tekstkaders ons meer vertelden over de chemische douches die de wetenschappers moesten nemen als ze zich in de diepere, gevaarlijkere vertrekken wilden begeven. We zagen de transfectie- en PGE-sequentielaboratoria, die vol stonden met rasterelektromicroscopen, massaspectrometers, hogedrukreactoren, incubatoren en andere wetenschappelijke apparatuur. Ongelooflijk. Hier stond voor honderden miljoenen dollars aan apparatuur. Lady Palmbridge lachte toen ze merkte dat ik met open mond zat te kijken.
'Zoals u weet, heeft mijn man zich vanaf de jaren zestig met veel succes hiermee bezig gehouden,' zegt ze. 'Hij werd geïnspireerd door de sensationele onderzoeksresultaten die Rosalind Franklin en Maurice Wilkins in de jaren vijftig aan het Kings College in Londen behaalden over de samenstelling van het DNA-molecuul. Het begrip dubbele helix werd toen bedacht, de om elkaar heen gedraaide molecuulstrengen waarvan de vorm nu zo bekend is. Ik studeerde scheikunde toen ik mijn man leerde kennen. Wij maakten van dichtbij mee hoe Wilkins samen met de wetenschappers Crick en Watson in 1962 de Nobelprijs voor de Geneeskunde in ontvangst kon nemen. Het was een tijd van verandering en vernieuwing zoals men die sinds Einsteins relativiteitstheorie niet had gezien. U kunt zich niet voorstellen wat het allemaal teweegbracht, eerst onder natuurwetenschappers en later ook onder filosofen, dat alle leven op aarde door vier basen wordt bepaald. Pas echt wereldschokkend was het inzicht dat datgene wat wij als zielen zien, ergens tussen gewone chemische moleculen zou moeten zweven. En die ziel, die is tot op dit moment nog niet gevonden.'
'Ervan uitgaande dat er zoiets als een ziel bestaat,' wierp ik tegen. 'Daarover wordt nog volop gediscussieerd.'
'Twijfelt u daar dan aan?' vroeg Maloney mij met opgetrokken wenkbrauwen.
'Ik geloof alleen dat wat ik zie. Alle leven op deze wereld bestaat uit cellen die door chemische processen met elkaar in verbinding staan.

Ze zijn zichtbaar en hun functies zijn te ontsleutelen. Maar iets als een ziel heb ik nog niet gevonden.'
'Misschien zijn er dingen die wij mensen niet kunnen waarnemen,' zei de jager. 'Dingen die wij niet kunnen onderzoeken.'
'Als ik dat zou geloven, zou ik geen wetenschapper zijn geworden.'
'Mijne heren,' onderbrak Lady Palmbridge ons. 'Die discussie zal moeten wachten. Als u het niet erg vindt, wil ik graag verder.' Ze wierp mij een scherpe blik toe en ik knikte beschroomd.
'Natuurlijk. Mijn excuses.'
'Toen bekend werd hoe informatie zich verdubbelt en verder kan worden gegeven,' ging ze verder, 'kwam de hele zaak pas aan het rollen. Tot op heden zijn er nog veel vragen onbeantwoord: hoe experimeren genen zich, oftewel, hoe ontstaan lichaamskenmerken als oogkleur, lengte en huidskleur? Hoe verzamelt een genoom alle genetische informatie om bijvoorbeeld een schaap te produceren? Hoe kan zo'n genoom worden veranderd om erfelijke ziekten uit te sluiten, enzovoort. Plotseling kwam enorm veel geld vrij voor onderzoek, want de industrie was natuurlijk zeer geïnteresseerd. De wetenschap had de deur op een kier gezet naar een nieuwe wereld die er onvoorstelbaar groot uitzag. We merkten toen dat Groot-Brittannië veel te klein was om dit soort fundamenteel onderzoek te doen en verhuisden met onze dochter naar Amerika. Na de dood van mijn man heb ik de leiding over het laboratorium overgenomen en heb zijn werk voortgezet.' Ze wees op het scherm. 'In dit gebouw ligt de sleutel tot het geheim van het leven en de toekomst van de mensheid. Zoals u misschien weet, maken wij deel uit van het *Human Genome Project*. In dit laboratorium bevindt zich het gehele menselijke genoom. Geanalyseerd, ontsleuteld en klaar om te worden geoptimaliseerd.'
Dat was het moment waarop ik echt mijn oren spitste. Alles wat ze daarvoor had verteld, was voor mij niets nieuws. Maar bij het woord optimaliseren ging een rilling over mijn rug. Hoe groot het verschil tussen mij en mijn vader ook was, ik was net als hij van mening dat er niets noodlottigers was dan de almachtsfantasieën van ongebreidelde wetenschap.

'Wat bedoelt u daar precies mee?' vroeg ik. Lady Palmbridge stopte de presentatie en kwam lachend op mij toelopen. De lichtstraal wierp een schaduw op haar gezicht, waardoor ze er eigenaardig uitzag.
'Geschrokken, David?' Door het licht leek haar huid bijna transparant. 'Bent je bang dat ik tot rassenwaan zal vervallen en een übermensch zal willen creëren, zoals de nazi's?'
Ik wist niet of ik die vraag met ja of nee moest beantwoorden, dus hield ik mijn mond.
'Ik kan u geruststellen. Het is absoluut niet mijn wens om de rol van schepper te spelen. Ik wil geen klonen, supersoldaten of andere monsters creëren. In andere instituten probeert men dat misschien wel, maar bij ons vindt u dat soort experimenten niet. Alles wat wij doen, is puur fundamenteel onderzoek, om een manier te vinden om de *homo sapiens* de kans te bieden op de lange termijn te overleven.'
'Waarom zou dat niet lukken zonder genetisch onderzoek?' vroeg Maloney, die het afgelopen kwartier opvallend stil was geweest.
Lady Palmbridge ging weer staan. 'Dat de mens zal bijdragen aan zijn eigen ondergang, is een hypothese die door veel academici wordt onderschreven. De scenario's lopen uiteen van wereldoorlogen en natuurrampen tot een sluipende vergiftiging van het eigen lichaam. Het kan zijn dat dit waar is, maar ik ben en blijf een optimist. De mens is erg vindingrijk als het om zijn eigen leven gaat en zal daarom een oplossing vinden. Nee, ik heb het over iets wat de wetenschap al jarenlang als een molensteen om de nek hangt: de door onszelf gecreëerde vloek die we geneeskunde noemen. Het klinkt misschien absurd, maar het vermogen om pijn weg te nemen en ziekten te genezen, verzwakt op de lange termijn het erfgoed. En wel op zo'n fatale manier dat over een paar honderd of duizend jaar de mens zal uitsterven.'
Maloney ging rechtop zitten. 'Met alle respect, Mylady, maar dat begrijp ik niet. Hoe komt u tot die conclusie?'
'Wat ik zonet heb gezegd, is onder nuchtere, wetenschappelijk denkende mensen een algemeen bekend feit, dat alleen daarom niet hardop wordt uitgesproken omdat het indruist tegen de filosofie van

een humaan leven, een leven vol genade en medeleven,' zei Lady Palmbridge. 'Neem bijvoorbeeld het fenomeen van een aangeboren oogafwijking. Tienduizenden jaren geleden zou een oogafwijking die door mutaties van het erfgoed optreedt, leiden tot het vervroegd overlijden van deze persoon. De arme kerel zou gewoon niet kunnen jagen, daarom geen partner kunnen vinden en zich dus niet kunnen voortplanten. Het defecte gen verdwijnt daarmee. Tegenwoordig kunnen oogafwijkingen gemakkelijk worden behandeld, met het gevolg dat de informatie "oogafwijking" aan de volgende generatie wordt doorgegeven. Een ander voorbeeld is suikerziekte. Diabetes mellitus type-1. Niet te verwarren met type-2, die niet erfelijk is, maar het gevolg is van slechte voeding. Erfelijke suikerziekte is tegenwoordig gemakkelijk met insuline te behandelen, met als gevolg dat het percentage diabetespatiënten zich de laatste jaren heeft verdrievoudigd. Of kijk eens naar het toenemende aantal aangeboren hartafwijkingen. De lijst is eindeloos.'

'En?'

'Op dezelfde manier verzwakt ook ons immuunsysteem. Virussen en bacteriën waren er altijd al. De mensen die er immuun voor waren, overleefden en gaven belangrijke informatie door aan hun nageslacht. Tegenwoordig is dat anders. Nu zijn er entstoffen, serums en antibiotica die het lichaam van een mens beschermen. Hij overleeft, plant zich voort, geeft zijn foutieve erfelijke informatie door aan de volgende generatie en zo blijft de draaimolen doordraaien. Een vicieuze cirkel. En denkt u eens aan de berichten in de kranten die de gemoederen al jaren bezighouden. Er gaat geen dag voorbij of er wordt weer een nieuw virus ontdekt dat de mensheid bedreigt. Geen dag waarop we niet lezen over aids, ebola, SARS of griepepidemieën; ziekten waar de moderne geneeskunde geen oplossingen voor heeft. Wist u dat de griep, die ongevaarlijke kleine verkoudheid, een ziekte is die jaarlijks meer dan een miljoen levens eist? Een ziekte die ervoor verantwoordelijk is dat er elk jaar 200.000 misvormde kinderen ter wereld komen? De griepepidemie van 1918 doodde eenvijfde van de wereldbevolking en was erger dan welke andere besmettelijke ziekte die ooit over de aardbol is getrokken.'

'Mijn God, dat wist ik niet,' mompelde Maloney. Waarschijnlijk vond hij het erg onprettig om over een vijand te horen waar hij zijn olifantenbuks niet op kon leegschieten. Ook ik werd onrustig, maar om een andere reden.
Hoewel ik haar nuchtere argumenten respecteerde, wist ik ook waar Mrs. Palmbridge naartoe wilde.
'De bedrieglijke conclusie,' zo ging onze gastvrouw verder, 'die veel wetenschappers en grote delen van de bevolking trekken, is dat virussen steeds, zonder reden, zich ontwikkelen tot steeds gevaarlijkere, boosaardigere ziekteverwekkers. Maar dat is onzin. Virussen, in welke vorm ook, zijn er altijd al geweest; vele zijn onschuldig, vele zo gevaarlijk als het Hantavirus. Ze horen erbij en maken deel uit van de evolutie. Zij zijn niet veranderd, maar wij. Toen wij met behulp van de geneeskunde uit de kringloop van de natuurlijke evolutie probeerden te stappen, hebben we onszelf kwetsbaar gemaakt. We zijn, evolutionair gezien, op dezelfde plek blijven staan, en dat zal onze ondergang worden, tenzij we er iets tegen doen. Daarbij komt nog dat de wereldbevolking snel toeneemt en de overdracht van virussen in dichtbevolkte gebieden exponentieel snel verloopt, vooral bij ziekten met een korte incubatietijd. U ziet dus dat we ons dubbel moeten haasten.'
'Dat is allemaal mooi gezegd,' zei ik en sprong op. Ik was zelf verbaasd over mijn heftige reactie, maar ik kon niet langer stil blijven zitten. 'Stel dat u gelijk hebt, dan kunnen we toch niet zomaar wat met het menselijke genoom gaan knutselen. We zijn nog maar net begonnen met het toetsen van de functies van de individuele sequenties. Het is nog veel te vroeg om te denken aan het doorvoeren van veranderingen.'
'Je spreekt als iemand die nog nooit van dichtbij een dierbare heeft zien sterven, David,' ging Lady Palmbridge verder. 'Je hebt nog niet meegemaakt hoe een mens je door de vingers glipt, zonder dat je er iets aan kunt doen.'
Ik wilde protesteren, maar ze hief haar hand en zei: 'Maak je alstublieft niet druk. Je bent een voorzichtig en bezonnen mens. Ik begrijp precies wat je bedenkingen zijn, tenslotte is het nog niet zo lang gele-

den dat veel serieuze wetenschappers zich bezighielden met die afgrijselijke theorie van de eugenica. Het is inderdaad waar dat we niet op de bonnefooi veranderingen kunnen doorvoeren. Zonder een bouwtekening, een *blueprint*, waarop we ons kunnen richten. Maar zoals het ernaar uitziet, zullen we deze vrij snel in handen krijgen.'

5

Ik was sprakeloos. *Bouwtekening? Blueprint?* Allerlei gedachten spookten door mijn hoofd, zonder dat ze ergens toe leidden. Maloney keek verward van mij naar Mrs. Palmbridge en weer terug. Hij leek te wachten tot we verder gingen met onze discussie en toen dat niet gebeurde, nam hij zelf het woord. 'Wat voor bouwtekening? Waar hebt u het over, Mrs. Palmbridge? Ik snap er niets van.'
'Ik heb het over een soort blauwdruk. Een genetische code die aanknopingspunten kan bieden over hoe een intact immuunsysteem er bij een hoog ontwikkeld wezen uit zou kunnen zien. Een immuunsysteem dat in staat is zich steeds weer aan te passen aan de aanvallen van nieuwe virusmutaties,' legde ze uit. 'Daarbij zou het niet eens belangrijk zijn dat dit systeem zich op het hoogste punt bevindt, dat het nu levende virussen met succes zou kunnen afweren. Dit kan door immunisatie vrij gemakkelijk teweeg worden gebracht bij levende wezens. Nee, ik heb het over een fundamenteel nieuwe organisatie van ons gehele biochemische weerstandsapparaat.'
Ik verzamelde al mijn moed en vroeg, niet zonder enige ironie: 'Waar komt die bouwtekening dan vandaan? Van chimpansees?'
Lady Palmbridge schudde haar hoofd. 'Juist niet. Hoewel het immuunsysteem van chimpansees wel erg op dat van ons lijkt. Te veel zelfs, want bij hen hebben we dezelfde zwakke plekken gevonden. Dat geldt eigenlijk voor alle zoogdieren. Nee, het moet een soort zijn die op ons lijkt, maar ook weer niet teveel. Een soort die over een ontwikkeld sociaal saamhorigheidsgevoel beschikt, zeer intelligent is en die kan communiceren.'
'Dolfijnen?'
Ze schudde weer haar hoofd. 'Zeedieren zijn voor ons doel niet geschikt. Het zou te ingewikkeld zijn om u dat nu uit te leggen, maar wat wij zoeken, is bij hen totaal anders gestructureerd.'
Ik zuchtte en haalde mijn schouders op. 'Ik geef het op. Ik zou niet weten welke soort dan wel aan uw omschrijving voldoet.'

Ze grijnsde en zei slechts één enkel woord.
'Dinosauriërs.'

Een vreselijke gedachte kwam in mij op: deze vrouw is gek geworden. Of dat, of ze steekt de draak met ons. Misschien wil ze ons bij de neus nemen of op de proef stellen. Dinosauriërs! Dat moest wel een grapje zijn. De anderen leken net zo te denken, maar niemand durfde iets te zeggen, om haar niet in verlegenheid te brengen.
Uit respect knikte ik en mompelde iets om onze gastvrouw te laten denken dat ik het met haar eens was: 'Interessant.'
Ze keek me met haar grijze ogen strak aan en een ironisch lachje begon zich op haar gezicht af te tekenen.
'David, je bent niet alleen een treuzelaar, maar ook een huichelaar,' zei ze.
'Mylady?'
'In werkelijkheid geloof je geen woord van wat ik heb gezegd.' Ze hield op met lachen. 'Wees eens eerlijk: wat dacht je echt? Dacht je dat ik gek was geworden? Of seniel? Misschien dacht je dat ik je wilde testen. Kijk eens rustig om je heen. Misschien vind je wel ergens een verborgen camera.'
'Ik moet toegeven dat het wel door mijn hoofd is gegaan. Mijn excuses.' Ik was nu helemaal in de war.
'Je hoeft geen excuses aan te bieden, je hebt gelijk. Zonder de noodzakelijke informatie moet dit verhaal wel klinken als een slechte kopie van *Jurassic Park*, hoewel het idee erachter niet slecht was. Kent u het boek of de film, Mr. Maloney?'
De jager schudde zijn hoofd, net als zijn begeleider. Ze leken net zo in de war te zijn van het gedrag en de woorden van onze gastvrouw als ik.
'In *Jurassic Park* werden dinosaurïers gekloond op basis van gefossiliseerde bloeddruppels, die waren gevonden in muggen in barnsteen. De experimenten waarop zowel het boek als de film zijn gebaseerd, hebben inderdaad plaatsgevonden, maar al snel werd duidelijk dat er slechts kleine stukjes dinosaurus-DNA uit te halen waren. De afstanden tussen de gensequenties waren te groot om de keten te sluiten. De auteur en filmmaker waren zich van dit probleem bewust en heb-

ben in hun verhaal de gaten opgevuld met kikker-DNA, wat vanuit wetenschappelijk oogpunt natuurlijk lariekoek is. Pure fantasie. Maar voor een interessant verhaal moet je nu eenmaal wel eens een oogje dichtknijpen.
Maar het idee bleef. Zou het niet geweldig zijn om een levensvorm te klonen die de wereld meer dan tweehonderdvijftig miljoen jaar heeft gedomineerd? En dan heb ik het niet over het openen van een attractiepark om ze aan de mensheid te laten zien. Wat mijn man en ik, net als vele andere wetenschappers bewoog, was de vraag: hoe kan een zo hoogbegaafd en geavanceerd dier erin slagen om zo lang te overleven? Tweehondervijftig miljoen jaar! Een onvoorstelbaar lange tijd. Wij mensen bestaan, grof gerekend, pas zo'n drie miljoen jaar.'
'En in die tijd hebben we al veel schade aangericht,' bromde Maloney.
'Ik begrijp het niet,' mengde Sixpence zich in het gesprek. 'Waarom neemt u toch niet het erfgoed van een diersoort die nu nog leeft? Er zijn toch genoeg wezens die niet zo vatbaar zijn voor virusziekten als wij mensen.'
Lady Palmbridge legde het geduldig uit. 'Dat heeft te maken met de graad van genetische specialisatie, die zeer nauw gerelateerd is aan de evolutionaire ontwikkeling. Dat is zelfs belangrijker dan het feit dat dinosauriërs reptielen waren. Hoe meer de evolutieniveaus op elkaar lijken, hoe gemakkelijker de overdracht. Reptielen of niet, u moet u realiseren dat de dinosauriërs, net zoals wij, in grote groepen samenleefden. Het waren warmbloedige dieren en vele soorten hadden een vacht. Ze konden op een uiterst complexe manier met elkaar communiceren en waren zeer intelligent. We beginnen nu pas te begrijpen hoe intelligent ze eigenlijk waren. Er zijn onderzoeken die beweren dat de hadrosauriër, een dino met een eendensnavel, zich verder zou hebben ontwikkeld tot een soort hagedismens als de soort vijfenzestig miljoen jaar geleden niet door een gigantische meteoor was uitgeroeid.'
'Dinosauriërs en hagedismensen. Ik geloof dat ik nu wat sterkers nodig heb,' zei Maloney en hij stond op.
'Daar sluit ik mij bij aan.' In de hoop niet te onhoffelijk te lijken, volgde ik hem naar de bar. Ondertussen wierpen we elkaar veelzeg-

gende blikken toe. Maloney schonk voor zichzelf zoals gebruikelijk een whisky in, terwijl ik dit keer voor cognac koos. Met onze glazen in de hand liepen we terug naar onze plek.
'Wat ik niet begrijp...,' ging ik verder, '... is waar u die DNA vandaan wilt halen, als de experimenten met barnsteen en gefossiliseerd erfgoed zijn mislukt?'
'Wat een vraag. We halen het natuurlijk uit een levend exemplaar.'
Ik moest me beheersen, anders had ik me verslikt. Het was zonde geweest van de cognac. Het verhaal werd steeds gekker. 'Een levend exemplaar?'
'Natuurlijk.'
Ze was dus toch gek geworden. Ik probeerde dit echter niet te laten merken en speelde het spel mee. 'En waar zou dan volgens u een levende dinosaurus te vinden zijn. In Loch Ness?'
Op dat moment viel mijn blik op de foto van Emily op de schoorsteenmantel, en even wenste ik dat ze hier was. Maar zij was ver weg... in Congo!
Plotseling kreeg ik het gevoel alsof de muren op me af kwamen. Nee, dat kon niet waar zijn! *Niemand kon zo gek zijn!*
Met een triomfantelijke blik wendde Lady Palmbridge zich weer tot ons. 'Mijne heren, zegt u de naam *Mokéle m'Bembé* iets?'
Maloney schudde zijn hoofd. 'Nooit van gehoord. Wat moet dat zijn? Klinkt Afrikaans.'
Mrs. Palmbridge glimlachte smalend. 'Bent u bekend met het begrip kryptozoölogie?'
Hij keek de oude dame vol verbazing aan. 'Krypto... wat?'
'Kryptozoölogie – een Griekse term,' verklaarde ze. 'De leer van de verborgen dieren. Wezens die alleen in legenden bestaan en waarvan het bestaan nog niet is bewezen. Deze nog relatief jonge wetenschap heeft al een paar interessante resultaten behaald en heeft een frisse wind doen waaien door verstofte archieven en studiezalen. Kijk maar naar de ontdekking van een al vijfenzestig miljoen jaar uitgestorven gewaande soort als de kwastvinnige.'
'Dat was een toevalstreffer,' wierp ik tegen, omdat ik, hoewel ik niet echt veel over dit onderwerp wist, er toch het een en ander over had

gelezen in vakliteratuur. 'In de meeste gevallen zorgt de kryptozoölogie alleen maar voor enorme verwarring. Het bestudeert een ondoordringbare jungle van mythen en legenden, die zich hebben verweven met de fictie en de realiteit. De berichten over de Yeti of Bigfoot en het monster van Loch Ness zijn allemaal fantasie. Niet iets waar een serieuze wetenschapper zich mee bezig zou houden. Meestal is er een eenvoudige verklaring te vinden voor iets wat bijgelovige inboorlingen of door malaria ijlende reizigers denken te hebben gezien,' voegde ik er in volle overtuiging aan toe.
'Wie of wat is die *Mokéle m'Bembé* dan precies?' onderbrak Sixpence mij.
'Het woord komt uit de Bantutaal en betekent zoiets als *groot dier* of *dier dat een rivier kan tegenhouden*,' legde Lady Palmbridge uit terwijl ze opstond en een in leer gebonden boek uit de kast pakte. 'Een dier dus dat zo groot is dat het de loop van een rivier kan veranderen.' Ze liep naar onze tafel toe. Het boek droeg de titel *In Search of Prehistoric Survivors* en was geschreven door Dr. Karl P.N. Shuker. Ze schoof een vinger tussen de bladzijden en liet het boek op een bepaalde plek openvallen. 'Dat is hem.'
We gingen om de tafel staan. We zagen een onscherpe foto die duidelijk vanuit een vliegtuig was genomen. Op de foto was een meer in een oerwoud te zien, waar een kleine, slurfachtige kop uit het water stak. Ernaast was een vrij grove schets afgedrukt die het hele dier moest weergeven. Een soort plesiosaurus, zoals die hondervijftig miljoen jaar geleden in het Jura voorkwam in de wereldzeeën.
'Vrij slechte foto,' bromde Maloney. Hij blies de rook van zijn sigaar over het papier. 'Hoe groot moet dat manneke dan zijn? De foto geeft me geen enkel idee hoe groot ik hem moet inschatten.'
'De inboorlingen spreken van een wezen dat ongeveer vier meter lang is en diepe, bronstige geluiden uitstoot,' verklaarde Lady Palmbridge. 'Volgens mijn informatie gaat het echter om een dier dat veel groter is.'
'Hoe komt u daarbij?' vroeg ik. Ik wilde weten wat ze allemaal nog uit haar hoge hoed zou toveren om onze scepsis teniet te doen. We hadden allemaal al te veel gelezen en gehoord om ons te laten overtuigen door een onscherpe foto.

'Wat ik u nu ga laten zien,' zei ze, terwijl we weer naar onze plekken liepen, 'zijn video-opnamen die mijn dochter kort voor haar verdwijning heeft gemaakt en die samen met wat andere dingen stroomafwaarts langs de oever van de Likouala zijn gevonden.' Haar stem begon te trillen. Benjamin Hiller had dus de waarheid gesproken. De videobanden moesten in het pakket hebben gezeten dat de Lady een week geleden had ontvangen.
'Ik hoef u waarschijnlijk niet te vertellen dat u over wat u hier ziet of hoort tegen niemand iets mag zeggen,' ging de oude dame verder. 'Probeert u toch geld uit dit verhaal te slaan, dan zult u kennismaken met mijn advocaten. Een ervaring die ik u graag wil besparen.' Ze knipperde met haar ogen. 'Niemand zou u trouwens geloven. Uw aandacht alstublieft.'
Het licht werd gedimd en de beamer projecteerde vage beelden op de muur. Het duurde even voordat ik me had georiënteerd, maar toen zag ik een watervlakte in het maanlicht, omgeven door gigantische bomen die als duistere wachters op de achtergrond stonden. De stilte van de nacht werd zo nu en dan onderbroken door het getsjilp en gekoer van een paar nachtdiertjes. De watervlakte was zo glad als een spiegel.
Plotseling waren in de verte luchtbellen te zien en begonnen zich concentrische golven op het water af te tekenen. Ik hoorde opgewonden fluisterstemmen achter de camera, maar het geluid verstomde snel weer. De luchtbellen werden groter en heftiger, veranderden in een bruisende waterval die zeldzaam onnatuurlijk aandeed, midden in deze stille jungle. Stil? Inderdaad waren de geluiden waar de lucht eerst mee vervuld was, niet meer te horen. We hoorden alleen het borrelen en schuimen van het water en nog een geluid, dat ik niet thuis kon brengen. Een dof gedreun, als van een oceaanstomer.
Plotseling brak er iets door het water heen. Een lange, gebogen hals, met daarop een kleine kop.
Hoewel ik deze verschijning al op de foto had gezien, staarde ik gefascineerd naar het scherm. Het was een enorm verschil of je iets op een foto zag of dezelfde opname zag bewegen, met de bijbehorende geluidseffecten. Mijn vingers grepen zich vast in het leer van de stoel terwijl ik toekeek hoe het monster zijn hals van links naar rechts

bewoog, een meter door het water gleed en weer onderdook. Het water werd weer glad.
Ik sloeg mijn hand voor mijn mond. Deze opnamen waren sensationeel. Dit dier dat we zonet hadden gezien, was inderdaad iets wat ik nog nooit had gezien. Iets wat nog nooit was beschreven. Het beeld was scherp en duidelijk, wat zelden kon worden gezegd van de opnamen van kryptiden, zoals deze onbekende wezens wel werden genoemd. Ik wilde Lady Palmbridge net vragen om de opname nog eens af te spelen, maar Maloney was me voor.
'Niet erg spectaculair,' bromde hij. 'De hals is nog niet eens twee meter. U had ons verteld dat het veel groter...'
De woorden stokten hem in de keel, want opnieuw kwam de hals weer boven water. Maar dit keer steeg hij hoger.
Hoger en hoger.
Ik hield mijn adem in en zag dat we ons de eerste keer enorm hadden vergist. Dit was geen hals, en de verdikking aan het uiteinde was geen kop. De kop zelf kwam nu pas boven water en wat wij eerst hadden gezien, was in werkelijkheid een lange, gekromde hoorn, die als een soort helm uit de schedel groeide.
Mijn mond viel open.
Het reptiel keek met ogen als schoteltjes over het water en toeterde toen om mijn vermoeden te bevestigen: het bleek inderdaad een hoorn te zijn, een klankorgaan, net als bij de hadrosauriër uit de Late-Krijtperiode. De vreemd uitziende kop bleef nog even in dezelfde positie hangen, daarna ging het wezen staan. Schijnbaar had het zich ervan willen vergewissen dat er geen gevaar loerde, waarbij ik me toch afvroeg waar zo'n titaan bang voor zou moeten zijn. Meter na meter kwam het dier uit het water. Ik zag een lang lijf, poten met scherpe klauwen en een glanzende, met groene stippen versierde huid. Plotseling dook naast hem nog een iets kleinere hoorn uit het water op. Een jong dier. Ik was sprakeloos. Wat zich hier voor onze ogen afspeelde, moest zelfs voor niet-biologen fascinerend zijn. Voor mij was het alsof er een nieuwe wereld was opengegaan. Alsof ik Alice in Wonderland was, die dieper en dieper het konijnenhol binnendrong.

'Wat is dat, Mr. Astbury?' fluisterde Sixpence naast mij. 'Hebt u zoiets wel eens gezien?'
Ik schudde mijn hoofd. 'Nooit gezien en er nooit van gehoord. Het zou een nieuwe soort kunnen zijn. In de diepe jungle zijn de omstandigheden perfect voor dieren om lange tijd onontdekt te blijven en zich in volledige afzondering te ontwikkelen.'
'Wat een monster. Kijk eens naar die klauwen.' Net op dat moment gebeurde er iets op de film wat ik niet kon verklaren. Een hoog gepiep of gefluit weerklonk door het bos. Toen hoorde ik iemand praten.
'Feedback,' siste een stem dicht bij de microfoon. 'Je zit er te dichtbij met je koptelefoon. Ja, *te dichtbij*, zeg ik. Zet dat verdomde apparaat uit,' vloekte de vrouwenstem. '*Idioot*, zet het apparaat uit, heb je me niet gehoord? Verdomme, nou is het te laat. Hij heeft ons gehoord.' Inderdaad keken de ogen van het reusachtige reptiel recht in de camera. Het leek alsof hij in het donker kon zien. Hij blies door zijn neusgaten, klapte zijn kaken een paar keer op elkaar en liet een paar rijen messcherpe tanden zien. Het jonge dier probeerde zich achter de brede rug in veiligheid te brengen en piepte angstig.
'Hij wil ons aanvallen!' riep de vrouw. 'Geef me het geweer, ik zal proberen hem uit de buurt te houden. Misschien kan ik hem afschrikken. Ren direct terug naar het kamp.' Ik hoorde een doffe klap en een gejammer, daarna was het scherpe klikken van een wapen te horen dat werd doorgeladen. 'Pak alles bij elkaar en ren terug naar het kamp. Ik probeer het beest tegen te houden.'
Een schot. Het jonge dier draaide om zijn as. Daarna viel het levenloos achterover in het water. Een vreselijke kreet galmde door het oerwoud. Het grote beest leek nu pas echt kwaad te zijn. Ik hoorde nog een vloek, daarna wiebelde het beeld en viel het geluid uit. Wat ik de minuten erna zag, deed het bloed in mijn aderen bijna stollen. Het leek alsof het kamp zou worden aangevallen. Op een van de laatste beelden was een stukje van een rubberboot en een deel van een gigantische, gespikkelde staart te zien, daarna viel ook het beeld uit. Het werd donker in de kamer.

6

Een aansteker vlamde op, daarna zag ik het gloeien van een sigaret. Het licht ging weer aan en verblindde me met een pijnlijke helderheid.

'Wat zegt u daarvan?' Lady Palmbridge nam een diepe trek en blies de rook onze kant op. Haar handen trilden. Geen van ons mannen kon iets uitbrengen. We zwegen gegeneerd en probeerden te verwerken wat we net hadden gezien. Geen gemakkelijke opgave. Elke gedachte wierp nieuwe vragen op, die weer andere vragen opwierpen – een kringloop van onzekerheid en speculatie was in gang gezet.

'Wie was er op de film te horen?' vroeg ik na een tijdje. Hoewel ik wel vermoedde wie er gesproken had, wilde ik het toch horen.

'Dat was mijn dochter.' Lady Palmbridge trok nerveus aan haar sigaret. 'Het was haar idee. Eigenlijk was de hele expeditie haar project. Ze had er twee jaar naartoe gewerkt. Samen met vier assistenten heeft ze bovenmenselijke prestaties geleverd. Ze was zo dichtbij. Zo dichtbij...'

Stewart Maloney, die tot nu toe zwijgzaam had zitten nadenken, boog zich naar voren. 'Wat is er gebeurd?'

Lady Palmbridge drukte haar sigaret uit en ging bij ons zitten. 'De opname dateert van 15 september vorig jaar. Ongeveer een maand later, op 8 oktober, spoelden delen van het verwoeste kamp en wat stukken van een rubberboot aan in Kinami, een dorp aan de oever van de Likouala aux Herbes. Naast kledingstukken, gedeukte potten en pannen en tentzeil vond men ook een camcorder, waar deze opname in zat. Ik wist van mijn dochter dat ze filmopnamen maakte, want we belden bijna elke dag. Het moet een enorme klus zijn geweest het apparaat daar weg te halen, want zo'n camera is in dat deel van de wereld een kapitaal waard. Zelfs als hij, zoals in dit geval, beschadigd is. Hoe dan ook...,' ze streek met haar hand over haar mond, '... ondanks zoektochten is de verblijfplaats van mijn dochter nog steeds onbekend. Het reddingsteam dat president Sas-

sou-Nguesso naar de rampplek stuurde, verdween spoorloos. Een laatste radiogesprek, daterend van 3 december, wees erop dat de soldaten de vruchteloze zoektocht wilden afbreken. Al mijn pogingen om nog een team te sturen, mislukten. Voor de regering was het een gedane zaak. Daarom heb ik mij tot u gewend, Mr. Maloney. U en uw assistent werden mij aangeraden omdat u tijdens uw jachtpartijen eerder zeldzame en gevaarlijke dieren bent tegengekomen. U bent, als ik goed ben geïnformeerd, nog nooit met lege handen thuisgekomen.'
'Dat is waar,' knikte Sixpence. 'Als wij een spoor volgen, geven we niet op tot we het dier hebben.'
'Ik was erg onder de indruk van uw dossier,' ging Mrs. Palmbridge verder. 'Je moet weten, David,' en ze wendde zich tot mij, 'dat er bijna geen dierentuin op deze wereld is waar deze heren geen exemplaren aan hebben geleverd. Als ik goed geïnformeerd ben, hebt u zelfs een aantal nieuwe soorten ontdekt, waaronder drie nieuwe slangen en een tot dan toe nog onbekende boomkangoeroe.'
'Dat komt omdat Six en ik ons in gebieden wagen waar niemand ooit is geweest,' voegde Maloney toe.
'Het is absoluut geen tovenarij. We gaan alleen verder dan anderen en blijven langer. Ons geheim heet doorzettingsvermogen.'
'Dat is precies waarom ik u nodig heb. En jou ook, David.'
'Mij?' vroeg ik verbaasd.
Ze knikte.
'Maar waarom?'
'Omdat jij, om het in de woorden van Mr. Maloney te zeggen, verder gaat en langer blijft dan anderen.' Ze keek me onderzoekend aan. 'Je bent een uitstekend genonderzoeker, een van de beste op dit gebied. Ik heb daar iemand nodig met jouw vaardigheden en kennis, begrijp je? En je hebt nog steeds gevoelens voor mijn dochter, nietwaar?'
Ik was sprakeloos. Ergens voelde ik me als een klein jongetje dat met zijn hand in de koektrommel wordt betrapt.
'Hoe weet... ik bedoel, hoe komt u daarbij...?' stamelde ik. Hoe wist ze van mijn gevoelens voor Emily? Moest ik het haar vragen? Beter

van niet. Ze zag er niet uit als iemand die al haar bronnen zou prijsgeven. Het maakte ook niet uit, ze wist het gewoon. Ik voelde dat alle ogen op mij gericht waren, en dat was geen aangenaam gevoel.
'Je hoeft jezelf niet te rechtvaardigen, daar is geen enkele reden toe. Emily had het vaak over je, en ik geloof dat ze destijds, toen jullie samen op school zaten, verliefd op je is geworden. Het mag een troost voor je zijn of niet, maar de vriendjes die ze de laatste twintig jaar mee naar huis nam, leken allemaal op je.'
'Maar we waren nog kinderen,' ontviel me, 'amper pubers. Tuurlijk, ik was tot over mijn oren verliefd, maar het is een eeuwigheid geleden. Ze is nu een volwassen vrouw. Ik weet helemaal niets over haar.'
Lady Palmbridge keek me aandachtig aan. 'Maar je zou graag meer willen weten, anders had je de foto op de schoorsteenmantel niet met zo veel interesse staan bekijken.' Haar blik werd ernstig. 'Breng mijn dochter weer thuis, David. Of achterhaal in elk geval wat er met haar gebeurd is. Ik smeek het je! Ik weet niet tot wie ik mij anders moet wenden.'
Ik hief mijn handen in een gebaar van hulpeloosheid. 'Ik weet niet wat ik moet zeggen. Het hele verhaal is zo... zo tragisch. Ik vind het heel erg om het te moeten zeggen, maar ik ben bang dat ik niet de juiste persoon ben voor deze expeditie.'
'Als het om geld gaat, dan kan ik je geruststellen,' zei Mrs. Palmbridge, en ik meende een kille blik in haar ogen te zien. 'Je kunt van mij vragen wat je wilt. Dat geldt trouwens voor alle aanwezigen.'
'Nee, nee,' reageerde ik. 'Het heeft helemaal niets met geld te maken. Het is gewoon zo dat ik niet denk dat ik tegen zo'n uitdaging opgewassen ben. Ik ben nu eenmaal een boekenwurm die het liefst in zijn laboratorium zit om onderzoek te doen.'
'Dan had je vader toch hele andere ideeën.'
'Mijn... vader? Wat heeft Ronald hiermee te maken?'
'Hij had veel met je op. In zijn brieven schreef hij hoe geweldig jij je ontwikkelde en hoe hij zich verheugde op de dag waarop je in zijn voetsporen zou treden en zijn levenswerk zou voortzetten. Bladzijde na bladzijde niets dan lof. Ik heb ze boven, ik kan ze hier laten brengen als je ze wilt lezen...'

Ik kreeg een brok in mijn keel. In deze omgeving was het noemen van de naam van mijn ouweheer genoeg om de herinnering aan hem weer met zo veel emotie naar boven te brengen dat ik hem bijna kon voelen. Mijn vader. Hij was de rustige haven in mijn leven geweest, de rots in de branding waar ik mij aan vast had geklampt na de dood van mijn moeder. Ik was vier toen ze bij een vreselijk auto-ongeluk om het leven kwam. Daarna was mijn vader een ander mens. Hij ontvluchtte het huis, zei dat hij het er niet meer kon uithouden omdat alles hem aan haar herinnerde. Hij wilde de wijde wereld in, reizen. Hij haalde mij van school en huurde privéleraren in om ons op zijn lange onderzoeksreizen te begeleiden. Toen kwam ik erachter hoe angstaanjagend die wereld eigenlijk was. Ik herinner me nog goed het moment waarop ik voor het eerst de met sneeuw bedekte toppen van de Kilimanjaro zag, die als een witte schim boven Tanzania uittorende. Of de groene, met licht overspoelde Usambarabergen met hun schaduwrijke valleien. Zo gingen bijna twee jaar voorbij. De ramp had ons zo dicht bij elkaar gebracht dat je geen vel papier tussen ons kon krijgen. Maar in tegenstelling tot mijn vader kon ik niet wennen aan de weidsheid en het licht van Afrika. Misschien was dat wel de reden waarom ik me het liefst in een donkere kamer opsloot.
'David?'
'Laat mijn vader er alstublieft buiten. Dat is niet eerlijk,' zei ik.
Lady Palmbridge keek me aan met haar ondoorgrondelijke ogen. 'Wat is dan wel eerlijk? Is het eerlijk dat honderdduizenden mensen elk jaar moeten overlijden aan de gevolgen van een vreselijke virusinfectie? Is het eerlijk dat mijn dochter, die zich altijd voor anderen heeft ingezet, waarschijnlijk dood op de bodem van Lac Télé ligt? Ik smeek je mij te helpen. En als je dat al niet voor mij kunt doen, doe het dan in nagedachtenis aan je vader. Ronald zou het zo gewild hebben.'
Ik merkte dat ik begon te twijfelen en vloekte inwendig. Maar het was moeilijk om tegen zoveel gevoelens te vechten. De gezichten van Lord en Lady Palmbridge, Emily en mijn vader spookten me door het hoofd en vermengden zich met beelden uit mijn jeugd, tot een onweerstaanbare wervelwind van herinneringen, dromen en wensen.

Ik wist dat er maar een manier was om deze geesten uit te bannen en het verleden achter me te laten.
'Goed,' hoorde ik mezelf zeggen. Ik fluisterde bijna. 'Ik zal Emily thuisbrengen, als ze nog leeft. Of u in elk geval vertellen wat er met haar is gebeurd.'
In de stilte die volgde, hoorde ik de zware staande klok in de kamer naast de onze slaan. Twaalf keer. Middernacht. Ik was zo moe en terneergeslagen dat ik ter plekke in slaap had kunnen vallen. De lange reis, de onthullingen van de laatste paar uur en het gedwongen uitstapje naar het verleden begonnen hun tol te eisen.
'Geef het niet te vroeg op, David,' hoorde ik onze gastvrouw zeggen. 'Ik had je dit nooit gevraagd als ik niet had gedacht dat je het kon. Je gaat ook niet alleen. Ik stel de beste mensen tot je beschikking die er op dit gebied zijn. Behalve Mr. Maloney en Sixpence zul je worden begeleid door een wetenschapster. Elieshi n'Garong is Congolese, wat het contact met de inheemse bevolking een stuk gemakkelijker zou moeten maken. Ze verwacht je over drie dagen in Brazzaville.'
'Drie dagen?' proestte ik uit. 'Dat is onmogelijk. Ik moet donderdag een lezing geven en...'
'Dat is allemaal al geregeld. Ik heb met professor Ambrose gesproken en hij heeft je verlof gegeven voor de duur van de expeditie. Het zal je geen windeieren leggen, in tegendeel. Als je missie succesvol is, staat het je vrij te schrijven over je ervaringen,' voegde ze daaraan toe.
'En hoe zit het met Mokéle m'Bembé?'
'Daarom gaan de andere heren mee. Mijn verzoek aan je is slechts al je kennis te gebruiken om mijn dochter te redden.'
Plotseling moest ik weer aan die monsterlijke kreet denken die ik op de film had gehoord. Wantrouwig keek ik op.
'Wilt u het dier vangen of doden?'
'Geen van beide,' zei Lady Palmbridge. 'Na Emily's verdwijning heb ik mijn plannen veranderd. Beide alternatieven zijn te gevaarlijk. Je hebt gezien wat dit monster kan doen. Het enige wat ik wil, zijn een paar intacte cellen die we in ons laboratorium op kweek kunnen

zetten. Het mag bloed zijn, huid of ander weefsel. Het belangrijkste is dat de cellen hier levend aankomen. Daarom zal ik je een speciaal apparaat meegeven. Je zult onder de indruk zijn.' Ze glimlachte weer, maar haar glimlach verdween even snel als hij was verschenen. Ze liet haar handen op haar bovenbenen vallen. 'Genoeg gepraat. Nu jullie alles weten, sta ik voor de zware taak je te vragen of je mijn opdracht aanneemt. Ik hoop het van harte, want als je nee zegt, weet ik het niet meer.'

Steve Maloney trok zijn bijna twee meter lange lijf omhoog uit de stoel en keek ons allen aan. Wat hij zag, leek zijn beslissing te bevestigen. 'Madam, ik geloof dat ik voor ons allemaal kan spreken als ik u zeg dat het ons een eer zal zijn voor u te werken. Wat mij aangaat, ik ben overtuigd. Ik zou het mezelf nooit vergeven als ik zo'n kans zou laten liggen.'

'Daar sluit ik mij bij aan,' zei Sixpence. 'Verdomme, ik kan niet wachten tot ik dit beest met eigen ogen zie.'

Ik voelde me genoodzaakt ook iets positiefs te zeggen, ook al deelde ik de euforie van de andere twee volstrekt niet.

'Ik heb mijn woord gegeven en daar blijf ik bij,' zei ik. 'Ik hoop dat we u goed nieuws kunnen brengen.'

Het gezicht van onze gastvrouw begon te stralen. 'Dan wil ik graag met u toosten op een geslaagde expeditie – en natuurlijk op een behouden thuiskomst. Ik zal in gedachten bij u zijn. Moge uw expeditie onder een goed gesternte staan.' Ze hief het glas. 'Cheers!'

7

Maandag 8 februari
Imperial College, Londen

Het regende pijpenstelen toen de taxi iets voor achten Queens Way in reed en met piepende banden tot stilstand kwam voor de blauw geverfde Falthom Gate van de biologisch-zoölogische faculteit in het Londense stadsdeel South Kensington. Ik drukte de chauffeur veertig pond in de hand, liet het wisselgeld zitten en haastte me, met mijn aktetas boven het hoofd, naar het Flower Building. De chauffeur brulde nog iets, maar het interesseerde me niet. Ik hoopte alleen dat het een bedankje was voor de enorme fooi die hij zonet had gekregen. Ik zocht in mijn jaszak naar de magneetkaart om de glazen toegangsdeur te openen, die om deze tijd altijd gesloten was. De kaartlezer bevond zich naast het naambord met het opschrift: *Imperial College – Center for Structural Biology*.

Blij om uit de ijskoude regen te zijn, stapte ik naar binnen. De grote trap was gesloten vanwege de uitgebreide renovaties die op de hele campus plaatsvonden, en daarom nam ik de omweg via de kelder. Terwijl ik snel door de gang naar mijn bureau liep, hoorde ik dat er al gewerkt werd aan de cryo-elektronenmicroscoop. Beter gezegd: nog steeds werd gewerkt. Om deze tijd kon dat alleen maar Michael Cheng zijn, die het heerlijk vond om 's nachts aan het enorme apparaat te sleutelen.

'Bent u daar alweer, Mr. Cheng!' riep ik in het voorbijlopen in de toon van onze decaan, professor Ambrose. Ik hoorde een doffe klap, alsof iemand net zijn hoofd had gestoten, en een Chinees vloekwoord; daarna verscheen Michaels rode hoofd. 'Sorry, Dr. Am... Ach, jij bent het maar, David! Dat zet ik je betaald. Hé, wacht even.' Hij veegde zijn handen af aan zijn T-shirt en liep naar me toe. 'Wat zijn dat voor verhalen die ik over je hoor? Iets over Congo? Is daar iets van waar?'

Grote god, dacht ik, de geruchten verspreiden zich op de universiteit nog sneller dan een lopend vuurtje. Ik was nauwelijks geland en Cheng had het al gehoord. Het lek moest wel ergens in de buurt van professor Ambrose zitten. Misschien zijn secretaresse? Misschien had Elisabeth het aan Cheng verteld; die twee gingen wel eens samen uit.
'Congo?' vroeg ik, terwijl ik buiten adem de hoek om liep. 'Wat vertel je me daar? Ik begrijp je niet.'
'Liz zei zoiets.'
Bingo, dacht ik. Mijn intuïtie liet me nooit in de steek. Ik bleef voor de lift staan en keek Cheng diep in de ogen. 'Hoor eens, ik weet niet waar je het over hebt. Ik ga een paar dagen naar het zonnige Californië om daar de faciliteiten van Palmbridge te bekijken, een genetisch onderzoekscentrum dat eigendom is van een oud-collega van mijn vader. Verder niets. Ik heb een uitnodiging ontvangen en het is een geweldige kans die ik niet kan laten schieten.'
'Palmbridge, cool,' zei Cheng. 'Daar heb ik wel eens over gehoord. Ze zouden daar al erg ver zijn met virusimmunisatie. Mag ik mee?'
'Cheng,' zei ik met de warmste en hartelijkste stem die ik kon opbrengen. 'Ik kom net van het vliegveld, heb amper geslapen, stink als een bunzing en moet zo weer weg. Ik ben er eigenlijk helemaal niet. Ik kan je dus ook niet meenemen. De uitnodiging is slechts voor één persoon. En nu zou ik erg dankbaar zijn als ik een paar uurtjes ongestuurd mijn zaakjes op orde kan brengen.'
'Tuurlijk. Geen probleem. Ik heb ook genoeg te doen, voordat Ambrose de stekker er weer uittrekt.' Hij keek me aan en knipoogde. 'En je weet echt zeker dat je niet naar Congo vliegt?'
'De groeten, Cheng.' Ik deed de liftdeur open, liet hem staan en ging omhoog naar de vijfde verdieping. In mijn kantoor aangekomen, gooide ik mijn aktetas in een hoek en liet me met een zucht van verlichting in mijn bureaustoel zakken. Ik had het gevoel dat ik net uit een zwaartekrachtcentrifuge kwam. Hoe mensen het uithielden continu de hele wereld over te reizen zonder gek te worden, was mij een raadsel. Ik had nog zoveel te doen. En ik moest eigenlijk ook nog slapen. Doodmoe zakte ik onderuit in mijn stoel. Ik vouwde de handen achter mijn hoofd en sloot mijn ogen. Eindelijk rust.

Toen ik weer op mijn horloge keek, gaf de wijzer aan dat er een half-uur was verstreken. Op de gang was het nu al gezellig druk.
'Verdomme!' Ik ging rechtop zitten en wreef in mijn ogen. Gelukkig had ik maar een halfuurtje geslapen. Als de stoel wat comfortabeler was geweest, had ik zeker de rest van de dag in Morfeus' armen doorgebracht. En ik had nog zoveel te doen. Ik pakte de telefoon en koos een nummer. Het had geen zin dit telefoontje nog langer uit te stellen. Met een knoop in mijn maag wachtte ik. Het duurde niet lang totdat ik een vrouwenstem hoorde.
'Sarah Hatfield, met wie spreek ik?'
Ik kreeg een brok in mijn keel. 'Met mij, David.'
Stilte.
'Hallo Sarah, ben je er nog?'
De stem aan de andere kant klonk gespannen. 'Jij hebt lef zeg, om me hier te bellen.'
'Ik moet je zien. Heb je tijd?'
'Wanneer?'
'Nu.'
Ze aarzelde even. 'Wat is er gebeurd?'
'Dat kan ik je niet over de telefoon vertellen, maar het is belangrijk. Kom je een kopje koffie drinken in de cafetaria?'
'Wat romantisch. Je bent toch niet van plan je excuses aan te bieden, of...?' Aan de manier waarop ze dat laatste woord benadrukte, hoorde ik dat ze precies dat van me verwachtte.
'Alsjeblieft Sarah, daar hebben we het toch al over gehad.'
'Helemaal niet. Als ik je geheugen even mag opfrissen: je zei dat je me zou bellen, me mee uit eten zou nemen of dat we samen gewoon wat leuks zouden gaan doen. Dat heb je beloofd, weet je nog? En wat gebeurde er? Niets. *Nada.* Ik weet niet hoe je je het precies tussen ons had voorgesteld, maar zo gaat het in elk geval niet.'
'Ik zou echt graag meer tijd met je willen doorbrengen,' probeerde ik nog, 'maar ik heb zoveel aan mijn hoofd dat ik niet eens weet waar ik moet beginnen.'
'Je liegt – en dat weet je heel goed.' Sarahs stem werd kil. Geen goed teken.

‘Nog geen week geleden heeft mijn vriendin Ellen je met een paar vrienden bij een of ander concert gezien.’
‘... De Red Hot Chili Peppers.’
‘Het maakt niet uit wie het waren,’ zei ze. ‘Een paar dagen daarvoor zat je ergens in de kroeg, enzovoort. Je ontloopt me gewoon.’
‘Dat is niet waar, Sarah, ik...’
‘Geniet van de rest van je leven, David.’
‘Alsjeblieft, niet ophangen. Ik doe alles wat je wilt. Ik zal het uitleggen en mijn excuses aanbieden. Maar kom alsjeblieft.’ De stem aan de andere kant aarzelde. ‘Beloofd?’
‘Ik heb het toch gezegd.’
‘Wacht even.’ Ik hoorde geritsel in de buurt van de telefoon en toen was ze er weer. ‘Oké dan. Ik heb Stanford het tweede uur, maar dat kan ik wel laten schieten. Als je wilt, kan ik er over tien minuten zijn. Maar kom wel met iets goeds, anders ben ik even snel weer weg.’
‘Dank je, Sarah. Tot zo.’ Ik legde de hoorn weer neer en ademde diep in en uit. Het moeilijkste had ik achter de rug. Ik bedacht of ik niet nog iemand in vertrouwen moest nemen, maar kon niemand bedenken. Net op dat moment ging de deur open en stapte professor J.N. Ambrose naar binnen. Mr. Ehum, zoals we hem voor de grap noemden omdat hij continu zijn keel schraapte, was een grote, te dikke, bijna kale man met een voorliefde voor corduroy. Hij keek schichtig over zijn schouder alsof hij bang was dat iemand hem had gezien. Nadat hij de deur achter zich had dichtgetrokken, keek hij me strak aan over het randje van zijn nikkelbril.
‘David, David,’ zei hij – in zijn stem hoorde ik zowel een verwijt als respect. ‘Je hebt mij nogal in de problemen gebracht.’
‘Sir?’
Hij trok een krukje naar zich toe en liet zich luidruchtig zakken. Dit beloofde een lang gesprek te worden. Ik gluurde naar de klok, want ik wilde in geen geval te laat komen voor mijn afspraakje met Sarah.
‘Ben je hier gelukkig?’ Ambrose glimlachte dubbelzinnig.
‘Nou ja, ... ja... In grote lijnen wel,’ voegde ik er na een korte stilte aan toe. ‘Waarom?’

Ambrose keek eerst naar zijn trouwring en toen naar mijn koffer in de hoek van de kamer. 'Je bent nu al drie jaar lang werkzaam als mijn assistent en je hebt in die tijd geweldig werk geleverd. Ik zou niet weten wat ik zonder je moest. Archivering, correspondentie, alles perfect. Echt.' Hij bleef even steken en schraapte luidruchtig zijn keel. Ik vroeg me af waar hij naartoe wilde. Gewoonlijk was het niet zijn stijl om de hete brij heen te draaien. 'Jouw werk op het gebied van eiwitkristallografie heeft eveneens diepe indruk op mij gemaakt,' ging hij verder. 'Erg vooruitstrevend.'
Leugenaar, dacht ik. Alles wat hij tot nu toe hierover had gezegd, beperkte zich tot commentaar over nutteloos onderzoek en tijdverspilling. Omdat ik dit onderzoek echter buiten reguliere werktijd uitvoerde, kon hij er niets tegen doen.
Ambrose wreef over zijn hoofd. 'Erg innovatief, dat moet ik toegeven. Zeer onconventioneel, maar we weten niet wat het zal opleveren, nietwaar? In elk geval een studierichting die onze studenten zeer zal interesseren. Wat zou je ervan zeggen als ik mijn best ervoor zou doen deze onderzoekstak officieel te laten opnemen in ons studieprogramma? Onder jouw leiding natuurlijk. Wat zou je daarvan vinden?' Hij dwong zichzelf tot een glimlach, maar klonk eerder wanhopig dan blij.
Het tikken van de klok klonk steeds luider, maar Ambrose had nog steeds niet gezegd wat hij wilde zeggen.
Uiteindelijk sloeg hij met zijn handen op zijn benen en zei: 'Het heeft geen zin om het nog langer voor me te houden, David. Ik zit klem. Eergisteren kreeg ik een telefoontje uit Californië.'
Zo hing de vlag erbij. Nu werd alles me duidelijk.
'Lady Palmbridge, de directrice van Palmbridge Enterprises, belde me. We hebben langdurig en intensief gesproken en tijdens het gesprek liet ze me weten dat ze een stichting wilde opzetten ter nagedachtenis aan haar overleden man, waaruit onze faculteit elk jaar twee miljoen dollar zou ontvangen. De stichting wil het instituut financieel ondersteunen en ook een nieuwe generatie studenten stimuleren onderzoek te gaan doen.'
'Dat is toch geweldig.'

'Ja toch? Maar helaas waren er wel twee voorwaarden gekoppeld aan dit gulle aanbod. En beide voorwaarden hebben betrekking op jou.'
Hij keek mij met grote ogen aan.
'Op mij? Wat zijn die voorwaarden dan?'
'De eerste heb ik al genoemd, namelijk dat ik een leerstoel instel voor de eiwitkristallografie, die jij gaat leiden. Eigenlijk zullen de onderzoeken die je nu al uitvoert dan via het centrale archief lopen en worden een aantal lezingen geïntegreerd in het algemene studieprogramma. Niets spannends dus.'
'En de andere?'
'Hmm... ik moet je laten gaan en je een professoraat aanbieden. Als je dat wilt, tenminste,' voegde hij er haastig aan toe.
'Als ik dat wil?' Ik kon bijna niet meer blijven zitten. De stoel voelde aan alsof er enorme springveren in zaten die me de lucht in wilden schieten. Een professoraat. Een leerstoel in de eiwitkristallografie. Zoiets had ik nooit kunnen dromen.
Ambrose wreef weer over zijn hoofd en lachte gekweld. 'Dat dacht ik al. Ik ben al op zoek naar een nieuwe assistent, maar het is erg moeilijk. Erg moeilijk. Te weinig vakkundigheid daar buiten. Maar ja, dat is niet jouw probleem...'
Zijn woorden maalden door mijn hoofd. Stichting – leerstoel – professoraat. Het was te mooi om waar te zijn. Ergens hoorde ik alarmbellen rinkelen. Waarom deed Lady Palmbridge zo veel moeite? Twijfelde ze aan me? Ik besloot de hele zaak later een keer goed te onderzoeken.
Dr. Ambrose keek sip omdat ik geen enkel medelijden met hem had getoond, dus zei ik, om hem wat op te vrolijken: 'Cheng.'
'Pardon?'
'Michael Cheng. Hebt u al met hem gesproken over die positie van assistent? Hij is punctueel, betrouwbaar en een goede student. Ik weet bijna zeker dat hij wel interesse heeft.'
'Cheng.' Ambrose liet de naam als een snoepje over zijn tong rollen. 'Dat is geen slecht idee.'
'U hebt dan trouwens ook een goed pressiemiddel in handen.'
'En dat is?'

'Als hij goed werk levert, kan hij langer aan de elektronmicroscoop werken; maakt hij er een potje van, dan moet hij tijd inleveren. Met de wortel zwaaien, maar wel een stok achter de deur houden. Je zult zien dat het werkt.'
Professor Ambrose begon te grijnzen. 'Hoe heb je het zo lang bij mij uitgehouden? Ik begin te denken dat je een verdomd goede professor zou worden.'
Ik keek op mijn horloge en zag tot mijn schrik dat ik al te laat was. Ik sprong op, griste mijn jas en trok hem aan. Daarna gaf ik professor Ambrose een hand en zei: 'Dank u wel. Bedankt voor alles. Helaas moet ik nu echt weg.'
'Je moet... weg?' De teleurstelling was van zijn gezicht af te lezen. 'Ik had gehoopt het goede nieuws te kunnen vieren met een uitgebreid ontbijt bij mijn favoriete Italiaan.'
'Helaas. Maar ik wil niet afscheid nemen zonder te zeggen dat ik erg dankbaar ben voor wat u voor mij hebt gedaan. Ik zal het nooit vergeten.' Nog een handdruk, en daarna liep ik snel naar de deur.
'Ik kan het aanbod van Lady Palmbridge dus aannemen?' riep hij me na; waarschijnlijk had hij de ironische ondertoon in mijn stem niet gehoord.
'Zeker!'
'Goed. En David...'
'Ja, Sir?'
'Blijf uit de problemen daar in Congo. Laat je van je beste kant zien en kom heelhuids weer thuis!'

8

Het was nog harder gaan regenen, zodat ik drijfnat was tegen de tijd dat ik de cafetaria van de bibliotheek binnenstapte. Op dit tijdstip was het nog erg rustig. Afgezien van een groepje kakelende Japanse gaststudenten en drie studiegenoten die met hun neus in de boeken zaten te wachten op hun volgende college, was de zaal leeg. Aan de laatste tafel direct naast het grote raam zat Sarah. Ze keek me kwaad aan. Mijn hart maakte een sprongetje toen ik haar zag. Sarah was niet echt een schoonheid, in elk geval niet in de klassieke zin van het woord. Voor sommigen was haar neus te rond en haar mond te groot. Maar haar prachtige groene ogen, die alles en iedereen wisten te doorgronden, haar lichte huid en de sproeten die haar Ierse afkomst verrieden, maakten dat meer dan goed. De grootste indruk op mij maakte haar tomeloze optimisme. Ze leefde in totale harmonie met de rest van de wereld, een eigenschap die ik ontbeerde. Voor haar zat de natuur vol onbeantwoorde vragen. Ze geloofde er heilig in dat er meer was tussen hemel en aarde dan wij in onze studeerkamers konden bedenken. Merkwaardig genoeg vervulde haar dat met veel vreugde en optimisme.

Ze had haar haren opgestoken en droeg een strakke, witte coltrui waarin haar vrouwelijke rondingen prachtig uitkwamen. Zoals ze daar zat, leek het net of ze een romantisch afspraakje had. Maar daar was ik niet de perfecte persoon voor en ook was de cafetaria niet echt de ideale romantische plek. Misschien wilde ze me gewoon laten zien wat ik zou mislopen als ik haar verliet.

'Hallo Sarah,' zei ik, terwijl ik mijn kletsnatte jas uittrok. 'Dank je dat je zo snel wilde komen. Ik had het eerlijk gezegd niet verwacht.'

'Ik wilde eigenlijk alleen maar weten waarom je me de laatste tijd steeds ontloopt. Je beantwoordt mijn telefoontjes niet, en mijn mailtjes al helemaal niet. Op de universiteit zie ik je amper. Het lijkt wel alsof je van de aardbodem bent verdwenen.'

Ik zuchtte. Sarah had alle reden om kwaad op me te zijn. Ik voelde nog veel voor haar, maar op de een of andere manier wilde ik maar niet geloven dat wij gelukkig met elkaar zouden kunnen worden. Als ze te dichtbij kwam, trok ik me terug. Als ze dan nog een stap dichterbij deed, nam ik weer meer afstand. Naïef als ik was, had ik gehoopt dat Sarah het niet zou merken, dat we gewoon vrienden zouden kunnen zijn en zo. Een plan dat al vanaf het begin gedoemd was te mislukken. Aangezien we elkaar vandaag voor het eerst in drie weken weer zagen en spraken, ging het nog wonderbaarlijk goed.
'Ik weet dat ik me als een idioot heb gedragen,' gaf ik toe. 'Als je wilt, mag je me best uitschelden.'
'Dat hoeft niet,' zei ze. 'Je straft jezelf al genoeg.'
'Hm?'
'Zie je, dat is ons probleem. Je luistert niet goed naar me. Ik hou van je, David, maar je verstopt je voor de buitenwereld. En voor mij. Elke keer als ik probeer je uit je schuilplaats te lokken, kruip je verder weg. Waarom ben je zo verdomde bang voor het leven?'
'Ik ben niet zoals jij,' zei ik halfhartig. 'Misschien heeft het iets te maken met het feit dat ik nooit aan de verwachtingen van mijn vader kon beantwoorden. Geen idee. Ik weet zelf niet wat er met mij aan de hand is. Ik ben gewoon in de war. Ik weet niet hoe ik met al die gevoelens moet omgaan.'
'Hou je van mij?'
Ik tilde mijn hoofd op. 'Ik voel veel voor je, als je dat bedoelt.'
'Geef toch gewoon antwoord.'
Het zweet brak me uit. Het had geen zin. Ik moest haar de waarheid zeggen.
'Ja, ik hou van je, en nee, ik kan niet met je samenzijn.' Ik lachte gekweld. 'Het klinkt tegenstrijdig,' zei ik, 'maar het probleem ligt echt helemaal bij mij, als dat een troost voor je is. Als er ooit een vrouw in mijn leven is geweest, dan was jij het. Het is gewoon zo dat ik nog niet klaar ben voor een langdurige relatie. Nog niet. Meer kan ik er momenteel niet over zeggen.' Ik dwong mezelf om te glimlachen. 'En nu was ik ook nog te laat.' Ik wilde haar hand vastpakken, maar ze trok hem weg.

'Ik begon al te denken dat je me alweer wilde verzetten,' antwoordde ze met een trieste glimlach.
'Mr. Ambrose hield me tegen. Ik kon niet weg.'
'Dat zal wel.' Ze leek mijlenver weg te zijn met haar gedachten.
'Echt waar. Hij heeft me een professoraat aangeboden.'
Ze keek me aan. Haar ogen leken nog een beetje groener te worden.
'Wat zeg je?'
'Je hebt het goed gehoord. Een professoraat en een leerstoel. En dat op mijn vakgebied.'
'Eiwitkristallografie?'
Ik knikte. 'Wat zeg je daarvan?'
Ze nam een slokje van haar cappuccino en dacht na. Toen zei ze: 'Eerst verdwijn je spoorloos, dan gaan er geruchten over een expeditie naar Congo en nu kom je aanzetten met het verhaal dat je een leerstoel is aangeboden. Wat is hier in hemelsnaam aan de hand?'
'Er is veel gebeurd,' gaf ik toe. 'Ik weet ook niet wat er allemaal speelt, maar het lijkt wel een droom. Ik denk steeds dat ik elk moment wakker kan worden.'
'Kun je jezelf nader verklaren?'
'Daarom wilde ik je zien. Jij bent de enige die ik kan vertrouwen. De enige die me überhaupt zou geloven.'
'Daar zou ik niet zo zeker van zijn. Maar, vertel.'
Het volgende halfuur vertelde ik tot in detail wat ik de dagen ervoor had meegemaakt, van mijn aankomst in Palmbridge Manor tot mijn gesprek met professor Ambrose. Sarah onderbrak me zo nu en dan als ik wat had overgeslagen of niet duidelijk was geweest. Ze leek vooral geïnteresseerd te zijn in mijn band met de familie Palmbridge en mijn relatie tot Emily. Ik moest haar uitleggen dat we bijna een halfjaar samen privéles hadden gehad omdat Emily's docent een beroerte had gehad. Met enig schuldgevoel vertelde ik over hoe we in die periode dichter tot elkaar waren gekomen, elkaar eeuwige trouw hadden beloofd en elkaar voor het eerst hadden gekust. Het irriteerde me dat Sarah over dit gedeelte van het verhaal zo veel wilde weten, maar ik voelde me toch verplicht haar de waarheid te vertellen. Toen ik klaar was, was ik uitgeput en had ik het gevoel dat ik net een

marathon had gelopen. Mijn maag knorde. Sinds de dunne toast in het vliegtuig, vier uur geleden, had ik nog niets gegeten. 'Ik haal snel even een kopje koffie en een chocoladereep. Wil je ook wat?' vroeg ik.
Ze schudde haar hoofd en staarde afwezig naar het formica tafelblad. Ik haalde mijn schouders op en liep naar de snoepwaren.
Toen ik terugkwam, was ze veranderd. Diepe rimpels tekenden haar voorhoofd.
'Vertel, wat denk je?' vroeg ik, terwijl ik de wikkel openscheurde en op de reep begon te kauwen.
'Dat je voorzichtig moet zijn.'
'Hoe bedoel je?'
Ze keek op en keek me diep in de ogen. 'Dat met dat monster op die film, dat is bijna te mooi om waar te zijn. Als het een authentieke opname blijkt te zijn en het echt gaat om een levende Mokéle m'Bembé, dan zou dat de grootste sensatie zijn sinds de ontdekking van de kwastvinnige. Maar er zit nog wat achter en dat zaakje is niet helemaal koosjer.'
'Hoe kom je daarbij?'
'Kijk eens goed naar die schijnbaar onbelangrijke details. Eerst dat hele verhaal met de goede, lieve Emily, die zich inzet voor het welzijn van de mensheid. Dat past volgens mij helemaal niet bij haar manier van doen en de stem die je gehoord hebt. Dan dat reddingsteam dat de Lady laat uitrukken. Denk je werkelijk dat de inboorlingen van Kinami die videocamera vrijwillig hebben afgestaan?'
'Misschien hebben ze ze geld aangeboden...'
'Wees toch niet zo naïef. Dat soort zaakjes wordt daar heel anders geregeld. Ik zweer het je, er is iets niet in de haak, en nu mag jij de kastanjes uit het vuur gaan halen. Om dat voor elkaar te krijgen, praat ze je dat enorme schuldgevoel jegens je vader aan. Tegelijkertijd word je lekker gemaakt met het vooruitzicht dat je Emily gaat zien. En als kroon op het werk word je, ach een beter woord weet ik er niet voor, omgekocht met een professoraat. Ik zweer het je, het ligt er zo dik op dat het stinkt.'
'Ik houd echt van jouw analytische manier van denken.'

Ze lachte. 'Dat komt wel een beetje laat, denk je niet?'
'Nee, echt waar. Je hebt gelijk. Maar ik had het wat anders geformuleerd.'
'Maar wat nu? Je gaat er toch niet mee door, of?'
'Ja, ik zal wel moeten. Ten eerste heb ik het beloofd...,' Sarah sloeg haar ogen naar het plafond, '... ten tweede heb ik het gevoel dat ik het mijn vader schuldig ben.'
'Jezus, David, hij is dood. Dat jij je leven op het spel zet, zal hem niet weer tot leven kunnen wekken.'
'Dat weet ik wel. Maar ik wil mezelf bewijzen dat zijn verwachtingen van mij niet helemaal ongegrond waren.'
Ze zuchtte. 'En Emily heeft er helemaal niets mee te maken?'
Ik keek betrapt naar de chocoladewikkel in mijn handen. 'Jawel, tuurlijk wel. Ik weet het, het klinkt vreemd, maar ik voel nog steeds wat voor haar. Ik moet erachter zien te komen wat er met haar is gebeurd en het dan afsluiten.'
Dit keer was het Sarah die mijn hand vastpakte. 'Of je het gelooft of niet, maar die reden is voor mij de geloofwaardigste. Diep in mijn hart voel ik dat Emily de reden is waarom het tussen ons niet is gelukt. En wie weet, misschien hebben wij nog een tweede kans als jij je eindelijk van haar hebt losgemaakt. Wanneer vertrek je?'
'Morgenvroeg, iets voor zevenen.'
'Wanneer?'
'Je hebt het goed gehoord.'
'Dat kan toch niet? Zo'n expeditie vereist de nodige voorbereidingen! Je kunt toch niet zomaar...'
'Daar hoef je je geen zorgen over te maken,' onderbrak ik haar. 'Voor zover ik weet, zijn de voorbereidingen al weken gaande. Het is het beste zo.'
'Het beste, zeg je?' herhaalde ze. 'Soms ben je zo naïef dat ik er grijze haren van krijg.'
'Hoe bedoel je?'
'Als die voorbereidingen al voltooid zijn, betekent dat toch dat je in werkelijkheid nooit echt een keuze hebt gehad? Zonder jou is die expeditie zinloos, dat heb je zelf gezegd. In werkelijkheid had je

nooit nee kunnen zeggen. Wat zou er zijn gebeurd als je dat toch had gedaan?' Ze keek me indringend aan.
Ik kon haar geen antwoord geven.
'Pas in godsnaam goed op,' herhaalde ze nadrukkelijk.
Toen ik zweeg, ging ze rechtop zitten. 'Nou ja, het heeft ook geen zin om je hoofd er verder over te breken. Je hebt een beslissing genomen en nu moet je doen wat je goeddunkt.'
Ik kon de woorden amper over mijn lippen krijgen, zo was ik van mijn eigen domheid geschrokken. Ze had natuurlijk helemaal gelijk.
'Hoe gaat het nu verder? Wat moet ik doen?' Ze keek me vol verwachting aan.
Ik dacht even na voordat ik antwoord gaf.
'Zoek in onze database naar alles wat we hebben over Congo, vooral over Mokéle m'Bembé,' mompelde ik. 'Als je niets kunt vinden, bel dan professor Michel Sartori in Lausanne. Lady Palmbridge heeft gezegd dat ik contact met hem moest opnemen. Hij is curator van het natuurhistorisch museum daar en executeur testamentair van Bernard Heuvelmans, de beroemdste kryptozoöloog die ooit heeft geleefd. Misschien is daar iets te vinden wat we kunnen gebruiken. We moeten elk spoor volgen.'
'En wat ga jij doen?'
'Ik moet eerst naar het tropeninstituut voor de benodigde inentingen. Ook moet ik nog medicijnen halen tegen malaria en een paar serums tegen de bekendste gifslangen. Als ik daarmee klaar ben, wil ik op internet gaan kijken wat er bekend is over gebeurtenissen rond Lac Télé.'
'En als je iets ontdekt, verander je dan van mening?'
Ik schudde mijn hoofd. 'Ik zit er al te diep in. En trouwens, ik ga niet alleen. Wat de keuze van de andere deelnemers betreft, vertrouw ik op het oordeel van Mrs. Palmbridge. Maloney en Sixpence lijken de juiste mensen voor gevaarlijke situaties, en er gaat ook een Congolese mee. Het komt wel goed.' Ik lachte wat geforceerd.
'Laten we het hopen.' Ze schoof haar koffiekopje aan de kant en ging staan om haar anorak aan te trekken. 'Dan ga ik maar. Wanneer zien we elkaar weer?'

'Wat dacht je van het Indiase restaurant op de hoek van Gloucester en Cromwell? Negen uur? Dan gaan we even een hapje eten.'
'Mag ik mijn nieuwe vriend meenemen?'
'Heb je...'
Ik zag de schittering in haar ogen toen ze de rits van haar anorak omhoog trok. 'Gefopt. Tot negen uur dan maar! Ik hoop dat ik wat vind.'
Ze zwaaide haar rugzak over haar schouder en liep met grote stappen de cafetaria uit.
In gedachten verzonken keek ik haar na totdat ze onder de verwaaide platanen verdween. Ik dronk mijn kopje leeg en keek mismoedig naar buiten.
Het was gaan sneeuwen.

9

Maandag 8 februari
Lac Télé, Congo

Egomo werd wakker in de vork van een gomboom die zijn machtige takken over het meer uitstrekte. De lucht was vervuld met het gekwetter van vogels die de warme, opkomende zon met schrille akkoorden verwelkomden. 's Nachts had het even geregend, een laatste echo van het zware onweer van de dag ervoor.
Egomo's gezicht betrok. Om hem heen zat een groep blauwe meerkatten. Het gesnater van de apen werd te luid om het nog langer te kunnen negeren. Hij wreef in zijn ogen en gluurde door de bladeren. Het water van het meer lag als een gladde spiegel onder zijn voeten, alsof het een grote libellenvleugel was waarin het licht van de hemel werd gebroken. Zijn nachtelijke onderkomen was weliswaar niet erg comfortabel geweest, maar de boom was een veilig heenkomen gebleken voor de roofdieren die elke nacht in het donker aan de rand van het meer op de loer lagen. Ook had hij gehoopt dat hij boven het water weer zou dromen van de dwergolifant en zijn schuilplaats. In plaats daarvan had hij steeds maar weer een eindeloze watervlakte gezien waar spookachtige mistwolken overheen trokken. De wolken veranderden voortdurend van vorm; dan waren het dieren, dan weer misvormde mensenlichamen. Door de zenuwen had hij zelfs gemeend gezichten van lang overleden voorvaderen te zien die hem verboden nog dichter bij het water te komen.
Egomo schoof het grote blad waar hij onder had geslapen aan de kant en ging rechtop zitten. Een trekmier krabbelde over zijn bovenbeen richting zijn genitaliën. Hij plukte het centimeters grote diertje van zijn huid en stopte het in zijn mond – een welkome culinaire afwisseling. Hij gaf weliswaar de voorkeur aan de eitjes, maar zo ver van huis kon je niet kieskeurig zijn. Genietend sloot hij zijn ogen. Hij vond de bittere nasmaak heerlijk, ook al kreeg hij buikpijn als hij te veel van die kriebelende boombeestjes at.

Na zijn ontbijt pakte hij zijn wapens bij elkaar en klom langs de gladde bast van de stam naar beneden. Vandaag was het een goede dag om te jagen. Zijn kruisboog lag licht in de hand en de pijlkoker, die gevuld was met vijftien pijlpunten en goed uitgebalanceerde pijlen, voelde glad en soepel aan. Egomo was een goede jager. Zijn eerste dier had hij op vijfjarige leeftijd geschoten: een duikerantilope die in takken verstrikt was geraakt. Later kreeg hij van de mannen van zijn stam les in alle technieken die hij nodig had om het dorp van voedsel te kunnen voorzien. Hij was een gretige leerling, ook al gaf hij er in tegenstelling tot de anderen de voorkeur aan om er alleen op uit te trekken. Het gevaar dat daarmee gepaard ging, nam hij voor lief. Alleen was hij sneller en stiller. En wat het risico betrof: tot nu toe was alles goed gegaan.
Voorzichtig liep hij door de rietkraag die het meer omgaf. Dit was het gebied van de Boha, een stam waarmee de Bajaka in het verleden al vaker problemen hadden gehad. Meestal ging het om de grenzen van de jachtgebieden, maar vaak ook om vrouwen. In elk geval was de sfeer tussen de twee stammen zo vijandig dat Egomo liever geen Boha tegen wilde komen.
Na een tijdje vond hij de plek waar hij drie jaar eerder de dwergolifant was tegengekomen. Toen hij uit het riet tevoorschijn stapte, aarzelde hij even. De plek was niet meer te herkennen. Over een oppervlak van honderden meters moest hier een tijd geleden een vreselijke brand hebben gewoed. Het manshoge gras was tot op de grond toe afgebrand en had een dikke laag roet achtergelaten, waar alweer de eerste groene sprieten doorheen staken. Was dit echt dezelfde plek? Egomo keek om zich heen naar de bomen en kwam tot de conclusie dat hij zich niet had vergist. Maar wat was de oorzaak van deze brand geweest?
Jagers, dacht hij. Blanke jagers. Alleen zij konden zo onvoorzichtig zijn om tijdens hun zoektocht naar prooi het halve oerwoud af te branden. Was het die blanke vrouw geweest die zijn dorp had bezocht? Had zij hem niet steeds naar het meer gevraagd? Het zou kunnen, want ze had er wel veel over willen weten. Hoe lang het was, hoe breed en hoe diep. Maar ze wilde vooral weten wat er in het meer

leefde. En daar mocht hij niet over praten. Al helemaal niet met een blanke – dat bracht ongeluk.
Terwijl hij nu tussen de zwartgeblakerde restanten van een kamp stond, werd hem duidelijk dat het ongeluk al had toegeslagen.
Hij porde met de schacht van zijn kruisboog in de zwarte aarde. Overal lagen glassplinters en verkoolde stukken plastic, met daartussen verbogen ijzeren staven en lapjes stof. Egomo had zoiets nog nooit gezien. Hier moest wel iets vreselijks zijn gebeurd. Later zag hij iets wat hem erg vreemd voorkwam. Hij ontdekte een plek waar eerder iets moest hebben gelegen. Afdrukken die nog niet helemaal door de opzwellende grond waren gevuld.
Hier was iemand geweest. Iemand die iets had gezocht en meegenomen. Wat het was geweest, kon Egomo niet zeggen. Nu meende hij ook voetstappen te kunnen zien. Ze waren oud, maar toch vrij goed zichtbaar, als je je best deed. Hij streek met zijn vingers over de randjes. Het waren afdrukken zoals alleen zware laarzen die konden achterlaten. Er liep een rilling over zijn rug toen hij zich herinnerde waar hij dit soort laarzen eerder had gezien. Zo nu en dan kwamen er mannen door zijn dorp. Boosaardige mannen. Ze stalen het eten en verkrachtten de vrouwen. Die mannen droegen ook dit soort laarzen. *Soldatenlaarzen.*
Hij ging rechtop staan en keek om zich heen. Hij was van gedachten veranderd. De dwergolifant moest wachten. Eerst moest hij erachter zien te komen wat hier was gebeurd.
Een onverklaarbare angst bekroop hem toen hij zich omdraaide naar het meer en de spiegelgladde watervlakte bekeek. Het water lag stil en glad onder de azuurblauwe hemel. Daar in de verte was iets en het keek naar hem; dat voelde hij heel duidelijk.

10

Maandag 8 februari
Ganesha's Temple

Voor het restaurant stonden al een aantal mensen te wachten totdat ze naar binnen mochten. Zoals zo vaak zat het restaurant deze avond helemaal vol, maar ik maakte me geen enkele zorgen omdat ik voor de zekerheid een tafel had gereserveerd. Wie in Ganesha's Temple wilde eten, moest er rekening mee houden te worden afgewezen, omdat het tot ver buiten South Kensington bekendstond om zijn uitstekende Indiase keuken.
Ik schoof langs de rij wachtenden naar de deur en werd direct door Sahir, de corpulente eigenaar, ontvangen. Sahir droeg als sikh de traditionele tulband en had een weelderige baard. Hij omarmde mij hartelijk en schudde mijn hand. Als stamgast had ik het voorrecht om persoonlijk door hem naar een tafel te worden geleid. Ik moest toegeven dat ik genoot van de jaloerse blikken van de andere gasten.
'David, mijn vriend. Het is lang geleden dat je mijn gast was. Kom, ga zitten. Ik heb een speciale tafel voor je vrijgehouden. Eet je alleen?'
'Nee, Sarah komt ook.'
'Aaaah, Sarah!' knipoogde hij vergenoegd. 'Jullie zijn al lang niet meer samen bij mij geweest. Sinds wanneer zijn jullie weer bij elkaar?' De klokjes in zijn tulband klingelden vrolijk en ik vroeg me af hoe Sahir dit allemaal wist. Had deze stad dan niets beters te doen dan geruchten verspreiden?
'We zijn helemaal niet...,' begon ik, maar hij luisterde al niet meer, want net op dat moment ging de deur open en stapte Sarah het restaurant binnen. Sahir stormde op haar af en was direct niet meer in mij geïnteresseerd. Toen zij naar de tafel liep en haar jas uittrok, ging er een gefluister door de zaal. Sarah droeg een rode jurk met een adembenemend decolleté, de gewaagdste naaldhakken die in Londen

te koop waren en zwarte, satijnen handschoenen, die tot haar ellebogen reikten. Met een zucht liet ik me in mijn stoel zakken. Ik wilde alleen maar een gezellige avond en een ongedwongen gesprek onder vier ogen. Maar omdat Sarah zo was opgedoft, leek dat onmogelijk te worden. Het leek net alsof ze me weer eens goed wilde laten merken wat ik toch voor een vreselijke domkop was.
Sahir speelde de perfecte gentleman. Al flirtend gaf hij haar allerlei complimenten; hij draaide om haar heen als een vette hommel om een bloemkelk. Hij trok haar stoel achteruit, nam haar jas aan en stak de kaars op onze tafel aan. Daarna boog hij voorover om ons met een samenzweerderige stem te vertellen wat voor juweeltjes hij in de keuken verborgen hield.
'Als ik jullie een tip mag geven: de tandoori kip massala is geweldig. Niet zomaar een tandoori, o nee. Het kippenvlees is zo mals dat het op je tong smelt.' Hij draaide met zijn ogen. 'Een gedicht.'
'Klinkt goed,' knikte ik en omdat ook Sarahs ogen oplichtten, zei ik: 'Doen we. Twee keer.'
'Een beetje brinjal bhaji als voorafje?'
'Natuurlijk. En graag met voldoende chapati's.' Sharis was beroemd om zijn fantastische voorgerechten en het was een doodzonde om die af te slaan.
Hij knikte tevreden. 'Aperitief?'
'Champagne,' lachte Sarah. 'De beste. Mijn vriend betaalt vandaag.'
'Dat betekent dat ik me bij het eten dus alleen nog een klein glaasje bier kan veroorloven,' voegde ik er tandenknarsend aan toe.
Luid lachend liep Sahir weg, terwijl ik uit voorzorg naar mijn portemonnee zocht. Sarah scheen van plan te zijn me volledig uit te kleden. Maar dat was wel goed, ik was haar tenslotte heel wat verschuldigd, en dit etentje zou onze relatie weer wat in balans moeten brengen.
'Zeg eens,' zei ze, terwijl ze haar handschoenen uittrok. 'Is alles gelukt met de inentingen?'
Ik knikte. 'Ik zit tot aan mijn nek vol met medicijnen. Toen ik de medewerker van het tropeninstituut vertelde waar ik naartoe ging, wilde hij me bijna van alles een dubbele dosis geven. Ook hebben ze

mij gevraagd of ik wel goed bij mijn hoofd was. "Congo?," zei de hoofdarts. "Bent u levensmoe? Wat moet u in godsnaam in Congo?" "Werken," zei ik. "Dan zoekt u hier toch werk," antwoordde hij. "Onze economie zit dan misschien in een dal, maar het gaat hier ook weer niet zo slecht dat we voor een baan naar Congo moeten vliegen." Enzovoort. Je kunt je voorstellen hoe het ging.'
'Interessant,' lachte ze en ze pakte de champagne die Sahir net voor haar neer had gezet. 'Op je gezondheid.'
'En op de jouwe.' De champagne was uitstekend en verdreef de duistere gedachten die me de hele middag al achtervolgden.
Sarah zette het glas neer en smakte vol genot. 'Dat had ik even nodig. En vertel eens: heb je nog wat ontdekt over Congo?'
'Verbazend weinig. Aantal inwoners, oppervlakte, economie. Allemaal niet interessant. Ook lijkt het net alsof er geen boek over dit gedeelte van Afrika is geschreven. Geen reisboeken, fotoboeken, kaarten, niets. Het is net alsof het land niet bestaat.'
'Misschien omdat het voor toeristen niet echt interessant is,' wierp ze tegen. 'Geen toeristen, geen reisboeken. Heb je ook in de Centrale Bibliotheek gekeken?'
'Jawel, maar daar vond ik alleen maar artikelen die meer dan twintig jaar oud waren. Ik heb actuele informatie nodig.' Ik haalde mijn schouders op. 'Hopelijk heeft Maloney zich goed voorbereid. Ik heb er een hekel aan om ergens naartoe te vliegen zonder te weten wat me te wachten staat.'
'Heb je nog iets gevonden over de inzet van het reddingsteam?'
'Alleen maar wat fragmenten. Er zijn berichten dat er in die gebieden opstanden zijn uitgebroken. Het tijdstip komt ongeveer overeen met de reddingsactie, maar ik moet toegeven dat ik jouw vrees begin te delen.'
'Hoe bedoel je?'
'Er schijnt daar iets te zijn gebeurd wat alle betrokkenen geheim willen houden. Maar hoe je het ook wendt of keert, ik zal nooit te weten komen wat, tenzij ik er zelf naartoe ga.'
'Daar heb je gelijk in, maar je weet hoe ik erover denk. Ik vind het gekkenwerk.'

'Wat heeft jouw speurwerk opgeleverd?' vroeg ik, om snel van onderwerp te veranderen. Sarah stak haar hand in haar tas en trok een dik pak computerprints tevoorschijn. Ze scheen haar werk zoals altijd tot in de puntjes te hebben gedaan. 'Je moet weten dat het Likoualamoeras, waar Mokéle zou leven, een gebied is zo groot als Groot-Brittannië. Tachtig procent ervan is nog niet in kaart gebracht, volgens een officiële verklaring van de regering,' legde ze uit, terwijl ze door de vellen bladerde. 'Het is een van de laatste witte vlekken op onze wereldbol. De legende van Mokéle gaat terug tot de eerste onderzoeksexpedities naar Congo. Hij werd voor het eerst genoemd in geschriften van de Franse missionaris Abbé Proyart, dat was in 1776. Daarna zijn nog verschillende onderzoekers, voornamelijk Duitsers als Hans Schomburg, Carl Hagenbeck en Joseph Menges, door het gebied getrokken. Ik heb alles geprint, zodat je je in het vliegtuig niet hoeft te vervelen. In de jaren twintig werd een expeditie opgezet met als enig doel Mokéle te vinden. Maar niemand heeft hem echt gezien. Alle berichten zijn gebaseerd op wat de inheemse pygmeeën hebben verteld. Ze kregen verschillende foto's van grote dieren voorgelegd, waar ze dan uitgebreid over discussieerden. Maar ze werden pas echt enthousiast toen ze een fotoboek over dinosauriërs bekeken. Bij de aanblik van een illustratie van de *Parasaurolophus* waren ze het allemaal eens: dat was Mokéle m'Bembé. Steeds weer werd het dier omschreven als een enorm monster, half neushoorn, half draak, met een lengte van tussen de vijf en tien meter.'
Ik knikte. 'Ze hebben dan waarschijnlijk alleen de kop of een deel van het bovenlichaam gezien en gedacht dat de hoorn een deel was van de schedel. Vermoedelijk verlaat het dier zo zelden het water dat ze nooit het hele beest hebben gezien. Of misschien hebben ze een jong gezien.'
'Dan zouden de sauriërs die gevonden zijn van hem afstammen. Er zijn sporen gevonden met een doorsnee van negentig centimeter en een afstand van twee meter, wat wijst op een relatief klein dier. Hoe dan ook, daarna werd het een tijdlang stil rond de legendarische Congosaurus, totdat de Amerikanen en Japanners nieuwsgierig wer-

den en hun eigen expedities organiseerden. Tussen 1972 en 1992 zijn meer dan tien teams naar het gebied vertrokken, die echter nooit meer mee terugbrachten dan een paar onduidelijke foto's en wazige videobeelden. Dat was het. Ik heb het idee dat er veel geld en tijd is verspild.'

Ik streek over mijn kin terwijl ik de papieren snel doorlas. 'Misschien. Misschien ook niet. Alle bronnen zijn het erover eens dat ze vreemde geluiden hebben gehoord. Geluiden die niet toe te schrijven waren aan andere grote dieren uit dit gebied. Er zijn sporen en paden in het bos gevonden die alleen kunnen afstammen van deze enorme wezens. Alles bij elkaar dus erg geheimzinnig. Als ik die film niet had gezien bij Mrs. Palmbridge, dan zou ik denken dat het een groots opgezette grap was. Maar ik heb hem gezien en de beelden laten er geen twijfel over bestaan. Ik heb het vaak genoeg geprobeerd, geloof me. Heb je verder nog iets ontdekt?'

'Niet over Mokéle.'

Teleurgesteld dronk ik de laatste slok uit mijn champagneglas. 'Jammer.'

'Maar er is nog wel iets interessants te melden over het meer.'

Ze keek me met haar grote groene ogen aan.

'Vertel.'

'Niet hier.'

Ik keek haar verbaasd aan en zag dat ze ondeugend zat te grinniken. 'Wat betekent dat nou weer: niet hier? Is de informatie zo geheim? Worden we in de gaten gehouden door mannen met zwarte zonnebrillen?'

'Dat nou niet.'

'Maar wat dan? Ik snap niet...'

'Hoeft ook niet. Laat je gewoon verrassen. Ah, ik geloof dat ons voorgerecht eraan komt.'

11

Tegen elven betaalde ik. We verlieten het restaurant en stapten in de taxi die al een paar minuten op ons stond te wachten. De rit naar Sarahs woning in de Londense wijk Bethnal Green, dicht bij het Victoria Park, duurde ongeveer twintig minuten. Al tijdens de rit had ik het gevoel dat Sarah me niet alleen maar informatie wilde laten zien. Steeds weer raakte ze me teder, bijna toevallig, aan, wat op zich natuurlijk niets hoefde te betekenen. Maar de manier waarop ze haar benen over elkaar sloeg en me aankeek, spraken boekdelen. Het was overduidelijk hoe de avond volgens haar zou aflopen en ik wist niet wat ik ervan moest denken. Onder andere omstandigheden zou ik met zo'n vrouw aan mijn zijde de gelukkigste man ter wereld zijn geweest. Maar vanavond was het voor mij een regelrechte kwelling. Toen we bij haar huis arriveerden en ik de taxichauffeur had betaald, was ik blij uit de benauwde auto te kunnen ontsnappen en wat afstand te kunnen nemen van Sarahs avances.

Ik rekte me uit en keek naar boven. De sneeuwwolken hadden plaatsgemaakt voor een heldere sterrenhemel. Het was windstil. Er zat vorst in de lucht. Op dat moment bedacht ik hoe vreemd het zou zijn om morgen uit het vliegtuig te stappen en de vochtige, dertig graden warme lucht op mijn huid te voelen. Het leek wel alsof ik naar een vreemde planeet vloog.

'Zit je aan iets moeilijks te denken?' vroeg Sarah, terwijl ze haar hand op mijn schouder legde.

'Ik heb het koud,' zei ik.

'Laten we naar boven gaan. Ik zal je wel weer opwarmen,' grinnikte ze en deed de deur open. Terwijl ze voor mij de trap opliep, kon ik mijn blik niet van haar rondingen afhouden. Sarahs vloeiende bewegingen hadden een bijna magische aantrekkingskracht. Ik moest glimlachen. Het duizend jaar oude genetische programma functioneerde blijkbaar nog prima. En het verbluffende was dat het ook een heerlijk gevoel was. Niet voor het eerst voelde ik me als een mario-

net die aan onzichtbare draadjes door het leven wordt gedragen. Geboeid, maar met een glimlach op het gezicht.
Toen we bij haar deur op de bovenste verdieping van het Victoriaanse herenhuis aan waren gekomen, besloot ik nog een tijdje te doen alsof die draadjes er niet waren. Dat gaf me in elk geval even het idee dat ik de situatie meester was.
'Ik maak het snel even wat warmer,' zei ze en liep snel door de kamer om overal de verwarming open te draaien. Ik stond nog besluiteloos in de deuropening.
'Wat is er? Kom toch binnen en maak het je gemakkelijk. Je bent hier toch wel vaker geweest,' riep Sarah over haar schouder. 'Ik moet nog snel even de ventielen openzetten. Je weet hoe dat gaat met die oude gasverwarmingen. Wat omslachtig, maar het wordt wel snel warm.'
'Hmm,' knikte ik.
Terwijl ik door de kamer slenterde en om me heen keek, realiseerde ik me dat Sarah voor alles wat zich tussen deze muren bevond, hard had gewerkt. Ze was niet met een gouden lepel in de mond geboren, zoals ik, maar had vanaf het begin hard moeten werken. Des te verrassender was het dat haar woning veel gezelliger en stijlvoller was ingericht dan de mijne. Hier stonden banken die ze bij een of ander tweedehandswinkeltje aan Portobello Road had gekocht naast boeken- en kledingkasten uit goedkopere designwinkels in Notting Hill. Ik zag kandelaars uit India, een Tibetaanse gebedsmolen en prints van Kandinsky en Chagall. Een interessant allegaartje. Maar vreemd genoeg paste het allemaal bij elkaar en straalde het harmonische geheel veel warmte uit.
'Zo,' zei Sarah terwijl ze handenwrijvend de woonkamer binnenliep, 'nog een paar minuutjes en dan is het behaaglijk warm. Verdorie, wat is het in een paar uurtjes koud geworden. Ik dacht dat ze milder weer hadden voorspeld?'
'Heb ik ook gehoord. Maar je weet hoe het gaat,' stemde ik in. 'We krijgen steeds meer satellieten die als een zwerm bijen om de aarde heen draaien en miljoenen kosten, maar het weer doet gewoon wat het wil...' Ik trok mijn schouders op. 'Het heeft ook wel wat rustgevends, dat sommige dingen gewoon gaan zoals de natuur dat wil.'

Ze glimlachte en ik hoorde dat ze er meer mee bedoelde. 'Wat kan ik je als opwarmertje aanbieden, glühwein, port of absint?'
'Absint?'
'Yep. Dat bevat het zenuwgif thujon. Daar word je heerlijk week van in je hoofd en daar hou je wel van, nietwaar?'
'Klinkt goed,' zei ik en ik liet me in een stoel vallen.
'Hoe onthoud je al die informatie? Ik vind het al moeilijk genoeg om een boodschappenlijstje te onthouden.'
'Ik lees wel eens dingen die niets met de universiteit te maken hebben.' Sarah zette twee buikige glazen op tafel, waarop ze een speciale geperforeerde lepel legde. Daar legde ze een suikerklontje op om het geheel te overgieten met een olieachtige, groene vloeistof. 'Vuurbowl?' grijnsde ik.
'Zoiets ja.'
De geur van anijs steeg op. Sarah verdunde de inhoud van de glazen met wat water tot de vloeistof heldergroen en melkachtig werd en stak toen het suikerklontje aan. De blauwe vlammen schoten omhoog. Het vuur weerspiegelde zich in haar ogen, die dezelfde kleur leken te hebben als de absint. Nadat het klontje bijna was gesmolten en in het glas was gevallen, haalde ze de lepel weg en roerde net zolang tot de suiker helemaal was opgelost.
'Santé,' zei ze. 'Op een goede reis en vooral een gezonde terugkeer.'
Toen ze het glas weer neerzette, glinsterden haar ogen. Of dat kwam door de hitte van het drankje of omdat ze plotseling verdrietig was, wist ik niet. Ik vroeg er maar niet naar, want ik had niet zoveel zin in een zwaarmoedig gesprek. Vast stond wel dat de absint, hoe mild hij ook smaakte, als lava in mijn buik brandde. Hij verdreef alle kou uit mijn lichaam.
'Een duivels drankje,' bevestigde ik knikkend. 'Het verwarmt niet alleen, maar is ook opwekkend. Maar weer terug naar ons onderwerp. Je wilde me nog iets vertellen over Lac Télé.'
Sarah knikte, stond op en zette haar computer aan. 'Je hebt de geduldstest doorstaan,' grijnsde ze. 'Ook al was het moeilijk, nietwaar? Maar ik wil je niet alleen iets vertellen, maar vooral laten zien.'
Ik stond op en liep naar haar toe. Het beeldscherm was amper aan-

geflikkerd en de browser geactiveerd of Sarah tikte het internetadres van de *Wildlife Conservation Society* in. Daarna klikte ze op de link Congo. Het duurde niet lang voordat de site verscheen.
'Een Congolese natuurbeschermingsorganisatie?'
Sarah schudde haar hoofd. 'De WCS is een van de grootste natuurbeschermingsorganisaties ter wereld, opgericht in 1895, gevestigd in New York. De afdeling Congo is slechts een van de dochterorganisaties, maar wel een zeer actieve. Jullie moeten opletten dat jullie ze tijdens jullie tocht niet in de wielen rijden. Er liggen zo'n tien reservaten in de Republiek Congo die door de WCS worden beheerd, waarvan het Ndoki National Park wel het bekendste is. Maar ook het Lac Télé-reservaat is beschermd gebied, en jullie komen zeker in de problemen als jullie zonder hun toestemming daar op strooftocht gaan.'
'Ik hoop maar dat Lady Palmbridge dat heeft geregeld, anders wordt het een kort reisje.' Ik was het met Sarah eens. 'Was dat alles wat je me wilde laten zien?'
'Nee, het mooiste komt nog. Kijk hier maar eens.' Ze klikte boven aan de pagina op Lac Télé en even later werd een artikel zichtbaar over het legendarische meer. Ik kon mijn opwinding bijna niet verbergen toen ik de foto van het meer zag.
Daar lag het. Het leek op een enorme zilveren schaal midden in een schijnbaar eindeloze wirwar van bomen, struiken en waterplanten. Pas nu, nu ik de groene hel zag, werd ik me ervan bewust met wat voor krankzinnig avontuur ik me had ingelaten. Geen mens kon deze wildernis doorkruisen, en ik zeker niet.
Sarah leek mijn gedachten te kunnen lezen. 'Het is bijna niet voor te stellen dat jij binnenkort over een van die riviertjes zult varen. Doet je toch een beetje denken aan *Heart of Darkness* van Joseph Conrad, nietwaar? Ik vond trouwens een exemplaar van dat boek in mijn boekenkast. Je moet het echt een keer lezen. Maar ik waarschuw je: het is niet geschikt voor zenuwachtige types. Als je wilt, kun je het nu meenemen. Het ligt daar. Ik wil het wel weer terug, beloofd?' Ze schonk me een warme glimlach.
'Bedankt,' mompelde ik, hoewel ik maar met een half oor had geluisterd. De foto op het beeldscherm had me in zijn macht. Iets eraan

was erg vreemd, maar ik kon de vinger er niet op leggen. Het meer leek wel op een gigantisch oog dat omhoog de lucht in staarde en waarin het hele universum zich weerspiegelde. De randen waren opvallend scherp begrensd, alsof het meer met een schaar was uitgeknipt.
Ik merkte dat Sarah naar me stond te kijken. Het voelde erg onaangenaam. 'Oké, ik geef het op,' gaf ik toe. 'Er is iets aan de hand met dit meer, maar ik kan je niet vertellen wat.'
Sarahs vinger gleed over het beeldscherm. 'Het is de vorm. Het is een perfecte cirkel.'
Natuurlijk! Dat was het. Het leek alsof het meer met een passer was uitgetekend.
Ik boog naar voren. 'Is er een kaart van dit gebied? Ik zou het graag beter bekijken.'
Sarah liet haar vingers weer over het toetsenbord glijden en toverde een topografische overzichtskaart van de omgeving tevoorschijn. Het was echt een cirkel.
'Hoe is dat toch mogelijk?' mompelde ik. 'Het lijkt wel een dode vulkaan. Als een mare, waar het water zich in de krater heeft verzameld. Maar het kan geen vulkaan zijn. De omgeving is zo plat als een dubbeltje.'
Sarah schudde haar hoofd. 'Geen vulkaan, dat klopt. Het was een inslag.'
'Een wat?'
'Een meteorietkrater.'
Ik voelde een rilling over mijn rug gaan. 'Weet je dat zeker?'
'Dat beweren de vakbladen in elk geval. Ze gaan ervan uit dat er ongeveer tachtig miljoen jaar geleden een meteoriet is ingeslagen.'
'Ofwel, in het Laatste Krijt.'
Diep in gedachten verzonken mompelde ik: 'Krijttijd, dinosauriërs.'
'Wat zei je?'
Ik schudde mijn hoofd. 'Niets belangrijks. Gewoon een idee. Het Laatste Krijt was de bloeitijd van de dinosauriërs, voordat ze vijfenzestig miljoen jaar geleden, aan het einde van het Krijt, uitstierven. De laatste onderzoeken gaan ervan uit dat ze door een kosmische

ramp om het leven kwamen. Door een inslag van een asteroïde ter grootte van een stad. Hij sloeg in op het Yucatánschiereiland in Mexico, met zo'n kracht dat er een krater werd gevormd met een doorsnee van tweehonderd kilometer. De randen ervan zijn nu nog te zien. De inslag blies zo veel stof de atmosfeer in dat het zonlicht er niet doorheen kon dringen en de temperatuur een paar graden zakte. Voor de dino's en andere geavanceerde diersoorten was het einde oefening. Ze konden zich niet snel genoeg aanpassen. De tijd van de zoogdieren was aangebroken.'

Sarah raakte toevallig mijn knie aan. 'Onze tijd.'

Ik nam een slokje van mijn absint en grijnsde. 'Er bestaan allerlei theorieën die beweren dat minimaal één soort dinosaurus de ramp heeft overleefd. Kleine, vleesetende, warmbloedige sauriërs die een verenkleed ontwikkelden.'

Sarah staarde me aan. 'Ik begrijp je niet...'

'Vogels. Onze lieve, kwetterende tuingenootjes zijn niets anders dan een ontwikkeling van kleine roofsauriërs. Als je een keer een struisvogel in galop hebt gezien, weet je wel wat ik bedoel.'

Ze grijnsde. 'Hoe weet je al dit soort dingen, als je niet eens een boodschappenlijstje kunt onthouden?'

'Staat allemaal in de Playboy, ik heb een abonnement,' lachte ik terug. 'Je weet wel, die artikelen die je leest nadat je alle glossy foto's hebt bekeken en de stukjes over snelle auto's hebt doorgebladerd.'

Ze gooide haar handen in de lucht en lachte. 'Had ik het maar niet gevraagd. Maar wat hebben die twee inslagen met elkaar te maken? Je zei eerder dat je een idee had, maar je wilde er nog niets over zeggen.'

'Omdat het zo vergezocht is. Te onwetenschappelijk. Het was maar een idee: als die ene meteoriet de dinosauriërs kon uitroeien, kon die andere het misschien een kleine groep mogelijk maken om juist te overleven, snap je?'

'Niet echt.'

Ik zuchtte en keek op mijn horloge. Het was al na twaalven. 'Ik eigenlijk ook niet. Ik weet alleen maar dat ik doodmoe ben en morgen om kwart voor zeven op het vliegtuig zit. Als ik nu naar huis rijd, kan ik nog maar vier uurtjes slapen.'

'Dan blijf je toch hier.' Ze zette haar computer uit en keek me diep in de ogen. Ik hield haar blik vast en zag plotseling weer die groene glinstering.
'Ik weet niet of dat wel zo'n goed idee is.'
'Je kunt nu toch niet slapen. Absint is een opwekkend middeltje.'
'Dat had ik al gemerkt.'
'Slapen kun je ook in het vliegtuig.' Met deze woorden begon ze de rits van haar jurk omlaag te trekken. Heel langzaam. De bandjes gleden van haar schouders en ontblootten haar borsten. Ik voelde al mijn weerstand verdwijnen. En terwijl ze me kuste en mijn hand op haar naakte huid legde, merkte ik dat ik de strijd had verloren.

12

Dinsdag 9 februari
Lac Télé-reservaat

Het onweer dat de hemel openspleet, was het ergste dat Egomo ooit had meegemaakt. De regen kletterde omlaag in een inferno van licht en schaduw. Angstig drukte hij zich tegen de stam van een gomboom. Hij kon niet geloven dat dit onweer precies boven hem was losgebarsten, en dan ook nog precies hier. Weer deed een felle bliksemschicht het onderhout van de jungle in het licht baden. Nog geen seconde later was een oorverdovende klap te horen. Een knal luider dan Egomo ooit had gehoord schoot door het oerwoud, werd gebroken en vele malen weerkaatst. De rillingen liepen Egomo over de rug. Hij had wel vaker onweer meegemaakt, maar dit was geen gewone donder. Het klonk alsof iets in de lucht was gescheurd.
Plotseling herinnerde hij zich al die onheilspellende voortekenen die hij had gekregen in de vijf dagen sinds hij zijn dorp had verlaten. Aan de verschrikkelijke schreeuw, de droom over de geesten van zijn voorouders en de ravage bij het meer. Zijn tocht was gedoemd. De tekenen waren overal om hem heen geweest, hij had ze alleen niet willen zien en erkennen dat de goden hem kwaadgezind waren geweest. Als hij niet zo bang zou zijn voor de spot en hoon waarmee zijn dorpsgenoten hem zouden ontvangen, dan was hij allang weer naar huis gegaan. Maar steeds als hij op het punt stond op te geven, zag hij de gezichten voor zich van de mensen die waren achtergebleven. Vooral de teleurstelling in de ogen van Kalema kon hij niet verdragen. Tot nu toe was de gedachte aan haar schoonheid steeds genoeg geweest om hem te blijven motiveren, maar nu was het genoeg. Dit onweer was de laatste druppel. Geen gebrek aan respect, geen leedvermaak, geen hatelijkheid kon erger zijn dan dit hier. Hij kon het later altijd nog een keer proberen, als de goden weer tot rust waren gekomen.

Maar toen realiseerde hij zich dat hij zichzelf voor de gek hield. 'Later' bestond niet. Een keer een prutser altijd een prutser. Zou hij de moed weer kunnen vinden om nog een keer op pad te gaan? Egomo staarde naar boven, naar het donkere bladerdak, waar de boomtoppen als onheilspellende wezens uit de schaduwwereld op hem neerkeken. Hij drukte zijn wapen tegen zijn borst en begon te huilen, zo schaamde hij zich. Wat was hij toch een erbarmelijke jager. Hij schold zichzelf uit voor vreselijke lafaard. Hoe kon hij ooit met opgeheven hoofd terugkeren naar zijn familie?
Net op dat moment zette een nieuwe bliksemschicht het donkere oerwoud in een spookachtig wit licht. En toen zag hij het. Direct voor zijn voeten, een paar stappen van hem verwijderd. Een voetafdruk. Het water dat in de afdruk was blijven staan, lichtte een ogenblik op in de weerschijn van de heldere hemel. De daarop volgende knal hoorde Egomo al niet meer, zo verrast en geschrokken was hij over de grootte van de afdruk. Het ding was enorm. Een lange, uitgerekte voetafdruk, met drie klauwen die naar voren wezen en een die naar achteren wees. De afdruk was groter dan wanneer hij zelf languit op de grond zou gaan liggen. Een verschrikkelijke gedachte spookte door Egomo's hoofd. Geen vraag of vermoeden, maar een onomstotelijke zekerheid: Mokéle m'Bembé.
Geen ander wezen zou zo'n spoor kunnen achterlaten. Hij bekeek de afdruk. Hij was nog geen vier uur oud, anders zou hij al door de regen zijn weggespoeld. De ondergrond was hier erg leemachtig, zodat de afdruk bijzonder goed te zien was.
Egomo deed een stap achteruit. Hij bestond dus echt, het legendarische, geheimzinnige monster. Alle verhalen en legenden moesten dus wel waar zijn.
Egomo ademde zwaar en probeerde zijn gedachten op een rij te zetten. Het monster was hier langsgekomen. Hier, een paar stappen verwijderd van de plek waar hij stond. Alleen al het idee dat het hier was geweest en misschien nog steeds was, was genoeg reden voor alarm. Plotseling waren alle andere twijfels en angsten verdwenen. Het enige dat nog over was, was het oeroude jachtinstinct en de wil om te overleven.

Egomo bukte, versmolt met de ondergrond van het regenwoud en werd onzichtbaar voor de ogen van zijn vijand. Met twee, drie bewegingen had hij zijn kruisboog geladen en begon hij het spoor te volgen. Dat was niet gemakkelijk, want de regen had het al grotendeels weggespoeld. Maar hij was een te goede spoorzoeker om zijn prooi kwijt te raken. In tegenstelling tot de blanken, die gewoon over de voetstappen heen het spoor volgden, nam hij een gepaste afstand in acht. Van struik naar struik, van boom naar boom, zoals hij het van kinds af had geleerd. Ook vergat hij niet om zich heen te kijken. Veel roofdieren, vooral luipaarden, hadden de gewoonte om van hun eigen spoor af te wijken en links of rechts ervan op de loer te gaan liggen. Het spoor leidde weg van het meer en volgde een mansbrede watergeul die naar het zuiden kronkelde. Naar een gebied waar Egomo al eerder was geweest. Een luguber gebied. Daar groeiden om onverklaarbare redenen geen bomen. Het was een gebied waar alleen gras groeide dat hem, de bosbewoner, geen beschutting bood.
Egomo keek omhoog. Het onweer trok verder en het hield op met regenen. In de verte zag hij nog een enkele bliksemschicht het bladerdak oplichten, maar het onweer was al zo ver weg dat de donder alleen nog maar als een zwakke echo te horen was.
Tijd om op te schieten, want hij wilde het spoor niet kwijtraken. De afdrukken begonnen zich al te vervormen door het opzwellen van de grond. Nog even en ze zouden helemaal verdwijnen.
Hij gluurde door de wirwar van afgescheurde bladeren en gebroken takken die de storm uit de bomen had getrokken, terwijl hij tegelijkertijd probeerde onzichtbaar te blijven. Langzaamaan realiseerde hij zich dat hij zich geen zorgen hoefde te maken. Het onweer scheen de andere bosbewoners te hebben verjaagd. Veel dieren die gewoonlijk in deze bomenwereld leefden, waren verdwenen. Egomo maakte het weinig uit, want zo hoefde hij niet bang te zijn in een hinderlaag te lopen en ging zijn speurtocht een stuk sneller.
Ongeveer een halfuur later merkte hij dat het bos lichter werd. Eerst was er hier en daar een gat, maar steeds vaker viel het zonlicht uit een dofgrauwe hemel door het bladerdak naar beneden. Nog een paar stappen en hij zou de bosrand bereiken. Hij bleef even staan om op

adem te komen. Voor hem lag een eindeloze grasvlakte. De rand van het bos, die eruitzag als een groene palissade, verdween echter in de verte, troebel en nat.
Egomo hield zijn hand boven zijn ogen. Het felle licht verblindde hem. Nee, besloot hij, hij vond dit geen prettige omgeving. Vol gevaar en vreemde dingen. Het leek totaal niet op een baai, een kleine, overzichtelijke open plek, waar olifanten of gorilla's graag naartoe gingen om te spelen. Ook niet op Lac Télé, dat ook een watervlakte was. Dit hier was anders. Er was geen enkele reden waarom het bos hier plotseling ophield.
Egomo zuchtte. Het spoor, of wat er van over was gebleven, liep kaarsrecht het gras in, weg van de donkere bescherming van het woud. Hij kon en wilde het spoor niet volgen. Het was te riskant, want dit was het jachtgebied van hyena's, wilde honden en luipaarden, die zich tussen het manshoge gras verborgen en alles aanvielen wat dom genoeg was zich in het labyrint te wagen.
Hij ging op de grond zitten en opende zijn proviandzak. Hierin zaten naast een leren drinkbuidel, een paar vijgen, dwergdadels, foelie en wat gedroogd apenvlees ook dingen die hij nodig had om vuur te maken: een stukje metaal, vuursteentjes en gedroogde tondelzwammen.
Maar wat moest hij nu eten? Hij koos voor de vijgen en besloot het taaie vlees voor later te bewaren. Hij vond het toch niet zo erg lekker, omdat het muf smaakte. Als hij eerlijk was, at hij vlees het liefst vers gebraden, direct van het vuur. Al bij de gedachte eraan liep het water hem in de mond. Terwijl hij op een zoete vijg kauwde, besloot hij dat hij vanavond vers vlees wilde eten. Mokéle m'Bembé of niet, hij had lang genoeg op droog voedsel geteerd. Ook had hij wel een beloning verdiend voor zijn getoonde moed. Het was tijd voor een feestmaaltijd. Een meerkat of een rivierzwijn zou fijn zijn. Denkend aan deze delicatessen maakte hij een einde aan zijn rustpauze. Hij dronk nog snel een slok en ging staan. Hij zou de bosrand volgen en wel zien waar hij uitkwam. Misschien had hij mazzel en zou hij het monster ergens vinden. Het was groot genoeg. Wat hij dan zou doen, kon hij later wel beslissen. Doden zou hij het zeker niet, maar mis-

schien vond hij wel een klauw of een schub die hij als trofee mee naar huis kon nemen. Dat zou een geweldig verlovingscadeau zijn!
Lichtvoetig ging hij op weg; hij volgde de bosrand naar rechts. Het landschap was daar overzichtelijker en niet zo overwoekerd. Hij was nog niet eens zo ver gekomen toen hij een vreemde geur rook.
Brand!
Hij snoof eens diep en stak zijn neus in de lucht om te achterhalen uit welke richting de wind kwam. Het vuur lag precies in de richting waar hij naartoe wilde. Egomo pakte zijn kruisboog, die nog met een pijl geladen was, stevig vast en sloop dichterbij. Geluidloos, stap voor stap, alle zintuigen gespannen.
Hoe dichter hij bij de brandhaard kwam, hoe duidelijker het werd dat dit geen gewone brand was. Verbrand hout rook anders, net als bladeren en gras. Ook verbrand vlees rook anders. Het rook als... als...
Egomo schrok. Het rook als het verwoeste kamp aan het meer. Maar dit keer was de brandgeur vers en bijtend. Hij herinnerde zich het verkoolde plastic, de kabels die half in de modder verborgen lagen, het kapotte glas. Koud zweet parelde op zijn voorhoofd. Hij voelde dat hij dicht bij zijn doel was gekomen.
Met tegenzin bleef hij doorlopen. Elke spier in zijn lichaam was aangespannen, klaar om bij het kleinste teken van gevaar op de vlucht te slaan. Hij kon de dunne rookslierten al zien die zo'n dertig meter verderop uit het manshoge gras omhoog kringelden. Als hij langer was geweest, zou hij nu al kunnen zien wat er voor hem lag. Hij was dus eigenlijk praktisch blind. Als een geblinddoekt kind tastte hij zich een weg door het gras, naar de plek die hem zijn leven zou kunnen kosten. Toch wilde hij nu niet blijven staan. Hij moest zien wat er lag, moest eindelijk te weten komen wat er was gebeurd. Nog een paar meter... langzaam... langzaam...
Toen zag hij het.
Het duurde even voor hij het begreep. Zijn ogen sperden zich open van schrik, terwijl hij meer en meer nieuwe verschrikkelijke details zag.
Egomo sloeg een hand voor zijn mond en viel op zijn knieën. De kruisboog gleed van zijn schouder en de proviandzak viel uit zijn trillende handen. Nog nooit had Egomo zoiets ergs gezien. Hij ver-

vloekte zijn nieuwsgierigheid. Waarom had hij niet opgegeven? Waarom was hij niet teruggegaan naar zijn familie en vrienden? Hoewel zijn maag zich bijna omkeerde bij de aanblik van de vele doden, begon zijn verwarde geest te bedenken wat hier was gebeurd. Waren dit de lijken van de blanke vrouw en haar mannen? Nee, duidelijk niet. Dit waren de lichamen van soldaten, hij herkende ze aan de verscheurde uniformen, de verbogen wapens en de opvallende leren laarzen. Het profiel was precies hetzelfde als van de afdruk die hij bij het meer had gevonden. Om echt zeker te zijn, pakte hij een laars op, maar hij liet hem direct weer vallen toen hij zag dat er nog een voet in stak. Wat een vreselijke plek. Was dit het werk van Mokéle m'Bembé? Zo ja, wat voor genadeloos roofdier leefde er dan op de bodem van het meer? Het leek nog erger te zijn dan de verhalen beweerden.
Plotseling zag hij in zijn ooghoeken iets bewegen. Een van de verscheurde lichamen bewoog. Egomo dacht dat hij zich vergiste. Maar toen hoorde hij gejammer. Een overlevende.
Bijna verlamd van angst liep Egomo naar het zwaargewonde lichaam. De zoete geur van vers bloed en verbrand vlees rook hij al bijna niet meer. Hij moest al zijn wilskracht bij elkaar rapen om niet over te geven terwijl hij over de her en der verspreide lichaamsdelen stapte. Plotseling zag hij wat de bewegingen had veroorzaakt. Een geelachtige kop, twee felle ogen met pupillen als streepjes en een stralend wit gebit.
De luipaard, die een halve onderarm in zijn met bloed besmeurde bek hield, gromde kort, maar draaide zich daarna om en verdween in het hoge gras. Egomo vervloekte zijn eigen domheid. Hoe kon hij dat nou vergeten? De verse geur van aas zou verschillende roofdieren aantrekken. Vreemd dat er niet al veel meer dieren op dit feestmaal waren afgekomen. Hij was in groot gevaar en moest hier zo snel mogelijk weg.
Net op dat moment hoorde hij gebrom. Een diep, dof geluid dat het gras omver leek te blazen en de bodem deed trillen. Een geluid dat het bloed in zijn aderen deed stollen. Direct achter hem.
Egomo dacht dat hij een warme adem in zijn nek kon voelen. Hij

sloot zijn ogen in de wetenschap dat zijn leven voorbij was. Zijn ingewanden zouden snel bij die van de ongelukkige soldaten komen te liggen.
Heel langzaam ging hij staan en draaide zich om. Het snuiven kwam van heel dichtbij. De lucht die uit de neusgaten van dit geweldige dier kwam, streek door zijn haren. Hij was warm en rook naar brak water.
Egomo hief zijn hoofd op en keek naar het reusachtige wezen dat vanuit het niets achter hem was opgedoken en met ogen als schoteltjes op hem neerkeek.

13

Dinsdag 9 februari
Air France-vlucht nr. 896

'Dames en heren, hier spreekt uw gezagvoerder. We gaan onze vluchthoogte van elfduizend meter verlaten en naderen Brazzaville. De verwachte aankomsttijd is 17.15 uur. De zon schijnt en het is 32 graden Celcius.'

De nasale stem uit de cockpit wekte me uit een weldadig dutje. Ik deed mijn ogen open en keek geïrriteerd op mijn horloge. Ik had inderdaad tien uur geslapen, zonder te eten, te drinken of naar het toilet te gaan. Ik kon me niet eens meer herinneren dat we waren opgestegen. Het laatste wat ik me nog herinnerde, was hoe Sarah me met piepende banden naar Heathrow had gereden, waar ik letterlijk op het laatste moment had ingecheckt, we hartstochtelijk afscheid hadden genomen en ik door de douane was gegaan. Ik zag haar nog achter de glazen wand naar me staan zwaaien, terwijl de tranen over haar gezicht liepen. Daarna was ik in een diep, donker gat gevallen. De herinnering aan de verdwenen dag en nacht voelde erg onwerkelijk aan in het geklimatiseerde stalen omhulsel van het vliegtuig. Ik rekte me uit en dacht dat ik zo'n beetje alles had gemist wat een vlucht leuk en spannend kon maken. Ik had de Alpen, de Middellandse Zee, de Sahara en de evenaar gemist. Ik zou niemand thuis kunnen vertellen hoe avontuurlijk een reis over zestig breedtegraden was, welke kleur de woestijn had en hoe de zee eruitzag. Maar, om eerlijk te zijn, het maakte mij weinig uit.

Verbaasd keek ik naar beneden. Om mijn hals zat een opblaasbaar nekkussentje; hoe dat daar was gekomen, wist ik niet. Terwijl ik de lucht eruit liet lopen, staarde ik door het raampje naar beneden. Wat ik daar zag, deed mijn adem stokken. Een flinterdunne witte streep gaf de overgangszone aan tussen twee eindeloze kleurvlakken, de ene blauw, de andere groen. We zaten te hoog om details te kunnen zien,

maar dit konden alleen maar de zee en de jungle zijn. De eindeloze, adembenemende jungle.
Ik kon geen straten of akkers of nederzettingen zien, alleen maar bomen. Duizenden bomen, zover het oog reikte.
'C'est formidable, n'est-ce pas?' zei een diepe stem tegen mij. Ik keek verrast op en keek recht in het gezicht van een goed uitziende zwarte man die zijn hoofd naar voren had gestrekt om ook een blik te kunnen werpen op de groene eindeloosheid.
'Dat is mijn vaderland,' ging de man verder. 'Daar beneden ben ik geboren.' Hij mompelde een naam en stak zijn hand uit. Ik glimlachte geforceerd, schudde zijn hand en probeerde me tegelijkertijd te herinneren hoe ik er in Parijs in was geslaagd van vliegtuig te wisselen. Was het mogelijk dat een gezond mens zo veel gaten in zijn geheugen had? Misschien had mijn geheugenverlies iets te maken met oververmoeidheid en een hoge dosis thujon. Mijn blik dwaalde over de hoofden van de andere passagiers. Behalve ikzelf zaten er slechts twee andere blanken in het vliegtuig. De cabine vulde zich met hoopvol geroezemoes en ik rook de warme, zoete geur van zweet.
'Wat heeft u naar Parijs gebracht?' ging ik verder, want de man naast mij was vastbesloten een gesprek met mij aan te knopen.
'Zaken,' kwam er pijlsnel uit. 'Ik ben kunsthandelaar,' voegde hij eraan toe. Hij tilde zijn hand op om mij te overtuigen. Hij had talrijke kunstig gevlochten armbandjes om zijn pols, waaraan metalen schijfjes, die eruitzagen als goud, stukjes hout en bolletjes ivoor om het hardst klingelden. Alles was versierd met abstract snijwerk, dat in het licht van de invallende zon erg sierlijk leek.
'Prachtig,' gaf ik toe. 'Ik heb Afrikaans handwerk altijd erg gewaardeerd, maar dit is echt uitzonderlijk mooi. Van welke stam?' vroeg ik, in de hoop niet te zeer als een domme leek te klinken.
De man scheen mijn ontwetendheid juist te verwelkomen. Samenzweerderig boog hij zich naar mij toe. 'Dat raadt u nooit. Pygmeeën! Had u gedacht dat die tot zoiets in staat waren?'
Ik wist niet hoe ik op deze opmerking moest reageren, dus hield ik mijn mond. Volgens mijn informatie waren de pygmeeën een rech-

teloos volk in eigen land. Ze werden behandeld als de laagste laag van de bevolking en ik dacht dat het beter was om me niet al in het vliegtuig bij een discussie over onderdrukking te laten betrekken.
'Mooi, nietwaar, en niet te duur,' ging de zwarte naast mij verder, zonder te merken dat mijn sympathie voor hem begon te verdwijnen. 'In Parijs zijn ze er dol op. Er is zelfs een nieuwe kunstrichting ontwikkeld die is gebaseerd op de motieven van de pygmeeën. Er is veel geld mee te verdienen.'
Ik tikte op het ivoor. 'Is de export van ivoor niet verboden? Ik dacht dat olifanten internationaal beschermd werden.'
'Dit is geteeld ivoor,' wimpelde de man mijn bezwaren weg. Iets te snel vond ik. Ik had ergens gelezen dat het aantal bosolifanten de laatste tien jaar bijna was gehalveerd. Dit was waarschijnlijk de schuld van ivoorhandelaren uit Soedan en de Centraal-Afrikaanse Republiek, die ongehinderd bleven jagen. Of de kunsthandelaar bij dit soort zaakjes betrokken was, kon ik natuurlijk niet zeggen.
'Tegenwoordig komt elk stuk geteeld ivoor met een certificaat,' declameerde hij verder. 'Mijn archiefkast zit er vol mee. De jacht op ivoor is voorbij.' Hij zweeg kort, maar tikte daarna met zijn vinger op het plastic raampje. 'Weet u hoe die kust daar beneden tot voor kort werd genoemd? ... De goudkust. De ivoorkust. De slavenkust.' Hij knikte betekenisvol. 'Dit was het hart van de slavernij. De slagtanden van de olifanten werden door slaven vanuit het regenwoud hiernaartoe gebracht en verscheept. En dat alles om de blanke man te behagen. Zodat de rijken in hun grote huizen zich konden overgeven aan de droom van een onaangetast, onschuldig Afrika. Pervers, nietwaar? Ziet u, daar is het allemaal gebeurd. Het is niet eens zo lang geleden.'
Ik begon me wat onbehaaglijk te voelen.
De kunsthandelaar klopte me op de schouder. 'Maakt u zich geen zorgen, die tijden zijn voorbij. Alles is nu anders.' Hij verhief zijn stem zodat, zo leek het wel, zoveel mogelijk andere reizigers hem konden horen. 'We zijn nu een republiek. Fatsoenlijk, rechtvaardig en marxistisch. Met een regering die zich bekommert om het welzijn van al zijn burgers.'

Ik fronste mijn wenkbrauwen. Sprak hij nu zo luid omdat hij echt geloofde in wat hij zei, of omdat hij bang was dat er in het vliegtuig spionnen zaten die hem bij de autoriteiten zwart konden maken?
Net op dat moment klonk de stem van de gezagvoerder weer uit de cockpit. 'Dames en heren, hier spreekt uw gezagvoerder. We zijn begonnen aan de landing op Brazzaville, waar we over een kwartier zullen aankomen. Rechts ziet u de rivier de Kongo, waarvan de benedenloop door de Democratische Republiek Congo stroomt. Het is de waterrijkste rivier van Afrika en mondt met vijftigduizend kubieke meter water per seconde uit in de Atlantische Oceaan.'
Ik draaide me om en terwijl ik naar buiten keek, voelde ik hoe mijn hart een sprongetje maakte. Daar was hij dan, de legendarische Kongo. De machtigste rivier van Afrika. Een glinsterend, zilverkleurig lint dat zich als een dikke slang een weg door het oerwoud vrat, om na veel gekronkel in zee uit te komen. Wat een imposant gezicht. Zelfs vanaf een hoogte van ongeveer zevenduizend meter dwong hij respect af. Wat was de Theems dan toch een zielig beekje, met een benedenloop die zich door industrie en smerige dokken een weg naar zee probeerde te wurmen. Vergeleken daarbij belichaamde de Kongo een rauwe natuurkracht. Onbedwingbaar en wild. Terwijl ik hem zo zag liggen, werd mij maar al te duidelijk dat ik de bescherming en geborgenheid van mijn vaderland voor altijd achter mij had gelaten. Ik stond op het punt om aan een avontuur te beginnen dat mijn hele leven zou kunnen veranderen.
'Daar is 'ie,' zei mijn buurman met een glinstering in zijn ogen. 'De rivier die alle rivieren overtreft. Het graf van de blanken. Zo werd hij na zijn ontdekking genoemd. Wist u dat de hele regio pas zo laat in kaart werd gebracht omdat de Kongo niet te bevaren was? De hele benedenloop bestaat over een lengte van ongeveer driehonderd kilometer alleen maar uit draaikolken, cataracten, watervallen en stroomversnellingen en vormde destijds een echt onoverkomelijke hindernis. Slechts een paar keiharde missionarissen en onderzoekers slaagden erin het binnenland binnen te dringen, te voet wel te verstaan, maar ook daar lagen talloze gevaren op de loer. Slechts een paar van hen slaagden erin weer heelhuids terug te keren. Ook nu nog is

de Kongo berucht om zijn verraderlijke water. Toch houden we van de rivier. Hij is de slagader van ons continent, hij houdt de hele regio in leven. Zonder de Kongo zou hier niets zijn.' Hij keek mij nieuwsgierig aan. 'U hebt mij nog helemaal niet verteld wat u hier eigenlijk komt doen in ons land. En zeg maar niet dat u toerist bent. Er zijn geen toeristen in Congo.'
Ik had deze vraag allang verwacht en me goed voorbereid. 'WCS, Wildlife Conservation Society,' loog ik. 'Een biologische onderzoeksexpeditie naar het Ndoki National Park.'
Ik merkte hoe hij verstijfde. 'U maakt een grapje.'
'Nee hoor,' antwoordde ik en ik leunde ontspannen achterover in mijn stoel. 'Het is een omvangrijk project met als doel het olifantenbestand in kaart te brengen. De Fransen doen mee, de Amerikanen en wij natuurlijk. We hebben de volledige steun van de regering,' voegde ik eraan toe, maar dat was helemaal niet meer nodig. De eerste klap was raak geweest. De laatste paar minuten van onze reis zei de kunsthandelaar bijna geen woord meer. Hij was waarschijnlijk toch niet helemaal zuiver op de graat, dacht ik, anders had hij niet zo gereageerd. Ik probeerde nog een of twee keer het gesprek weer nieuw leven in te blazen, maar het was al te laat. Zelfs toen het vliegtuig onder luid applaus van de passagiers bijna onmerkbaar landde en over de landingsbaan naar het pseudo-futuristische terminalgebouw van Maya-Maya International Airport taxiede, vermeed hij elk oogcontact. Zijn sieraden waren niet meer te zien, want hij hield zijn handen angstvallig onder zijn boernoes verborgen. Om eerlijk te zijn, interesseerde het me ook niet meer, want ik was veel te druk bezig met het opzuigen van alle nieuwe indrukken die zich buiten het raam aanboden. Eigenlijk was er niets spectaculairs te zien, alleen een paar platte, roestende gebouwen langs de baan met golfplaten op het dak, betonplaten waar iets groens tussen groeide en dichte, hoge rijen bomen aan de andere kant van het prikkeldraad. Toch was ik direct onder de indruk van deze aanblik van een vreemd land.
Toen het vliegtuig stopte, begon het grote gedrang. Omdat ik geen handbagage uit de rekken hoefde te halen en vrij vooraan zat, stapte

ik als een van de eersten uit. Op de zilverkleurige trap bleef ik even staan. De hitte raakte me als een muur. Het was ongeveer vijfendertig graden, zodat zich direct een dun laagje zweet op mijn huid vormde. De luchtvochtigheid was bijna tastbaar. Ik rook modder en rottende planten. Net als in de tropische kas in de dierentuin van Londen, dacht ik terwijl ik de trap afliep en naar de shuttlebus liep. Ik vond de geur en zijn stimulerende werking prettig.
Binnen korte tijd was het wankele gevaarte vol en reden we slingerend richting terminal. Ik merkte dat het hier wemelde van de bewapende militairen. Jongens van een jaar of achttien, twintig, die hun kalasjnikovs in de aanslag hielden en bijna leken te wachten totdat er iets gebeurde. In het gebouw werd het er niet beter op. Ze waren bijna overal, bij elke gang, elke deur, elke trap en vooral bij de bagageband. Daar stond een heel peloton. En wat het ergste was, ze leken allemaal naar mij te kijken. Het was net alsof ik door al hun ogen overal werd gevolgd. Misschien omdat ik op dat moment de enige blanke was, maar misschien ook omdat ik me zo verloren voelde. Ze roken mijn angst, schoot het door me heen. Ik was blij toen ik eindelijk mijn twee reistassen had gevonden en in de richting van de douane kon ontsnappen.
Daar stuitte ik op de eerste grote hindernis. Hij kwam in de vorm van een potige, twee meter lange veiligheidsbeambte die mij met zijn hele lichaam en uitstraling te kennen gaf dat er met hem niet te spotten viel. Hij gaf een teken dat ik mijn armen moest optillen en mijn benen moest spreiden, wat ik natuurlijk direct deed. Toch had ik, terwijl hij mij fouilleerde, het gevoel dat ik hem alleen al met mijn aanwezigheid provoceerde. Hij sprak tegen me in een taal die ik niet verstond. Ik ben zeker geen taalgenie, maar naast Frans en Italiaans spreek ik ook nog een woordje Swahili, een overblijfsel uit onze tijd in Tanzania. Niets kon me verder helpen. Waarschijnlijk sprak hij Kikongo of Lingala, een van de twee landstalen. Misschien was het helemaal niet de bedoeling dat ik hem verstond, maar wilde hij me gewoon onzeker maken. In dat geval was hij zeker geslaagd. Op een gegeven moment stak hij zijn hand in mijn borstzakje en haalde een pen tevoorschijn, die hij daarna onder mijn neus hield.

Zijn stem werd duidelijk luider en agressiever. Al snel kwam een kleinere man bij ons staan, die de woordenstroom in accentloos Frans vertaalde.
'Hij vraagt hoe het u gelukt is om een wapen aan boord te smokkelen.'
'Hoe bedoelt u? Dat is mijn pen, daar schrijf ik al jaren mee. Hoe komt hij op het idee dat ik een wapen bij me zou hebben?'
De grote man hield de pen voor mijn neus en tikte met zijn vinger op het puntje. Hij had blijkbaar alles wat ik zei feilloos begrepen.
'In ons land was u hiermee niet door de douane gekomen,' legde de kleine man uit.
'Een tandenstoker is nog gevaarlijker dan die pen,' protesteerde ik. 'En ik ben hier nu toch. Wilt u mij om een pen weer terugsturen?' Terwijl ik het zei, wist ik dat ik een fout had gemaakt. De grote bewaker verstijfde, pakte me bij de arm en trok me mee. De ander liep naast ons en trok een strak gezicht. 'We moeten u nu aan een routineonderzoek onderwerpen,' zei hij. 'Niets spannends, alleen een controle van uw papieren, inentingsbewijzen en visa. Ik hoop dat u alles bij de hand hebt. Wilt u ons alstublieft volgen en u niet verzetten?'
Voor mij was het een vrij pijnlijke zaak en toen ik het meesmuilende gezicht van de kunsthandelaar zag, had ik het liefst in een gat in de grond willen verdwijnen. De bewakers namen me mee naar een spartaans ingericht kamertje en sloten de deur. De grote man ging er direct voor staan, voor het geval ik op het idee kwam te ontsnappen. De ander ging op de rand van een formicatafel vol nicotinevlekken zitten. Achter hem hing een portret van de regeringschef, Denis Sassou-Nguesso. Met een kleine handbeweging bood hij mij een stoel aan en plotseling werd duidelijk wie het hier echt voor het zeggen had. Zonder iets te zeggen stak hij zijn hand naar mij uit, een gebaar dat ik direct begreep. Ik overhandigde hem een stapel papieren, omdat ik wel doorhad dat dit niet het moment was om de koppige toerist uit te hangen.
Zodra hij mijn inentingsboekje opensloeg, merkte ik dat ik in de problemen zat. Hij schudde zijn hoofd en bladerde met een vinger door het document alsof het besmettelijk was.
'Dat ziet er niet zo best uit,' zei hij na een tijdje. 'Er ontbreken een paar inentingen.'

'Dat is onmogelijk,' reageerde ik. 'De inentingen zijn volgens de internationale voorschriften uitgevoerd. Ik heb de lijst zelf gezien.'
Weer bladerde hij door het boekje. 'En waar is het cholerastempel? Ik kan het niet vinden.' Hij wierp het inentingsboekje achteloos over tafel.
'Cholera? Die inenting is volgens de laatste voorschriften van de WHO helemaal niet nodig. Er zijn geen choleragevallen in Congo.'
'Dat zegt u. Wij hebben andere informatie. Ik mag u niet toelaten. Het is voor uw eigen bescherming, dat begrijpt u wel. Het spijt me, maar u zult terug moeten naar Londen.' Hij haalde zijn schouders op in een gebaar van gespeelde spijt.
Ik merkte hoe de bodem onder mijn voeten werd weggeslagen. 'Maar er moet toch iets mogelijk zijn. Misschien dat ik de inenting hier krijg. Het is erg belangrijk...,' voegde ik eraan toe, me uitermate bewust van het feit hoe zielig mijn argument zou klinken.
Verrassend genoeg scheen hij op die woorden te hebben gewacht. 'Nou...', begon hij en hij wreef met zijn handen over de formicatafel alsof hij een tafellaken gladstreek. 'Er is wel een mogelijkheid. Maar het is niet legaal, begrijpt u? Ik zal het een en ander voor u moeten regelen en ik neem de nodige risico's. Maar het is wel mogelijk.' Hij glimlachte gemaakt en ik kreeg een idee waar dit gesprek op uit zou lopen. Ik wilde hem net naar de prijs van zijn diensten vragen toen de telefoon ging. Hij pakte de hoorn op en ik merkte aan zijn gelaatsuitdrukking en de zwarte blik die hij mij toewierp dat het telefoontje iets met mij te maken had. Wat hij hoorde, scheen hem niet te bevallen. Dat kon voor mij alleen maar iets goeds betekenen.
Hij legde de hoorn neer en zei iets tegen zijn bullebak van een collega, die daarop de kamer verliet. Toen hij zich weer tot mij richtte, toverde hij een glimlach op zijn gezicht, maar dit keer leek hij opvallend vriendelijk. Hij stak een sigaret aan en bood hem aan.
'Wilt u roken?'
Ik schudde mijn hoofd.
De man haalde diep adem en begon toen met een warme, vriendelijke stem te spreken: 'Ik heb me nog helemaal niet voorgesteld. Mijn

naam is Josèphe Manou, hoofd veiligheidsdienst,' en hij tikte op zijn epauletten. 'Meneer Astbury, vergeeft u ons de onaangenaamheden, maar de veiligheidsregels zijn er voor ons allemaal. Wij zijn het land in equatoriaal Afrika met de strengste toegangseisen, en dat heeft een reden.' Hij nam nog een trek. 'Ziet u, jaarlijks overlijden duizenden mensen aan virusinfecties. Wij kunnen daarom niet voorzichtig genoeg zijn en moeten iedereen terugsturen die niet over de noodzakelijke inentingsbewijzen beschikt.' Hij stond op en ijsbeerde door de kamer. 'En alsof dat nog niet genoeg is, hebben we ook nog een probleem met onze interne veiligheid. Al jaren zijn wij een geliefd doelwit van internationale terroristische organisaties, maar sinds 11 september 2001 is de situatie nog penibeler geworden. U hebt de beveiliging ongetwijfeld gezien.' Hij klopte met zijn hand op de fotomuur, waarop de gezichten van de meest gezochte terroristen te zien waren. 'We zijn hier allemaal erg gespannen, dat begrijpt u zeker wel. Onze excuses als Mandegu iets te hardhandig is geweest. Tja, en wat u betreft...', hij ging weer zitten en bladerde nogmaals door mijn paspoort, alsof het een boek was waar interessante dingen in stonden, '... u hebt bezoek.' Hij sloeg mijn paspoort dicht en schoof het over tafel naar me toe.
Ik wilde vragen van wie, maar de deur ging al open en de man, die het hoofd van de veiligheidsdienst Mandegu had genoemd, stapte naar binnen. Vergezeld van een jonge, zwarte vrouw. Ze droeg een spijkerbroek en een T-shirt, waarop het afgeleefde gezicht van Iggy Pop te zien was. Haar haar was in kleine vlechtjes gevlochten en haar gezicht was smal en uitzonderlijk mooi. De vrouw leek schuchter en angstig, maar ik realiseerde me snel dat dat een verkeerde inschatting was. Zodra ze haar mond opendeed, werd er een woordenvloed over het hoofd van de veiligheidsdienst uitgestort die hem het horen en zien deed vergaan. Terwijl ze hem uitfoeterde, sloeg ze hem met een document om de oren. Ook al begreep ik er geen woord van, haar gebaren en mimiek gaven duidelijk aan dat ze erg kwaad was over de manier waarop ik was behandeld. Josèphe Manou hief afwerend zijn handen en probeerde zich te verdedigen, maar tegenover de resolute vrouw had hij geen schijn van kans. Hij griste het formulier uit haar

handen, las het snel door, zette er een stempel op en gaf het aan haar terug; de kopie bewaarde hij zelf.
'Meneer Astbury, mag ik u voorstellen aan Mademoiselle n'Garong? Ze is van de universiteit en zal zich vanaf nu om u bekommeren.' Hij wierp mij een geamuseerde blik toe. 'Hiermee laat ik u gaan en wens ik u een aangenaam verblijf in ons heerlijke land.' Hij stak zijn hand uit. '*Au revoir*, Monsieur.'
Dat was het. Geen verklaring, geen verontschuldiging, niets. *Au revoir*. Ik was zo verbluft over de snelheid waarmee alles was gegaan dat ik niet eens meer had kunnen vragen hoe het nu met die cholera-inenting zat. Maar er was geen tijd meer. De vrouw duwde me het kamertje uit en voordat ik het doorhad, zat ik al in een gloednieuwe Renault Mégane, op weg naar Brazzaville.

14

'Idioten,' mompelde de vrouw naast me, terwijl ze in een moordend tempo over de slecht geasfalteerde weg richting stadscentrum scheurde. 'Achterlijke idioten.'
'Wie bedoelt u?'
Ze wierp me vanuit haar ooghoeken een korte blik toe en concentreerde zich vervolgens weer op het verkeer voor ons. 'Die verdomde militairen,' antwoordde ze. Ze begon ondanks de aanstormende tegenliggers aan een inhaalmanoeuvre. 'Ze doen maar wat ze willen. Op een dag nemen ze hier de boel nog over. Ze wisten al dagen dat u zou komen.' Ze sloeg met haar hand op het stuur. 'Ik heb ze alle stukken persoonlijk voorgelegd, inclusief uw pasfoto. Ze wisten hoe u heette, hoe u eruitzag en wanneer u zou aankomen. Het kan dan bijna geen toeval zijn geweest dat ze nou net u eruit gevist hebben. Wat wilden ze eigenlijk?'
'Ze zeiden dat mijn inentingen niet in orde waren. Ik was niet ingeënt tegen cholera – wat ook klopt. Maar ik dacht...'
'Cholera, hè? Dan hebben ze u te pakken gehad. Er heerst momenteel helemaal geen cholera in Congo.'
'Dat zei ik ook al, maar ze bleven voet bij stuk houden en beweerden dat ze me terug moesten sturen als ik me niet direct liet inenten.' Ik schudde mijn hoofd. 'Als hier geen cholera heerst, wat had dat dan te betekenen?'
Aan de manier waarop ze me aankeek, zag ik dat ze zich afvroeg of ik van een andere planeet kwam.
'Het ging natuurlijk om geld. Op de een of andere manier zijn ze er ondanks onze inspanningen achter gekomen dat u deelneemt aan een expeditie. Ze dachten misschien dat ze wat aan u konden verdienen. Als ik er niet was geweest, hadden ze u alles afgetroggeld wat u had gehad. Ze zouden u tot op het hemd hebben uitgekleed.' Ze knipoogde naar me. 'Wat zeker geen slecht gezicht zou zijn geweest. Trouwens, noemt u mij toch Elieshi. Ik werk aan de faculteit natuur-

wetenschappen van de universiteit van Brazzaville,' voegde ze eraan toe en stak haar hand uit. Ze ging er geen tel langzamer om rijden.
'David,' antwoordde ik met een bezorgde blik op de weg voor ons. Opnieuw probeerde ik de gedachte van me af te schudden wat er zou gebeuren als een van de tegemoetkomende auto's nou eens niet zou uitwijken.
Door de enorme adrenalinestoot kon ik weer helemaal helder denken. Wat was ik toch een onverbeterlijke idioot. 'Grote god, mijn excuses,' zei ik. 'U bent de biologe die ons naar het noorden zal begeleiden, niet waar?' Ik hoopte dat ze niet door had hoe vreselijk ik het vond dat ik haar niet direct had herkend.
'Dat klopt. Bent u daar blij om?'
'Nou, ik... eh.' Ik voelde me betrapt. 'Tuurlijk... ja. Ik dacht eerst dat u gewoon een van de medewerkers was.'
Mijn god, wat klonk dat dom. Ik stotterde als een puber.
'Klinkt niet erg overtuigend,' zei ze met gespeelde ernst. 'Beval ik u niet?' Ze keek me uitdagend aan.
'Nee... ja. Wat was de vraag ook weer?' Ik merkte hoe mijn gezicht helemaal rood werd. Ze lachte. Ze vond het schijnbaar prachtig om me in verlegenheid te brengen, en het lukte me maar niet om er luchtig op te reageren. Lag het aan mijn vermoeidheid, haar donkere huidskleur of aan haar extroverte manier van doen?
'Ik heb gehoord dat u werkt aan een leerstoel voor structurele biologie. Wat doet u dan precies?' vroeg ze, terwijl ze de auto tussen twee vrachtwagens perste.
'Ik onderzoek eiwitten die in gezond weefsel door middel van intracellulaire signalen de groei en differentiatie van cellen sturen en kijk in hoeverre veranderingen in deze processen betrokken zijn bij het ontstaan van kanker. Ook houd ik mij bezig met de reactiestructuur van individuele eiwitten en onderzoek ik technieken voor eiwitkristallografie.'
'Daar heb ik nog nooit van gehoord.'
'Daarmee kan de atomaire architectuur van eiwitten worden achterhaald. De eiwitten worden gekristalliseerd en bestraald met synchrotronlicht. Uit de resulterende buigingspatronen kan de struc-

tuur van het eiwitmolecuul worden bepaald, wat weer belangrijk is bij het kloonproces.'
'Klinkt spannend,' zei ze op vlakke toon, waarna ze weer de andere weghelft op schoot.
Ik moest mezelf afleiden en dat lukte me het beste door stiekem naar mijn begeleidster te kijken. Zo bij daglicht zag ze er nog mooier uit. Haar neus was recht en klein, wat voor deze streek erg ongewoon was. Maar ze leek niet het type dat waarde hechtte aan uiterlijkheden. Alleen dat T-shirt al. Ik had niets tegen Iggy Pop, die was cool, maar ik had nooit gedacht dat iemand in dit deel van de wereld als medewerker van een universiteit zo losjes gekleed kon gaan. Een dun laagje zweet bedekte haar huid, en ik moest toegeven dat het mij opwond. Ik moest denken aan Sarah en afgelopen nacht en zuchtte.
'Zijn Maloney en Sixpence al aangekomen?' probeerde ik het gesprek een andere kant op te sturen.
'Yep. Ze zijn met de vlucht van gisteravond gekomen. Wat een rare snuiters zijn dat. Die Maloney is echt geweldig, een echte grootwildjager. Ik dacht dat dat type allang was uitgestorven. Die twee hebben zich direct naar het instituut laten rijden en begonnen meteen de uitrusting te controleren. Ik heb amper drie zinnen met hen gesproken. Eigenlijk had ik graag wat meer informatie ontvangen over de expeditie en zo, maar zodra we bij het instituut kwamen, gingen ze ervandoor.'
'Ja, erg spraakzaam zijn ze niet. Maar over u gesproken: wat doet u zoal?' Ik probeerde weer een ander onderwerp, omdat ik het vreemd vond dat Elieshi zo weinig over de expeditie leek te weten. Ik had gedacht dat juist zij op de hoogte zou zijn van alle details. Dat dit niet zo was, maakte me ongerust. Elieshi scheen juist van mij een uitgebreide briefing te verwachten.
'Ik ben gespecialiseerd in bioakoestiek.' Ze deed een greep in het overvolle handschoenenvakje en haalde er op trefzekere wijze een pakje Wrigleys uit. 'Kauwgum?'
Ik schudde mijn hoofd. 'Bioakoestiek? Heeft dat iets te maken met walvisgeluiden?'

Ze stak een stukje kauwgum in haar mond en streek haar hand door haar haar, zodat de vlechtjes begonnen te tinkelen. 'Onder andere. In de jaren vijftig heeft de Amerikaanse marine een onderwatermicrofoon ontwikkeld, de zogenaamde hydrofoon, om zo vijandelijke schepen te kunnen opsporen. Koude Oorlog, snapt u?'
Ik knikte.
'In de jaren negentig verleende de navy eindelijk ook civiele wetenschappers toegang tot het IUSS-netwerk, het *Integrated Underwater Surveillance System*, een systeem voor het opsporen van tonen in het lagere frequentiebereik. Eigenlijk was het bedoeld om vijandelijke onderzeeërs te vinden. Het bleek echter uitermate geschikt voor de klanken die door walvissen worden uitgezonden. Sindsdien is het mogelijk om de trek van walvissen wereldwijd te volgen en documenteren.'
'En wat is uw rol daarin? Ik bedoel, hier zijn geen walvissen, of wel?'
Ze grinnikte. 'Nee, ik houd me bezig met landbewoners – met de grootste wel te verstaan.'
'Olifanten?'
'Correct, meneer de professor.' Ze schoof opnieuw een stukje kauwgum in haar mond, waardoor ze nog slechter verstaanbaar werd dan ze al was boven het geraas van de auto op de slechte weg. '*Loxodonta cyclotis*. Bosolifanten. Ik heb de afgelopen jaren uitgebreid onderzoek gedaan voor de WCS, met als doel te achterhalen hoeveel van deze met uitsterven bedreigde dieren er nog zijn en hoe het met ze gaat. Olifanten zenden, net als walvissen, lage tonen uit, vaak in het infrasone bereik, tonen die wij mensen dus niet kunnen horen.'
Toen ik dat hoorde, moest ik denken aan mijn buurman in het vliegtuig. Ik had er met mijn leugentje om bestwil dat ik voor de WCS werkte niet eens zo ver naastgezeten. Elieshi leek niet door te hebben dat mijn gedachten waren afgedwaald. Ze ging vrolijk verder: 'Met de juiste apparatuur kunnen deze geluiden ook voor ons hoorbaar worden gemaakt, worden opgenomen en zelfs visueel worden weergegeven. Een revolutionaire techniek. Je sleept natuurlijk wel een boel elektronica mee, vooral de batterijen van de ARU's, de *Auto Recording Units*, zijn erg zwaar, maar het systeem blijft wel maandenlang werken. Volgt u me zover, professor?'

'Waarom noemt u me toch professor?'
Ze klakte met haar tong, maar bleef me het antwoord schuldig. Ik staarde uit het raam. Buiten trokken de eerste sloppenwijken voorbij, voorboden van de stad. Er kwam een gedachte in mij op die me onrustig maakte. Ik begreep nu waarom Elieshi was gevraagd. Als je de geluiden van olifanten kon registreren en volgen, dan kon dat misschien ook met de tonen die de Congosaurus uitstootte. De vraag was nu: wist zij waar we naar op zoek waren? Was zij zich bewust van het gevaar waarin we ons gingen begeven?
'Nou, professor, waar wringt hem de schoen?' Ze wierp me weer een van haar blikken toe.
'Nergens hoor.'
'Ik hoop dat u het niet erg vindt als ik zeg dat u zo... Brits overkomt.'
'Brits?'
'Ja. Zo gesloten. Alsof u een liniaal hebt doorgeslikt. Hebt u een vriendin?'
Die vraag kwam zo onverwacht dat ik even sprakeloos was. 'Ik... nee. Ja... toch. Maar niet direct.'
'Wat bedoelt u daarmee? U weet toch wel of u een vriendin hebt of niet. Zo moeilijk is die vraag toch niet, zelfs niet voor een Engelsman als u?'
Ik zuchtte. De situatie was anders dan ik had verwacht. Dit hele verstoppertje spelen beviel me niet. Ook ergerde ik me aan Elieshi's gewoonte om me steeds weer voor gek te zetten.
'Jawel, dat is ze wel,' zei ik. 'Het is een ingewikkeld verhaal en ik heb nu geen zin om het erover te hebben. Het was een korte nacht en een lange vlucht. Ik heb tien uur lang in een sardienenblikje gezeten, met zo'n idioot kussentje om mijn nek. Ik ben moe en wil gewoon even uitrusten.'
'Oké, oké, ik zeg al niets meer.' Met een verontschuldigend gebaar haalde ze beide handen van het stuur. Ik kromp weer ineen bij de aanblik van de vrachtwagen die op ons af reed.
'Kunt u misschien...,' ik wiste het zweet van mijn voorhoofd terwijl Elieshi zich tussen twee dicht op elkaar rijdende auto's wrong,

'... iets langzamer rijden? Uw rijstijl is even wennen. Als u liever niet hebt dat ik in uw auto ga overgeven...' Ik liet de zin in de lucht hangen.
'Het is niet mijn auto,' antwoordde ze bondig. 'Is staatseigendom. Maar ze zouden niet erg blij zijn als de auto smerig terugkwam. Dat levert alleen maar veel papierwerk op.'
Tot mijn opluchting ging Elieshi langzamer rijden.
De rest van de reis verliep in stilzwijgen. Ik leunde achterover en dacht aan Sarah, terwijl buiten de sloppenwijken voorbij trokken. Die laatste nacht was geweldig geweest. Teder en vol passie. Wat een contrast met vandaag. Weemoedig keek ik naar buiten.
Hoe dichter we bij het centrum kwamen, hoe meer onooglijke betonblokken er uit de grond leken te schieten die de charme van de vroege jaren zeventig hadden. Snel opgetrokken door aannemers die halverwege het bouwproces door het geld heen waren, zodat bijna alle gebouwen onaf waren. Vele hadden zelfs geen ramen, wat allerlei handelaren er niet van weerhield op deze etages neer te strijken. Iets als veiligheidsvoorschriften leken er hier niet te zijn, dus zag je mensen druk met elkaar handelen terwijl naast hen een afgrond van een meter of twintig gaapte. Maar als er iemand viel, dan viel hij zacht. De straten waren zo overvol met voetgangers dat de grond bijna niet te zien was. Handelaren, passanten, winkeliers en bedelaars krioelden tussen de auto's, brommers en fietsers door en brachten het verkeer bijna volledig tot stilstand. Verkopers prezen mango's, papaja's en ananassen aan die tot avontuurlijke piramiden waren opgestapeld en op wankele houten karren lagen.
'Spitsuur, zeker?' merkte ik op richting Elieshi, die net een rijdende handelaar die ons een krant wilde verkopen met geweld aan de kant probeerde te schuiven. Het was net alsof onze auto een felbegeerd doelwit was geworden van allerlei verkopers. Geen wonder, we zaten in het enige vervoermiddel in de wijde omgeving dat geen noemenswaardige roestschade had.
'Geen spitsuur, nee. Ze hebben vandaag de rondweg afgesloten. Er is geen andere weg dan door dit gepeupel.' Ze draaide haar raampje omlaag en riep naar een groep fietsers voor ons wat, ook zonder dat ik

er een woord van begreep, erg onvriendelijk klonk. De woorden hadden hun gewenste uitwerking en de groep ging zonder morren uiteen. Terwijl wij voorbij reden, werd er gelachen en gejoeld. Elieshi stak haar hand met opgestoken middelvinger uit het raam.

Daarna ging het beter. We hadden het ergste achter ons. Nog geen tien minuten later arriveerden we op de universiteitscampus. Het terrein was ruim opgezet en de bewaker die ons bij het portiershuisje opwachtte, bekeek mijn papieren. Elieshi en hij leken goed bevriend te zijn, want ze lachten en grapten een tijdje. Ik kreeg meerdere keren het gevoel dat ze om mij lachten. Omdat ik niet flauw wilde doen, lachte ik met ze mee, en toen de man de hefboom omhoog deed en ons doorliet, zwaaide ik vriendelijk naar hem. Elieshi keek me scheef aan, stuurde de Mégane om een rij houten huisjes heen en zette hem op een bezoekersplaats in de schaduw van een waaierpalm.

'Zo, daar zijn we dan. Welkom op de universiteit van Brazzaville. Pak uw bagage en volg mij.' Ze pakte een kartonnen doos van de achterbank en stapte uit. Ik liep naar de kofferbak, haalde mijn tassen eruit en beende achter haar aan. Ze liep op een rij witgekalkte houten barakken af, met zware ijzeren tralies voor de ramen, klemde de doos onder haar kin, trok een enorme sleutelbos uit haar broekzak en deed de deur open. Binnen sloeg ons de hitte tegemoet, vermengd met een geur van ontsmettingsmiddelen en mottenballen. De inrichting bestond voornamelijk uit een bed, met daarboven een groot muskietennet, een door termieten aangevreten klerenkast en een stoel die er zo breekbaar uitzag dat alleen iemand met zelfmoordneigingen er vrijwillig op zou gaan zitten.

'Dit zijn onze gastenhuisjes. Iets beters zult u in de hele stad niet vinden. Doe alsof u thuis bent,' zei ze, maar ik had de indruk dat ze dat absoluut niet meende. 'Als u wilt, kunt u nog wat slapen en u opfrissen.' Ze keek op haar horloge. 'We hebben over een uur, om halfzes, afgesproken op de parkeerplaats om iets te gaan eten. Oké?'

'Waar zijn de anderen?' vroeg ik.

'Ik vermoed dat ze bij het dok zijn. Ze wilden vanavond het grootste deel van de uitrusting inladen, zodat we morgenvroeg direct kunnen vertrekken.'

Ik ging op de rand van het bed zitten. 'Wat, morgen al? Dat is wel erg snel.'
'Time is money, nietwaar? Lady Palmbridge mag dan wel rijk zijn, zo rijk is ze ook weer niet. Ze is trouwens ook ongeduldig. Het gaat immers om haar dochter.'
Ik fronste. Misschien wist Elieshi toch meer dan ik dacht. Ik durfde er echter niet naar te vragen voordat ik met Maloney en Sixpence had gepraat. 'Ja, dat is waar. Is alles al ingepakt?'
'Dat heb ik al geregeld. Wat Maloney en Sixpence nog hebben meegenomen, weet ik niet, ze hebben de inhoud van hun kisten niet laten zien, maar weinig was het niet. Terwijl ik de afgelopen drie weken al tenten, kookgerei, proviand, medicijnen en apparatuur heb lopen inpakken.'
Ik floot door mijn tanden. Elieshi scheen van aanpakken te weten als het nodig was. Het speet me dat we zo slecht waren begonnen. Ze klemde de doos onder haar arm, draaide zich om en wees naar het muskietennet. 'Ik zou u aanraden om dat te gebruiken. In Brazzaville lijdt zeventig procent van de bevolking aan malaria.'
'Bedankt,' bromde ik. 'Ik zal eraan denken.'
Net toen Elieshi wilde vertrekken, bedacht ik nog wat. 'Wat ik nog wilde vragen: hebben we eigenlijk een geigerteller bij ons?'
'Waarvoor?'
'Gewoon een idee. Ik heb voor het begin van de reis wat onderzoek gedaan naar het meer en ik ben wat dingen tegengekomen die ik graag nader wil onderzoeken. Als u er eentje zou kunnen regelen, zou dat erg fijn zijn.'
'Een geigerteller.' Ze draaide peinzend een haarlok rond haar vinger. 'Garanderen kan ik het niet, maar ik zal het proberen. Tot straks.'
'Tot...' wilde ik nog antwoorden, maar toen was de deur al in het slot gevallen.

15

Toen ik wakker werd, leek het alsof de maan in mijn gezicht scheen. Ik keek op en zag dat ik aan de rand van een meer zat dat zich als een gladde spiegel voor me uitstrekte. Het water was zo kalm dat ik eerst mijn hand in het koele nat moest houden om mezelf ervan te overtuigen dat ik niet droomde. Het water voelde vettig aan en toen ik mijn hand er weer uittrok, ontstonden er golfjes die zich in concentrische cirkels uitbreidden en in de verte verdwenen. De klagende roep van een uil galmde over het water. Het was hier eenzaam. Eenzaam en koud. Mijn adem condenseerde in de lucht tot wolkjes die als spoken in de heldere avondlucht verwaaiden. Ik keek om me heen, op zoek naar een vertrouwd gezicht, maar ik was alleen. Om de een of andere reden durfde ik niet te roepen. De stilte had iets heiligs, en ik wilde hem niet ontwijden met profaan geschreeuw. Ik keek naar beneden. Vreemd genoeg droeg ik geen schoenen en hing mijn kleding aan flarden om mijn lichaam. Ook zag ik tot mijn schrik dat mijn huid onder de snijwonden en blauwe plekken zat. Ik wist niet waar ik die verwondingen had opgelopen. Het was alsof er een nevel over mijn geheugen lag waar ik niet doorheen kon kijken.

Traag en met veel pijn stond ik op en liep ik langs de met gras begroeide oever. De grond voelde zacht en aangenaam aan en het duurde niet lang tot ik mijn verwondingen bijna niet meer voelde. Langzaam, als in een droom, liep ik om het meer heen, dat me als een groot zwart oog leek aan te staren. Ik voelde me niet op mijn gemak, zo alleen in deze vreemde omgeving, en wilde net dit vreemde meer de rug toekeren toen ik merkte dat er uit het midden luchtbellen opstegen. Eerst waren het er een paar, daarna spoten er steeds meer bubbels omhoog, totdat ze in een schuimende fontein waren veranderd. Steeds hoger en hoger spoot het water, totdat de waterdruppels in het glinsterende licht van de maan een fijne regenboog aan de hemel vormden. Het was een wonderlijk gezicht. Prachtig en ver-

schrikkelijk tegelijk. Terwijl ik nog gefascineerd naar de lichtbrekingen staarde, steeg iets donkers vanuit de diepte naar de oppervlakte. Zwart en glanzend dook het op, verhief zich boven de watervlakte en verbrak de glinsterende regenboog. Het wezen was gigantisch en kwam op mij af. Ik wilde vluchten, maar merkte dat mijn voeten vast zaten. Slingerplanten hadden ze omwonden en zorgden ervoor dat ik me geen centimeter kon bewegen. Als verlamd moest ik toekijken hoe het zwarte gevaarte dichterbij kwam. Toen het nog maar een armlengte van me verwijderd was, richtte het zich op tot zijn volle lengte en opende zijn ogen. Twee fonkelende smaragden keken op mij neer en leken te willen zeggen: 'Wat doe jij hier? Hoe durf je mijn heilige rustplaats te ontwijden met jouw aanwezigheid?' Maar in werkelijkheid hoorde ik behalve het klotsen van het water, dat in vette slierten langs zijn lange hals naar beneden droop, helemaal niets. Het monster met zijn groene ogen hief zijn kop, blies uit zijn vuistgrote neusgaten en liet een diepe grom vanuit zijn keel rollen. En toen, ik kon het bijna niet geloven, begon het te praten. Langzaam en onhandig, alsof het zijn stem al eeuwen niet had gebruikt. Eerst verstond ik niet wat hij zei, want het monster sprak langzaam en op een toonhoogte die voor het menselijke oor bijna niet te horen was. Maar na een tijdje hoorde ik woorden die me bekend voorkwamen. Woorden in mijn taal.
'Wakker worden, meneer Astbury,' zei het monster. 'Ik heb honger.' Met deze zin opende het monster zijn enorme bek en spuwde een afschuwelijke, witte vloeistof over me uit.

Met een ruk schrok ik wakker en ik vond mezelf ingesponnen in witte draden. Eventjes geloofde ik dat het echt het kleverige speeksel was van het monster, maar al snel zag ik dat het het muskietennet maar was.
'Ach, meneer Astbury, naar gedroomd?'
Ik kromp ineen. In de stoel tegenover het bed zat Stewart Maloney.
'O man, wat hebt u mij laten schrikken,' mompelde ik toen ik wat was bijgekomen. 'Besluipt u mensen altijd zo?' Ik hengelde naar mijn broek die ik ergens naast mijn bed had gegooid en wrong me erin.

'Ik heb als een gek staan kloppen, maar u lag zo diep te slapen dat een horde olifanten u niet eens had kunnen wekken.' Maloney rekte zich uit. 'Is het hier niet heerlijk?' zei hij, zonder op mijn opmerking in te gaan. 'Die geur, die heerlijke temperatuur. Is weer eens wat anders dan de hele dag in het lab zitten, nietwaar? Vandaag leert u een nieuwe wereld kennen, dus bereid u voor. U moet trouwens beter opletten,' zei hij, nadat ik ook mijn T-shirt had gevonden en aangetrokken.
'Waarop?'
'U lag te dicht tegen het muskietennet aan,' zei hij en hij wees op de witte stof. 'Als uw huid direct contact maakt met het net, kunnen die kleine beestjes u toch steken. U hebt toch medicijnen mee tegen malaria?'
'Ja, Lariam. Ze zeiden dat dat het beste middel is dat er momenteel te krijgen is.'
Hij knikte. 'Maar wel een paardenmiddel. U bent echt een paar dagen uit de running. Mijn advies: smeer u in met kruidnagelolie en laat u niet steken. Zo, zullen we? Ik hoop dat u honger hebt. Ik heb in elk geval een berehonger.'
Pas nu viel me op dat hij groene ogen had. Smaragdgroen. Ik begon me af te vragen welke diepere betekenis de droom had gehad, maar Maloney had haast. Hij gooide mijn schoenen voor mijn voeten en hees zichzelf uit de stoel. 'Ik wacht buiten op u, meneer Astbury. En schiet even op.'
Ik trok mijn schoenen aan, stopte mijn hemd in mijn broek en ging naar de badkamer om in elk geval mijn haar te kammen en tanden te poetsen. De jaloezieën hingen in de hoek iets open, zodat ik door het witte melkglas naar buiten kon kijken. Maloney liep net naar de Renault Mégane, waar Elieshi en Sixpence al stonden te wachten. Ze stonden te babbelen, terwijl het licht van de ondergaande zon karmijnrode stralen over het land wierp. Het moest al na zessen zijn. Snel plensde ik wat water in mijn gezicht; toen was ik klaar en liep naar buiten. Boven het parkeerterrein en het daarachter gelegen universiteitsgebouw waren de eerste sterren al te zien. Het zuiderkruis was het duidelijkst zichtbaar, een vuur van licht aan de hemel.

'Ach, daar komt onze slaapkop,' grapte Sixpence toen ik eraan kwam. Hij liep op mij af en schudde mijn hand. 'Fijn u weer te zien, David.' Hij stompte mij als grapje tegen mijn schouder en ik had het gevoel dat hij echt blij was. 'Na ons gesprek bij Lady Palmbridge hebben onze wegen zich vrij snel gescheiden. Hebt u een goede vlucht gehad? Wij maakten ons al een beetje zorgen. Enge dromen, nietwaar? Ik ken het. Hier in het zuiden droom je constant van enge beesten die je opvreten.' Het was een ware waterval aan woorden, maar ik vond het prima. Het had iets rustgevends in deze vreemde omgeving. Net op dat moment sprong in de buurt een straatlantaarn aan en werd het parkeerterrein in natriumgeel licht gezet.
We openden de autoportieren en stapten in. Elieshi aan het stuur, Maloney naast haar, Sixpence en ik achterin. De biologe reed weg en manoeuvreerde het voertuig langs een paar studenten die net uit een van de collegezalen van het hoofdgebouw waren gekomen. In tegenstelling tot Elieshi waren ze allemaal netjes gekleed, met witte blouses en jasjes of in zwart kostuum met stropdas. Onze begeleidster scheen hier toch een bijzondere status te genieten.
Terwijl we naar de poort reden en de vierbaansweg opdraaiden, bedacht ik me hoe graag ik nu thuis had willen zijn. Aan mijn eigen universiteit, ver van deze zweterige hitte en de muskieten. Hoe graag zou ik nu in mijn eigen stamkroeg willen zitten, de *Angels*, met een glas bier in de hand en een grote portie *fish and chips* voor me. Misschien zouden Paula en Martin nog komen, dan zou het zeker weer laat worden. Aan de andere kant voelde ik ook de adrenaline door mijn aderen stromen. Ik wilde dolgraag weten welk geheim er achter onze opdracht zat. Wat een rotsituatie.
Elieshi reed weer op topsnelheid richting het centrum. Maar dit keer maakte me het niet uit. Daar konden de anderen zich druk over maken. Ik was uitgerust en wachtte gespannen af wat de avond voor me in petto had.
We passeerden het Palais du Peuple, de Marché de Plateau en de beroemde kathedraal van Brazzaville. De betere wijken met witgekalkte huizen van twee verdiepingen hoog in koloniale stijl, met smeedijzeren balkons, platte daken en verzorgde voortuinen vlogen

aan ons voorbij en voordat ik het doorhad, waren we weer in het drukke centrum. Sinds vanmiddag was er niet veel veranderd. De straatverkopers prezen nog steeds met luide stem hun koopwaar aan, en een van hen probeerde zelfs een armdikke maniokwortel de auto in te duwen. Gelukkig reageerde Sixpence snel en draaide het raampje omhoog. Elieshi reed over de promenade langs de rivier en parkeerde de auto tegenover de Amerikaanse ambassade, waar twee grimmig kijkende bewakers stonden. Na een kort gesprek en het toestoppen van een fooi kwam ze weer terug.
'Zo, de auto staat veilig. Er is in de hele stad geen beter plekje te vinden, als je tenminste niet met de taxi terug naar huis wilt. Ons restaurant ligt om de hoek, volgt u mij maar.'
'Zie daar eens,' zei Sixpence tegen mij en hij wees naar de Kongo, die op dit punt zo breed was dat de andere oever bijna niet te zien was. 'Het Malebomeer en het Ile de Mbamou. Aan de andere kant ligt het voormalige Zaïre. Ziet u al die boten? Is dat niet een geweldig gezicht?'
Ik moest hem gelijk geven. Op het water dobberden honderden kleine vissersbootjes en in alle bootjes brandde een olielampje. Ik kreeg het gevoel dat ik naar een glinsterende sterrenhemel stond te kijken. Het eiland, dat de Kongo aan beide kanten als twee brede armen omsloot, rees als een zwarte burcht op uit het water. Een laatste glimp licht van de verstreken dag streek over het eiland. Het was een beeld dat geen enkele camera ter wereld zo mooi had kunnen vastleggen. Had Sarah dit ook maar kunnen zien. Zij hield van dit soort momenten, die zij als 'magisch' bestempelde. Ik had graag nog even langs de rivier gewandeld en mijn voeten in het water gestoken dat traag tegen de oever klotste, maar Elieshi trok ons mee het centrum in, en een paar minuten later stonden we voor het restaurant met de veelbelovende naam Serpente d'Or.
'Zo, daar zijn we dan,' zei ze, terwijl ze de deur voor ons openhield. 'De beste Vietnamees in de stad. Noord-Vietnamees, om precies te zijn.'
'Waarom gaan we niet naar een traditioneel restaurant?' vroeg ik terwijl ik naar binnen liep. Ze fronste haar wenkbrauwen. 'U bedoelt de Afrikaanse keuken? Hebt u die al eens geproefd?'

'Nee,' moest ik toegeven. 'Tijdens de reizen met mijn vader hadden we altijd een Pakistaanse kok bij ons. Daarom ben ik zo nieuwsgierig.'
Ik merkte dat Maloney en Sixpence naar elkaar stonden te knipogen. Elieshi zette haar handen op haar heupen. 'Ten eerste geloof ik niet dat vet geitenvlees met maniokwortel en gekookte bananen u zo goed zou smaken,' grijnsde ze, 'en ten tweede zult u tijdens de reis kans genoeg krijgen om het te proeven. Een goede Aziaat zult u in het oerwoud niet zo snel tegenkomen. En nu naar binnen.' Ze gaf me een duwtje en liet de deur achter ons dichtvallen.
Het restaurant zat goed vol. Aan de smaakvol gedekte tafels werd bij het schemerlicht van lampjes zacht gepraat. De serveerster, een mooie Vietnamese met kortgeknipt, pikzwart haar, bracht ons naar onze tafel en stak een kaars aan. Het viel me direct op dat er voor vijf personen was gedekt.
'Verwachten we nog iemand?'
'De gezant van het ministerie van Onderzoek zal ons nog met zijn aanwezigheid vereren,' verklaarde Elieshi. 'Hij wil ons de reisdocumenten die we binnen de landsgrenzen nodig hebben, persoonlijk overhandigen.'
Stewart Maloney fronste. 'Hij gaat toch geen onverwachte rompslomp veroorzaken, zo kort voor ons vertrek?'
Elieshi haalde haar schouders op. 'Dat weet je nooit. Het kan zijn dat hij gewoon even kennis wil maken en ons succes wil wensen, maar het kan ook zijn dat hij u het land uit wil sturen. We laten ons gewoon verrassen.' Ik verbaasde me erover hoe open Elieshi sprak over haar land en haar regering. Alsof ze overal boven stond. Ze was in veel opzichten een echte paradijsvogel.
'Dat lijkt me inderdaad het beste,' zei Maloney. 'Ik denk dat ik wel een aperitiefje kan gebruiken. Hebt u whisky?' Hij draaide zich om naar de serveerster, die de hele tijd geduldig had staan wachten.
'We hebben een Talisker Single Malt, als u daar van houdt,' zei ze. Ik zag dat er een glimlach op haar gezicht verscheen. Maloney knikte instemmend. 'Talisker, hè? Prima.' Hij wreef zichzelf in de handen. 'Een single malt van het eiland Skye, die kan ik u zeker aanbevelen.' Elieshi en Sixpence sloten zich bij hem aan, maar ik had liever een

koud biertje. De serveerster verdween en kwam even later terug met drie whiskyglazen en een fles Primus. 'Wat is dat voor merk,' vroeg ik verbaasd, terwijl ze mijn glas volschonk. 'Belgisch?'
'Helemaal niet,' reageerde Elieshi met gespeelde verontwaardiging. 'Echt Congolees bier, hier gebrouwen en gebotteld.' Ze hief haar glas. 'Op een succesvolle expeditie en een gezonde terugkeer.' Maloney glimlachte charmant. 'Daar sluit ik mij graag bij aan. Cheers.'
We bestelden, op aanbevelen van de mooie Aziatische, een grote rijsttafel met zeevruchten en gingen verder met ons gesprek. Elieshi schudde haar hoofd en lachte. '*Loxodonta africana pumilio*. Ik moet toegeven dat ik niet kan wachten. Wat heb ik een mazzel dat jullie mij hebben uitgekozen.'
Ik keek haar verbaasd aan. 'Wat zei u daar?'
'Ik had het over de Loxodonta pumilio, de dwergolifant. Het dier waar Emily Palmbridge ook naar op zoek was. Ik vraag me af wat ze heeft gevonden. Ach. Ik wil al zo lang eens een exemplaar fotograferen, maar er was nooit genoeg geld voor een expeditie. Niet interessant genoeg, werd gezegd, te weinig onderzoek. Alsof het probleem daarmee de wereld uit is, gewoon door het te negeren. En dan nog dat domme argument dat hij helemaal niet zou bestaan, dat het gewoon een bedenksel is. Ik ben ervan overtuigd dat hij bestaat, daar ergens. En we zullen hem vinden.' Ze nam haar glas en dronk het in een keer leeg. Ik keek stiekem naar Maloney, maar hij gaf mij duidelijk te kennen dat ik nu mijn mond moest houden.
Ik had het al vermoed. Elieshi had geen idee wat ons eigenlijke reisdoel was. O, wat had ik er toch een hekel aan om gelijk te hebben. Maar waarom was zij niet ingelicht? Was men bang geweest dat ze anders geweigerd had? Waarschijnlijk niet. Een zoektocht naar een legende als Mokéle m'Bembé had ze waarschijnlijk nog spannender gevonden dan een dwergolifant. Wat was dan de reden?
Terwijl ik nog in mijn glas zat te staren, ging de biologe verder, vol enthousiasme over de expeditie. 'Weet u dat ik tijdens mijn onderzoek naar de bosolifanten al ben begonnen met het aanleggen van een dossier over dwergolifanten? Daar weet niemand natuurlijk iets van, want dan was het hele project van de baan geweest, maar ik heb het

toch gedaan. Ik heb zelfs sporen gevonden en gefotografeerd en de foto's heel onopvallend tussen andere opnamen gestopt voor een presentatie. Gewoon om te zien wat er zou gebeuren.'
Maloney boog naar voren. 'En wat gebeurde er?'
'Niets!' Elieshi sloeg met haar hand op tafel. 'Helemaal niets. De heren geleerden hebben de opnamen bekeken en besloten dat het ging om afdrukken van jonge bosolifanten. En dat terwijl de foto's van echte jonge bosolifanten ernaast lagen, en u moet mij geloven, die zien er echt anders uit. Dat soort gebeurtenissen heeft mij doen besluiten mijn onderzoek in het geheim voort te zetten. Mijn map is al zo dik,' ze hield haar handen tien centimeter uit elkaar, 'en zoals het er nu naar uitziet, zullen we de informatie goed kunnen gebruiken.'
'Dat is precies de reden waarom we u hebben gevraagd,' zei Maloney. 'U bent niet alleen een autoriteit op het gebied van bioakoestiek, maar ook vertrouwd met ons doelobject. Een unieke combinatie. Daarnaast bent u ook nog erg knap, als ik dat mag zeggen.' Vanuit mijn ooghoek zag ik hoe hij bijna terloops haar hand aanraakte.
Ze lachte en ik voelde iets in me verkrampen. Wat hier gebeurde, klopte niet. Het was al erg genoeg dat Maloney Elieshi in het ongewisse liet over het ware doel van onze reis, maar nu begon hij ook nog met haar te flirten.
Plotseling ging de deur van het restaurant open en kwamen twee mannen de zaal binnen. Ze droegen maatpakken, maar maakten niet de indruk dat ze zakenlui waren, integendeel. Beide hadden brede schouders en waren gedrongen en ik dacht onder de dunne stof schouderholsters te kunnen zien voor handvuurwapens. Bodyguards, schoot het direct door mijn hoofd. Het volgende moment ging de deur weer open en stapte een tengere, oudere man met een sikje naar binnen. Hij keek even om zich heen, wees de beide wachtposten hun posities, en liep op ons toe. Onder zijn arm droeg hij een aktekoffertje dat hij stevig, bijna angstig, tegen zijn lichaam gedrukt hield, alsof hij bang was dat een van de gasten zou opspringen en de koffer uit zijn handen zou rukken. Met een licht gebogen rug bleef hij ongeveer een meter van onze tafel staan. Verlegen kuchend keek hij

te wachten tot we hem uitnodigden om bij ons te komen zitten. Elieshi stond op en begroette hem. 'Fijn dat u de tijd hebt gevonden, Monsieur. Mijne heren, mag ik staatssecretaris Jean Paul Assis aan u voorstellen, hoofd van het ministerie van Onderzoek,' zei ze met een ongebruikelijk officiële stem. Ze kon het dus ook anders als ze wilde, dacht ik vermakelijk.

'Dit zijn Mr. Maloney, Mr. Sixpence, die gisteren al zijn gearriveerd, en Mr. Astbury, die pas vandaag is aangekomen.'

De ambtenaar knikte haast onmerkbaar en schraapte zijn keel. 'Ah, Mr. Astbury. Ik hoorde dat er wat ongeregeldheden waren bij uw aankomst.'

'Ach, ik...'

'Echt onvergeeflijk wat daar is gebeurd. Ik wil u namens onze president officieel onze welgemeende excuses aanbieden en ik verzeker u dat zoiets niet weer zal gebeuren.'

Stewart Maloney nam het woord en begroette onze gast als een echte man van de wereld. 'Dank u, Monsieur. Het was geen enkel probleem. Mademoiselle n'Garong heeft de situatie, zoals Mr. Astbury ons heeft verteld, uitstekend opgelost,' voegde hij er glimlachend aan toe. 'Maar waarom gaat u niet zitten? Het zou ons een eer zijn.'

'Graag,' knikte Assis, en Elieshi trok de stoel aan het hoofd van de tafel naar achteren. De man ging zitten, waarbij hij goed oppase dat zijn mooie pak niet kreukte. 'Ik wil u niet lang storen en hoop dat we de zaken kunnen afhandelen voordat het eten komt.'

'Wat wilt u eten?' vroeg Elieshi, die weer was gaan zitten. 'Wij zouden het erg op prijs stellen als u ons zou vergezellen.'

'Nee, dank u. Ik ben vanavond te gast bij de Amerikaanse ambassadeur en zijn echtgenote. Mijn maag verdraagt de scherpe Vietnamese keuken ook niet meer. Maar ik dank u voor de uitnodiging.' Zijn perfect gemanicuurde handen legden de aktekoffer op tafel en klikten de sloten open. 'De reden van mijn komst...,' begon hij, waarbij hij zo zacht sprak dat we allemaal wat dichterbij schoven, '... is de volgende. Lady Palmbridge belde mij vanochtend en beloofde mij opnieuw een substantieel bedrag als ik alles deed wat in mijn macht lag om uw expeditie te laten slagen en een veilige thuiskomst te garanderen.'

Ik haalde wat makkelijker adem. Schijnbaar wilde de man ons helpen. Ik moest toegeven dat het vooruitzicht om alleen met Sixpence en Maloney de strijd aan te gaan tegen het monster me vanaf het begin al niet echt had aangestaan, en het vooruitzicht dat we zouden worden ondersteund door een gewapende escorte gaf mij weer hoop. In plaats daarvan ging Assis verder: 'Lady Palmbridge vroeg mij erop te letten dat dit onderzoeksproject niets in de weg wordt gelegd. Haar wensen waren erg duidelijk. Nu is succes natuurlijk nooit te garanderen, dat weet u net zo goed als ik. Vooral u, Mr. Maloney, zult dat kunnen bevestigen. Maar de argumenten van Lady Palmbridge waren zo overtuigend dat ik haar verzoek niet kon afwijzen.' Hij glimlachte ondeugend en liet een fonkelende gouden tand zien. 'Nu is het noorden van ons land helaas een erg onzeker gebied dat amper te controleren is. Steeds weer komt het tot opstootjes tussen de bevolking en bandieten uit Soedan of het voormalige Zaïre. We willen niets te maken hebben met de volkerenmoord die daar plaatsvindt, maar nu het conflict zich begint uit te breiden naar ons land...' Hij schudde zijn hoofd. 'Het is verschrikkelijk, verschrikkelijk. Ach, en zo zijn we aangekomen bij de eigenlijke reden van mijn bezoek.' Hij pakte een stapel documenten uit zijn koffer, stuk voor stuk voorzien van stempels en handtekeningen. 'Deze papieren garanderen u vrije doorgang door al onze provincies. De militairen die u misschien onderweg zult tegenkomen, zijn verplicht om iedereen die door ons land wil reizen, te controleren en direct te arresteren als die personen niet over de juiste papieren beschikken. Deze documenten zijn zogezegd uw *carte blanche*. Verlies ze dus niet.'
Hij overhandigde de stapel papier, sloot zijn koffertje en keek ons vol verwachting aan.
Ik wist niet of ik moest lachen of huilen. Zoals het ernaar uitzag, kregen we toch geen militaire begeleiding. Geloofde hij nou werkelijk dat de gevaren die we onderweg zouden tegenkomen, met deze stapel onbelangrijke papiertjes uit de wereld konden worden geholpen? Wat moesten we ermee doen als we de Congosaurus echt tegen zouden komen? Hem ermee om de oren slaan of de map in zijn bek smijten, zodat hij erin zou stikken? Meende hij serieus dat een horde

slecht gehumeurde militairen hiervan onder de indruk zou zijn? Alleen een bureaucraat die nog nooit een voet buiten zijn kantoor had gezet, kon zoiets geloven. Toch glimlachten we vriendelijk en namen we de map met papieren aan. De staatssecretaris wreef in zijn handen, alsof hij blij was eindelijk deze lastige taak achter de rug te hebben. Waarschijnlijk vond hij dat hij zich slim uit deze affaire had gered en nu eindelijk kon genieten van zijn welverdiende premie. Hij wenkte de serveerster dichterbij en fluisterde haar iets in het oor. Toen wendde hij zich tot ons. 'Zo, nu dat geregeld is, wil ik u nog graag een glas champagne aanbieden.' Hij keek mij aan. 'Mag ik u iets vragen, Mr. Astbury? Welke functie vervult u binnen het team? U bent degene over wie ik de minste informatie heb ontvangen, en u moet weten dat ik erg nieuwsgierig ben.'
Dat geloof ik graag, dacht ik stil, maar ik liet niets merken. Alle ogen waren nu op mij gericht.
'Ik ben zelf ook erg verbaasd over hoe snel alles is gegaan,' begon ik, terwijl ik mijn bierglas stevig vasthield. 'Ik denk dat de hoofdreden voor mijn deelname is, dat ik een tijdlang nauw bevriend ben geweest met Emily Palmbridge. Lady Palmbridge ziet in mij misschien minder een onderzoeker als wel een redder in nood. Hoewel ik niet weet in hoeverre ik gekwalificeerd ben voor die rol.'
De staatssecretaris keek me meelevend aan. 'Ik begrijp het. Emily Palmbridge is een geweldige vrouw. Ik heb haar persoonlijk ontmoet. Ze was erg energiek en enthousiast. Een wetenschapper van het zuiverste allooi. Niet zoals de meeste anderen, die zich maar wat opsluiten in hun studeerkamertjes.' Ik voelde Maloneys ironische blik op me rusten. 'Het is jammer dat onze mannen niet in staat waren de oorzaak van de tragedie te achterhalen of iets te weten te komen over haar verblijfplaats,' ging de staatssecretaris verder. 'Om eerlijk te zijn, na de berging van de videocamera heb ik nooit meer wat van ze gehoord. Waarschijnlijk zijn ze aangevallen door een leger huursoldaten.' Hij lachte gekwetst. 'U zult begrijpen dat we geen soldaten meer kunnen missen. Ze zijn momenteel nodig voor de bescherming van onze grenzen en we hebben ook niet de middelen om een uitgebreide zoekactie op touw te zetten.'

'Daar hebt u ons toch voor,' zei Maloney. 'Zonder u te willen beledigen, maar ik geloof dat wij beter toegerust zijn voor een opdracht als deze dan uw mensen. Wij werken in stilte en met grote discretie, als u begrijpt wat ik bedoel.'
Met deze opmerking wierp hij Assis een blik toe die mij irriteerde. Het leek alsof ze een geheim deelden. Ik durfde niet te vragen wat tijdens de berging van de camera was gebeurd, maar ik voelde wel dat er een stilzwijgende afspraak was dat er niet over werd gepraat. En ik herinnerde me nog dat Sarah me had gewaarschuwd.
Net op dat moment werd de champagne geserveerd en proostten we op een succesvolle reis. Jean Paul Assis leegde zijn glas met ondiplomatieke snelheid en depte zijn mond met het servet. Daarna wenkte hij zijn bodyguards en pakte zijn koffer. 'Zo, het is tijd. Ik hoop dat u het mij niet kwalijk neemt, maar ik moet u nu verlaten. Ik had graag nog langer met u gesproken, maar u weet het: afspraken. Er is nog wel een ding dat ik wil weten...' Hij streek met zijn hand door zijn korte, witte haar. 'Hoe komt het dat de Amerikanen plotseling zo geïnteresseerd zijn in dwergolifanten?'
De vraag liet me schrikken.
Hij wist dus nergens van. Het geheim tussen hem en Maloney had blijkbaar niets te maken met onze opdracht. Het leek er eerder op alsof de staatssecretaris, en met hem de hele regering van de Republiek Congo, niet in het minst op de hoogte was van het eigenlijke doel van onze operatie. De leugen van de dwergolifant bestond zo te zien al vanaf het moment dat Emily voor het eerst voet aan land had gezet.
Assis' vraag leek Maloney niet te verbazen, in tegendeel. Hij maakte de indruk alsof hij erop had gewacht. 'O, dat is gemakkelijk te verklaren,' gnuifde hij. 'Het toverwoord is genetisch onderzoek. Zoals u weet, is Lady Palmbridge president-commissaris van een toonaangevend instituut op dit gebied.'
'Ja, dat is mij bekend.'
'Het klonen van een dier dat volgens veel mensen is uitgestorven en dat ook zo knuffelig is als de dwergolifant zou het genetisch onderzoek enorm veel sympathie opleveren. En veel geld, als deze dieren

te fokken zijn en aan dierentuinen kunnen worden verkocht. De inkomsten door licentieverkoop zouden uw staatsschuld binnen een paar jaar kunnen saneren.'
'Dus u bent helemaal niet van plan om een levend exemplaar uit het land te exporteren?'
'Dat was nooit ons plan. Het enige wat wij willen, zijn een paar DNA-monsters, waarvan we dan de klonen verder kunnen ontwikkelen.'
Assis kuchte verlegen. 'Een mooie droom. Vooral vanuit het oogpunt van de natuurbeschermingsorganisaties hier, die, zo kan ik u wel vertellen, uw expeditie al vanaf het begin een doorn in het oog is. Er is echter een probleempje. Er bestaan helemaal geen dwergolifanten. Het is gewoon een legende, net zoals de verhalen over Mokéle m'Bembé.' Hij lachte droog. 'Het toppunt van fantasie.'
We stonden op om onze gast de hand te schudden. 'We zullen zien, Monsier Assis,' zei Maloney. 'We zullen zien.'

16

Woensdag 10 februari

Dof gebons op mijn kamerdeur.
'Bent u klaar?' hoorde ik Sixpence buiten roepen.
'Bijna,' riep ik terug, terwijl ik het laatste restje scheerschuim van mijn gezicht veegde. 'Nog even.'
De dag was met de nodige opwinding en ongeduld begonnen. Vandaag was het zo ver. De gedachte eraan maakte me al blij en opgewonden. De twijfel en angst die me gisteren bijna verstikten, waren naar het verste hoekje van mijn bewustzijn verdrongen en waren vervangen door nieuwsgierigheid naar het komende avontuur. Eindelijk had het avontuur me gegrepen, en wel met huid en haar.
Ik poetste snel mijn tanden en grijnsde naar mijn spiegelbeeld. Daarna gooide ik alles in mijn toilettas, stopte hem in mijn rugzak, keek nog een laatste keer de kamer rond en verliet de bungalow. Sixpence stond op de bovenste tree te wachten. 'Mooi gemaakt voor de grote dag?' lachte hij en hij klopte mij op mijn schouder. Het viel me op dat hij vandaag sandalen droeg. 'Wat is dat nou?' vroeg ik grappend. 'Vandaag eens niet op blote voeten?'
'Onderweg nooit. Zodra ik ergens ben aangekomen en weer vaste grond onder de voeten heb...,' waarna hij een beweging maakte alsof hij zijn schoenen in een grote boog wegschopte.
'Bent u niet bang voor slangen en andere beesten?' Hij wimpelde het weg. 'Geen probleem. Australië zit er vol mee en ik heb van kleins af aan geleerd ermee om te gaan. Ik laat hen met rust en zij mij, zo eenvoudig is het. En als er toch iets gebeurt...,' hij maakte een gebaar alsof hij zichzelf een injectie in zijn arm gaf. Mij viel op dat Sixpence vooral met zijn handen praatte. Ze waren constant in beweging, gaven commentaar of benadrukten wat hij had gezegd, of vertelden hun eigen verhaal. Terwijl we over het parkeerterrein liepen, keek ik verbaasd om me heen. 'Hé, waar zijn de anderen? En waar is onze auto?'

'Al bij de rivier. Stewart wilde Elieshi helpen bij het overladen van de laatste apparatuur. Wat die vrouwen allemaal wel niet meenemen,' hij schudde zijn hoofd. 'Een geigerteller en allerlei andere apparaten die eruitzien alsof ze erg moeilijk te bedienen zijn. Hebt u enig idee wat ze daarmee moet? Vreemd. Maar hoe dan ook: er staat bij de poort een taxi op ons te wachten.' Hij knipoogde schalks naar mij. 'Wat vindt u eigenlijk van haar?'
'Van Elieshi? Ach ja...'
'U mag haar niet zo, hè?'
'Is dat zo duidelijk?' Ik hief in verdediging mijn handen omhoog. 'Oké, oké, ik geef het toe, we liggen elkaar niet zo, maar dat is wederzijds. Die vrouw is me gewoon iets te agressief.'
'Een echte robbedoes, dat moet ik toegeven,' zei Sixpence terwijl we het universiteitsterrein verlieten en op de wachtende taxi afliepen. 'Ik heb ook het idee dat ze Stewart wel ziet zitten.' De taxichauffeur stapte uit toen hij ons zag, pakte mijn tas aan en opende de deuren. 'Haven, dok 18.' Sixpence drukte de chauffeur wat geld in handen.
'Ik dacht juist dat hij in haar geïnteresseerd was,' zei ik, terwijl ik me op de achterbank van de krappe Nissan propte. Sixpence schudde vastberaden zijn hoofd. 'Dat hebt u dan mis.'
'Hoe weet u dat zo zeker?'
'Ik ken hem. Mademoiselle n'Garong vangt bij hem bot.'
'Hoezo? Ik bedoel, ook al mag ik Elieshi niet zo, ze is toch een erg aantrekkelijke vrouw. En als een vrouw het in haar hoofd heeft om een man te vangen, dan lukt het haar meestal ook.'
'Kan zijn, maar Stewart is anders.'
'Hij is toch niet van de verkeerde kant?'
Sixpence keek me aan alsof hij niet begreep wat ik bedoelde, maar schudde toen zijn hoofd. 'Nee. Er is wat gebeurd. In het verleden. Iets ergs. Hij heeft ooit een eed gezworen nooit meer iets met een vrouw te beginnen. En een eed is voor hem heilig.'
In een opwelling vroeg ik: 'Heeft dat iets te maken met die littekens op zijn armen? Ze zien eruit als rituele snijwonden.'
Hij ontweek mijn blik.

'Wilt u het mij niet vertellen?'
'Dat kan ik niet,' hij schudde zijn hoofd. 'Maar misschien vertelt Stewart het u op een dag zelf. Hij lijkt u in zijn hart te hebben gesloten.'
Ik keek hem verwonderd aan. 'Die indruk had ik juist niet. Ik had eerder de indruk dat hij mij absoluut niet mocht.'
'Ik ken hem beter,' sprak Sixpence tegen. 'Hij is van huis uit erg afstandelijk. Stewart kan zijn gevoelens niet tonen, maar het is zoals ik zeg. Hij respecteert u, omdat u uw veilige thuis hebt achtergelaten en u openstelt voor het avontuur. U had de opdracht net zo goed kunnen weigeren. Maar u hebt lef en dat vindt hij erg belangrijk.'

Ongeveer tien minuten later arriveerden we bij de achterste dokken. Ik was zo in gedachten verzonken dat ik nu pas zag dat er in dit deel van de haven bijna geen schepen lagen. Ik zag maar een paar vissers die hier aanmeerden om de vangst van hun nachtelijke vaart aan land te brengen. Afgezien van hun kleine kraanboten was de kade zo goed als uitgestorven.
'Waar is ons schip? Ik hoop dat u niet van plan bent om de Kongo met een van die notendoppen te bevaren.'
Mijn begeleider trok verrast zijn wenkbrauwen op. 'Schip? Waar hebt u het over? Heeft niemand u dat dan verteld?'
'Mij wat verteld?'
Sixpence kon zijn plezier bijna niet verbergen, maar bleef me een antwoord schuldig. Verwonderd keek ik om me heen. Natuurlijk was ik ervan uitgegaan dat we met een schip de Kongo zouden opvaren. Onze taxi reed om het laatste pakhuis heen en toen zag ik waarom hij zoveel lol had. De reden voor zijn goede humeur deinde op twee drijvers zachtjes op het water heen en weer, had een oranjekleurige romp met witte strepen, vleugels en propeller.
Een vliegtuig.
Erg groot zag het er niet uit. Zo'n tien meter lang met een spanwijdte van niet meer dan vijf meter. Ook zag het er vrij verwaarloosd uit.
'Dat is me wat,' wist ik nog uit te brengen. 'Waar hebben jullie die rammelbak gevonden?'

'Deze kist is een De Havilland DHC-2 Beaver, een van de beste transportvliegtuigen ooit gebouwd. Is al vijftig jaar onafgebroken in gebruik. En ze zijn te huur.'
'Duur?'
'Astronomisch, maar wat zei Mrs. Palmbridge die avond dat we er waren ook alweer: geld speelt geen rol. Eigenlijk wordt de machine alleen gebruikt om rijke zakenlui te vervoeren. Hij komt uit Canada, een echte oldtimer, maar onovertroffen wat betrouwbaarheid betreft. Hij heeft ook een aantal voordelen vergeleken met de luxere vliegtuigen,' hij knipoogde naar mij. 'Hij is er speciaal voor gemaakt om op kleine wateroppervlakken te landen. Als u begrijpt wat ik bedoel.'
De taxi stopte en Sixpence drukte de chauffeur opnieuw een geldbiljet in de hand. Stralend van vreugde hielp hij ons bij het uitladen van de bagage, waarna hij zijn auto keerde, ons in een stofwolk hulde en wegreed. Behalve wij tweeën, en Maloney en Elieshi die het vliegtuig inlaadden, zag ik niemand. 'Geen piloot?'
'Hebben we niet nodig,' zei Sixpence.
Op dat moment kwam Maloney over de houten steiger aanlopen. Hij veegde zijn met olie besmeurde handen af aan een lap en had een brede grijns op zijn gezicht. 'Daar zijn jullie eindelijk. Ik werd al ongeduldig.' Hij klopte me op mijn schouder. 'Ik wilde u nog bedanken dat u gisteren zo geweldig hebt meegespeeld.' Hij wierp een korte blik op het vliegtuig, waar Elieshi stond. 'U begrijpt wel wat ik bedoel.'
Mijn humeur werd direct slechter. 'Dat is iets waar we nog even over moeten praten.'
Hij keek me aan en knikte toen. 'Goed. Begrepen. Maar tot dan hebben we nog veel te doen. Ik heb zojuist het oliepeil gecontroleerd,' zei hij. 'Ziet er goed uit.'
'Piloot, mecanicien, jullie zijn echte allrounders,' zei ik. Maloney begon fijntjes te glimlachen. 'We zijn geen genies, maar er is bijna geen voertuig dat wij niet kunnen repareren of besturen. Dat is noodzakelijk om te kunnen overleven als je honderden kilometers van de beschaafde wereld verwijderd in de rimboe zit. Wat zou u doen als u in de outback een lekke band krijgt? De wegenwacht bellen?'

De beide Australiërs lachten.
'Maar een vliegtuig? Ik moet zeggen dat ik onder de indruk ben.'
'Nou, dan moet u eens aan boord komen, daar is pas echt wat te zien. Over een paar minuten vertrekken we.' Hij klopte me vriendschappelijk op de schouder. Daarna nam hij Sixpence terzijde en ik hoorde hoe de twee in vaktaal discussieerden over de optimale gewichtsverdeling en andere details. Met mijn rugzak in de hand liep ik over de wankele houten steiger tot onder de vleugels, stapte op een drijver en klom via de twee metalen treden naar binnen. Elieshi, die gebukt achter in het vliegtuig stond en bezig was met de bepakking, zag mij en hielp me instappen.
'Goedemorgen, professor,' zei ze vrolijk. 'Is het niet fantastisch? Wat vindt u ervan?'
'Nou, ik weet het niet...' Ik keek sceptisch om me heen. Het vliegtuig had van buiten klein geleken. Binnen was geen enkele ruimte meer. Elke vierkante centimeter was volgestouwd met kisten, tassen en zakken, zodat ik me amper kon bewegen. Ook kreeg ik door de gebukte houding nu al rugpijn.
'Ach, wees toch niet zo'n brompot,' lachte de biologe. 'Natuurlijk is het krap. Daarom hebben we uitgebreid overlegd wat we mee zouden nemen. We kunnen maar een beperkte hoeveelheid spullen meenemen, maar het is wel een vliegtuig. Dat betekent dat we er over drie uurtjes zijn. Hebt u enig idee hoe het is om met een schip de rivier op te moeten varen?' Ze schudde fel haar hoofd. 'Ik heb het tien keer gedaan en ik kan u zeggen: nooit weer! Het is echt een hel. Ach, trouwens, ik heb de geigerteller. Een klein, onopvallend apparaatje, ongeveer zo groot als een horloge. Het zit onder in mijn tas.'
'Geweldig,' antwoordde ik afwezig. Ik was in gedachten nog bij onze luchtkoets. 'Schepen hebben ook hun voordelen,' mompelde ik. 'Je kunt er niet mee neerstorten.'
Ze schudde haar hoofd. 'Ik word er echt gek van. Het is ook nooit goed. Vreselijk, is in Engeland iedereen zo?'
Op dat moment stak Sixpence zijn hoofd door de deur. 'Kleine huwelijkscrisis?'

'Nee hoor,' antwoordde Elieshi terwijl ze me giftig aankeek. 'We hadden het net over de voordelen van vliegen.'
'Nou, als dat zo is, dan kunnen we vertrekken. Het spijt me, maar de voorste deuren zijn wegens roestschade helaas buiten werking. Mag ik even...' Hij wrong zich langs me naar voren, naar de stuurknuppel, direct gevolgd door Maloney, wiens enorme lichaam amper door het luik paste. 'Wilt u voorin zitten, Mr. Astbury? Dan kunt u beter genieten van het uitzicht.'
Ik keek Sixpence wat onzeker aan, maar hij wenkte mij vrolijk bij zich. 'Prima. Goed idee, Stewart, dan leert onze jonge collega direct hoe je zo'n kist vliegt.' Hij grijnsde. 'Er kan mij toch altijd iets overkomen, en dan hebben we een betrouwbare copiloot nodig. Komt u maar, Mr. Astbury, gaat u naast mij zitten.'
Hoewel mijn oren nog naklapperden van het woord roestschade, ging ik op de plek van de copiloot zitten, met een banaanvormig, krom stuur voor mijn neus dat door middel van een Y-vormig tussenstuk was verbonden met de stuurknuppel van de piloot. 'Hebt u eerder gevlogen?'
Ik schudde mijn hoofd.
'Draai er maar eens aan,' zei Sixpence, 'en trek dan de knuppel naar u toe.' Terwijl ik zijn instructies volgde, merkte ik dat het stuur aan zijn kant meebewoog. 'Synchroon geschakeld,' zei hij lachend. 'Mocht ik in slaap vallen, dan kunt u het overnemen. Kijk eens naar buiten.' Hij draaide aan de stuurknuppel en ik zag hoe de flappen aan de vleugels omhoog en omlaag gingen. 'Rolroer,' legde hij uit. 'Zo kunt u een bocht maken. Door aan de knuppel te trekken of hem in te drukken bedient u de hoogteroeren op de staart, en met deze twee pedalen hier onder het verticale staartvlak, ook op de staart. Als u dus een bocht wilt maken, stelt u eerst het rolroer in werking, daarna drukt u op het pedaal voor de gewenste richting en trekt u de knuppel iets naar u toe, zodat de kist niet zakt. Alles duidelijk? Dan gaan we maar. Stewart, gooi je ons los?' Maloney balanceerde boven de drijver en maakte het touw los waarmee het vliegtuig vastzat aan de kademuur. Daarna klom hij weer naar binnen, sloeg de deur dicht en trok zijn gordel strak. 'Mens, wat is het hier

achter krap,' hoorde ik hem vloeken. 'Mr. Astbury, u staat bij mij in het krijt, zeg.'
'Kunt u de stoel niet iets naar achteren schuiven?'
'Waarnaartoe dan? Hier achter zit alles volgepropt. Vijfhonderd kilo uitrusting! Daarmee zitten we al boven het toegestane maximumgewicht. Ik geloof niet dat de stoel ook maar een centimeter naar achteren kan. Maar het maakt niet uit, zo gaat het ook. Het zijn maar drie uurtjes. Dus, mijn vriend, starten maar.' Hij hield zijn dromenvanger even tegen zijn lippen en stak hem daarna weer onder zijn hemd.
Ik keek hoe Sixpence schakelaars omzette, op allerlei knopjes drukte en aan een hendel trok waar het woord 'Flaps' onder stond. Toen drukte hij op een rode knop, waarna de motor al kuchend aansloeg. Het vliegtuig hulde zich in een gigantische wolk uitlaatgassen.
'Lekker luid,' riep ik.
'Het wordt straks nog luider,' antwoordde Sixpence en hij duwde een hendel naar voren waarvan ik eerst had gedacht dat het de handrem was. Het toerental van de motor ging omhoog en de propeller veranderde in een doorzichtige schijf. Het hele vliegtuig begon te trillen en kwam in beweging. We gleden vooruit over het water, dat op dit punt zo glad was als een spiegel, en maakten snelheid.
De vibraties veranderden in horten en stoten en toen in stevig klappen terwijl het vliegtuig met steeds hogere snelheid over het water scheerde. Een spoor van schuim achter ons aan trekkend stuurden we aan op het eiland Mbamou.
Al snel viel me op dat we nog steeds niet waren opgestegen. 'Problemen?' vroeg ik.
'Deze kist is zo zwaar als een walvis,' snoof Sixpence. 'Ik krijg haar amper de lucht in. Verdomme, we hebben teveel meegenomen. Ik heb het je nog gezegd, Stewart.'
'Jij hebt mij gezegd dat de Beaver het zou redden, dat heb je gezegd. Trek dat ding omhoog, daar voor ons liggen vissersboten.'
'Verdomme! Houd even het stuur vast, ik moet de brandstofmenging aanpassen,' zei Sixpence, terwijl hij onder de knuppel dook en met gestrekte arm probeerde een schakelaar tussen zijn voeten om te

zetten. Toen hij hem te pakken had, maakte het vliegtuig net een sprongetje en kwamen we iets uit het water. Bliksemsnel dook Sixpence weer op. De visserboten waren nu wel heel dichtbij. Hij trok de knuppel naar zich toe en toen, geen seconde te laat, waren we los. Langzaam vlogen we de blauwe ochtendhemel tegemoet, die met roze wolkjes was bespikkeld.
'Geluk gehad,' zuchtte onze piloot, en ik kon de opluchting in zijn ogen zien. 'Dat is goed gegaan. Ik vraag me alleen af of zo'n manoeuvre boven Lac Télé ook lukt.'
Nu we eenmaal vlogen, was de motor verrassend stil. Ik begon me te ontspannen en keek naar beneden. Ongeveer driehonderd meter onder ons voer een stomer in de richting van de haven. Hij trok een aantal aken achter zich aan die boordevol mensen zaten. Elieshi wees naar beneden en riep: 'Daaronder is de veerboot. Hij komt net terug uit Impfondo. Wilt u nog steeds ruilen?'
Ik zag de mensenmassa en schudde mijn hoofd. 'Nee, u had helemaal gelijk. Vliegen heeft zo zijn voordelen.'
Ze gaf me een vriendschappelijk klapje op de schouder. 'Goeie jongen.'
Onder ons trokken de laatste uitlopers van de stad voorbij en veranderde het landschap in velden en plantages. We hielden een noordelijke koers aan die ons na een tijdje over een heuvelachtig gebied voerde. De heuvels veranderden in bergen en het aantal dorpjes nam steeds verder af.
'Hoe heet dit gebied daar beneden?' vroeg Maloney, met zijn gezicht tegen het raampje gedrukt.
'Dit is het Région de Plateau,' antwoordde Elieshi. 'We bevinden ons nu precies boven het Léfinireservaat. Een eenzaam gebied, afgezien van de N2 dan, die daar loopt.' Ze wees uit het raam. 'Als u goed kijkt, kunt u hem zien. Het is de grootste verkeersader van Congo. De weg loopt van Brazzaville in het zuiden naar Ouesso in het noorden. Helaas loopt hij helemaal niet door het gebied waar wij naartoe willen, anders hadden we de auto kunnen pakken,' voegde ze er grinnikend aan toe.
'Akkoord,' lachte ik en ik hief mijn hand. 'Ik geef me over. Intussen ben ik al zo aan deze kist gewend dat ik helemaal niet meer wil ruilen. Wanneer bent u eigenlijk met vliegen begonnen, Sixpence?'

'Grote god, ik heb geen idee,' antwoordde de aboriginal. 'Vliegen is net als fietsen. Als je het eenmaal kunt, weet je niet meer wanneer je het precies hebt geleerd. Ik heb mijn sporen verdiend in een oude Piper, maar eigenlijk zijn alle vliegtuigen hetzelfde: als je er een kent, ken je ze allemaal. De basis van de aerodynamica is overal gelijk en voor de instrumenten zijn er handleidingen. Wilt u het eens proberen?'
Ik voelde een brok in mijn keel. 'Moet dat?'
'Kom nou, het is echt gemakkelijk, ik verzeker het u. En als er toch iets gebeurt, dan kost het in elk geval geen onschuldige mensenlevens. U hebt het gehoord, dit is een erg eenzaam gebied.'
'Zeer geruststellend. Oké, wat moet ik doen?'
'De basis kent u al. Nu moet u nog een gevoel voor het vliegtuig ontwikkelen. Probeer het eens.' En toen liet hij het stuur los.
De machine reageerde ogenblikkelijk en dook met de neus naar voren om aan een avontuurlijke duikvlucht te beginnen. Ik trok de knuppel naar me toe en ving het vliegtuig op. Ik had echter iets te heftig gereageerd, want korte tijd later schoten we steil naar boven. Even ging het goed, totdat de motor het niet meer aankon en de machine weer naar voren kiepte. 'Overtrokken,' riep Sixpence vol leedvermaak. 'Probeer het met iets rustigere bewegingen.'
Mijn bezwete handen gleden van de knuppel toen ik probeerde de duikvlucht weer te corrigeren.
'Moet dat echt, Six'?' hoorde ik Maloney achter me brommen. 'Je hebt toch belangrijkere dingen te doen dan Mr. Astbury vliegles te geven.'
'Nog even geduld,' reageerde die. 'Het duurt niet lang meer. Hij heeft het bijna door.'
En inderdaad, na drie eindeloos lijkende minuten had ik de machine onder controle. Ze stopte met bokken en hinniken en volgde braaf al mijn aanwijzingen.
Ik haalde diep adem. Mijn handen trilden en ik voelde dat het zweet op mijn slapen parelde. Met het stuur stevig in mijn handen hield ik elk moment rekening met een nieuwe uitbraak van het vliegtuig. Maar toen er niets gebeurde, begon ik me te ontspannen en te genie-

ten van het vliegen. Ik liet me door Sixpence zelfs aanmoedigen om een paar bochtjes te vliegen en toen me dit was gelukt, voelde ik me de koning te rijk. Het was een geweldig gevoel om zo boven de wolken te zweven, met niets meer dan wat metaal en kunststof onder je.
'Gefeliciteerd, Mr. Astbury,' zei Sixpence. 'U hebt uw eerste sporen verdiend. Als beloning mag u het nu helemaal overnemen, terwijl ik even ga ontbijten. Wie heeft er nog meer honger?'
'Wacht even, dat kunt u niet maken. Ik weet niet eens waar we naartoe moeten!'
Sixpence tikte met zijn vinger op een van de vele metertjes. 'Ziet u die altimeter? Onze hoogte is vierduizend meter, dat is prima zo. Probeer die hoogte aan te houden.' Daarna tikte hij op een van de andere instrumenten. 'Dat is de kunstmatige horizon, die moet u netjes in het midden houden en op het kompas volgt u noord-noordoost, oké? Om de rest hoeft u zich nu nog geen zorgen te maken.'
'Tot uw orders.' Ik salueerde kort. De anderen mochten dan aan aardse dingen als eten denken, ik had nu de verantwoordelijkheid. Ik was de gezagvoerder, en het was mijn missie de mensen die mij toevertoruwd waren veilig naar onze eindbestemming te brengen. Yes, sir. Terwijl de knuppel onder mijn vingers vibreerde, vloog ik de steeds lichter wordende ochtend tegemoet. Een paar minuten later hadden we de laatste resten van de menselijke beschaving achter ons gelaten. Om ons heen zagen we nu alleen nog maar bomen en in de verte lag een zilverkleurige slang. De wilde, ontembare Kongo, het graf van de blanke man.

17

Egomo kwam weer bij. Zijn gezicht lag in de natte klei, zijn half-geopende mond proefde de vochtige aarde. Met moeite kreeg hij zijn ogen open. Zijn gezicht, zijn handen, zijn armen, zijn hele lichaam was met klei bedekt, waardoor hij eruitzag als een vreemdsoortig stuk boombast. Met veel pijn en moeite ging hij staan. De smaak van aarde vermengde zich met die van bloed. Hij veegde zijn mond af.
De gebeurtenissen van de laatste uren tolden door zijn hoofd. Het verschrikkelijke bloedbad, het monster dat plotseling op was gedoken en zijn panische vlucht door het oerwoud. Hij was helemaal de kluts kwijtgeraakt, was gewoon weggerend, verder en verder. Steeds verder, tot hij van uitputting en wanhoop buiten kennis was geraakt. Zo te zien was hij er toch in geslaagd terug te lopen naar het meer, want hij bevond zich op bijna dezelfde plek als waar hij vandaan was gekomen.
Hij bekeek zichzelf. Zijn lichaam was aan een kant bedekt met schaafwonden. Vele ervan waren zo diep dat hij door de klei heen rode huid zag glinsteren. Alsof dat nog niet genoeg was, deed zijn schouder enorm pijn, alsof iemand hem met een gloeiend heet mes had neergestoken. Met trillende vingers betastte hij de plek. Hij kromp ineen. Iets van binnen kraakte. In een wanhopige poging niet flauw te vallen draaide hij zich op zijn gezonde kant en ging op zoek naar zijn spullen. Niets. Geen proviandzak en geen wapens. Maar toen bedacht hij dat hij ze in het gras had laten vallen.
Mechanisch, net als die zielloze machines die zich een weg door het oerwoud vraten, ging hij, al zijn krachten aansprekend, staan. Het kamp van de blanke vrouw dat hij vanochtend had ontdekt, lag een paar meter naar links, zijn slaapboom stond ergens rechts. Langzaam sloop hij door de grasgordel een paar meter het koele, weldadige nat in, waarbij hij probeerde nergens tegenaan te stoten. Hij ging op zijn hurken zitten en begon zich te wassen. Voorzichtig en met de kiezen op elkaar wreef hij de klei van zijn pijnlijke huid. Met elke seconde

werd duidelijker hoe ernstig hij gewond was. De snij- en schaafwonden waren diep en zelfs met de sterkste geneeskrachtige kruiden niet binnen een week te genezen. Nog erger was het gebroken sleutelbeen. Zijn linkerarm bungelde als een nutteloos aanhangsel langs zijn lichaam. Elke poging zijn arm op te tillen werd beantwoord met een gloeiende steek. Het verlies van zijn kruisboog was nu nog maar half zo erg, want hij had hem toch niet kunnen spannen. Zuchtend plensde hij met zijn gezonde arm water in zijn gezicht. Dat hielp een beetje.

Met de nuchtere koelbloedigheid van een ervaren jager berekende hij zijn kansen op een veilige terugkeer naar huis. Hij rekende uit hoeveel tijd hij in zijn huidige toestand nodig zou hebben om bij zijn dorp te komen. Toen hij ook bedacht dat hij zijn proviand en zijn wapens in het grasland was kwijtgeraakt, werd het hem snel duidelijk. Hij zou het niet halen.

Deze gedachte was zo ontnuchterend dat hij even moest gaan zitten. Hij hoefde nooit meer vragen te beantwoorden en geen beslissingen meer te nemen. Hij zou sterven, zo eenvoudig was het.

Dit besef schonk hem innerlijke rust, verdoofde de pijn in zijn schouder en gaf hem een gelukzalig gevoel. Het was de gelatenheid van de prooi in het aangezicht van de jager. Alle angsten en zorgen verdwenen. Het leek bijna op het gevoel waarover de oudere mannen hem vaak hadden verteld. De dood was niets anders dan een andere staat van bewustzijn, een voortzetting van het leven op een ander niveau. Niets om bang voor te zijn. Integendeel. Iets wat het wachten waard was. En precies dat zou hij doen, hier zitten en wachten.

Hij draaide zijn gezicht naar de zon en liet zijn huid strelen door de warme stralen. Er was een briesje opgestoken, dat door zijn haren waaide en de geur van het water naar hem toe droeg. Ja, zo had hij het zich voorgesteld.

Op dat moment hoorde hij een geluid dat absoluut niet paste in zijn voorstelling van het hiernamaals. Het klonk als het gebrom van een reusachtige, kwade horzel. Egomo deed zijn ogen open, maar het geluid wilde niet verdwijnen, erger nog, het leek steeds dichterbij te komen. Nu kon hij ook horen dat het een motor was. Maar niet de

motor van een van die grote bosmachines, daarvoor was het geluid te zacht.
Wat was dit in godsnaam? Egomo zuchtte. De werkelijkheid had hem weer in zijn greep, de dood moest wachten.
Hij ging staan en tuurde in zuidelijke richting, waar het gebrom vandaan kwam. Hij herinnerde zich een geluid dat hij jaren geleden eens had gehoord. Toen was hij nog een kind geweest en had zijn vader hem meegenomen op jacht. Nooit zou hij de verbaasde en angstige blik in zijn vaders ogen vergeten toen plotseling een vliegtuig over hen heen raasde. Het zilveren gevaarte was uit het niets opgedoken en daarna weer verdwenen. Sinds die tijd had hij nooit meer een metalen vogel gezien en hij was gaan denken dat hij het had verzonnen. Maar dit gebrom, dat nu wel heel luid klonk, overtuigde hem van het tegendeel. Hij had nog net genoeg tijd om zich achter een struik te verstoppen toen een zwarte schaduw over hem heen schoof. En toen zag hij het. Het was inderdaad een vliegtuig. Het zag er vreemd uit, met twee dikke aanhangsels die onder de romp bungelden. Ook de kleur – oranje met witte strepen – was erg vreemd en fel. De machine maakte een cirkel boven het meer en Egomo begon zich af te vragen hoe de wereld er van bovenaf uitzag. Plotseling dook de neus van het vliegtuig naar beneden en werd hem duidelijk wat er nu zou gebeuren. Het vliegtuig wilde landen.
Maar waar? Hier waren alleen maar bomen en struiken, zo ver het oog reikte. Ze zouden te pletter vallen nog voor het de bodem had geraakt. Een vreselijk ongeluk was niet te voorkomen.
Egomo hield zich vast aan een tak en deed een schietgebedje. Hij had vandaag al genoeg rampen meegemaakt.
Het vliegtuig was inmiddels zo ver gedaald dat een gekke gedachte in hem opkwam. Misschien zou het niet verongelukken. Misschien waren die twee aanhangsels boten en zou het gevaarte op het water landen. Egomo sprong op en volgde het schouwspel met open mond. Zijn intuïtie had hem niet bedrogen. De machine kwam uit de hemel naar beneden, steeds lager, landde en gleed, omhuld door schuim, over het water. Het verloor snelheid en dreef als een kano naar de ondiepe oever rechts van hem, een paar honderd meter ver-

derop. De ronddraaiende bladen voorop gingen steeds trager rond en met een laatste kuchje verstomde de motor. De stilte keerde terug. Daarna ging de deur open en kwam een grote blanke man met een brede hoed tevoorschijn. Hij keek om zich heen, danste over de drijvers, sprong aan land en bevestigde het vliegtuig met een touw aan de oever. Het was Egomo nu duidelijk dat deze kunstmatige vogel, net als andere machines, door mensen werd bediend. Zijn scherpe ogen zagen dat er nog minstens drie of vier in het vliegtuig zaten. Hij zag nu ook een vrouw uit het vliegtuig klimmen, te herkennen aan haar vlechtjes en de borsten die zich onder haar bonte shirt aftekenden. Een zwarte vrouw, maar niet van zijn eigen stam. De andere passagiers lieten zich nog niet zien. Wat wilden die vreemden hier, en vooral, waarom waren ze op het meer geland? Wisten ze niet van het gevaar dat in het water schuilging? Waarschijnlijk niet, hoe kon dat ook? Hijzelf had de verhalen over Mokéle m'Bembé ook lange tijd afgedaan als sprookjes.
Egomo hield zijn pijnlijke schouder vast en ging staan. De dood moest maar even wachten. Eerst moest hij deze mensen observeren, erachter komen wat ze wilden. En afhankelijk van hoe ze zich gedroegen, zou hij ze dan inwijden in het geheim van dit meer en ze waarschuwen.
Als hij daar tenminste genoeg tijd voor kreeg.

18

'Help eens met die kist,' brulde Maloney me vanuit het vliegtuig toe. 'Ik kan dat verdomde ding niet alleen dragen.'
'Wacht, ik kom eraan,' riep ik, terwijl ik probeerde de ketel op de kleine campinggasbrander te laten balanceren. Eindelijk bleef hij staan en rende ik naar Maloney. Met gemak sprong ik vanaf de oever op de drijver, alsof ik nooit anders had gedaan. Het vliegtuig was me echt dierbaar geworden. Dat roestige barrel met al zijn nukken en eigenaardigheden straalde bijna iets menselijks uit. Toch vreemd dat je zulke gevoelens kon hebben voor levenloze objecten.
'Hier, vasthouden,' commandeerde Maloney toen ik bij hem was. Snuivend en zwetend probeerde hij naast mij op de drijver te gaan staan.
'Mijn god, wat is dat zwaar,' merkte ik op. 'Wat zit erin? Lood?'
'Uitrusting.'
'Tuurlijk.'
Maloneys voet gleed van de smalle ijzeren tree en landde hard op de drijver. Hij vloekte toen het vliegtuig begon te wiebelen en de kist weg dreigde te glijden. Met moeite slaagden we erin ons evenwicht te bewaren en het zware krat onbeschadigd aan land te krijgen. Hijgend liet ik me weer op de grond zakken naast het koffiewater, dat inmiddels vrolijk pruttelde. Sixpence en Elieshi zetten achter de bomen de tenten op, waar ze erg veel lol bij hadden, want ze gierden het uit. Ik pakte een doek, nam de ketel van het vuur en goot het kokende water over het koffiepoeder. Een heerlijke geur verspreidde zich. Ik bood Maloney een kop aan. 'Nu weet ik nog steeds niet waar we zonet ons leven voor hebben geriskeerd.'
De reus nam een slok uit de beker. Daarna zette hij de beker neer en knipte de sloten van de kist open. Ik verstarde toen hij de deksel optilde.
'Tevreden?' Hij grijnsde me aan terwijl hij zich onverbloemd over mijn verbazing amuseerde. Wapens. Met een blik zag ik dat in deze

kist wel zo'n beetje alles zat wat ooit gebruikt was om mensen te doden. Ik zag geweren, messen, een met glasvezel versterkte kruisboog met pijlen, een telescoopvisier en grote hoeveelheden munitie. Ook zaten er meerdere rijen plastic cilinders en een opgerolde kabel met een soort sensor in de kist. Op mijn vragende blik antwoordde Maloney: 'C4.'
'Wat?'
'Plastic springstof. Een kleine reserve, voor het geval het andere niet werkt.' Hij leunde achterover en proostte met zijn beker. 'Smaakt trouwens uitstekend, je koffie.'
'Is dat niet wat overdreven?'
'Ik bereid me graag goed voor. We hebben trouwens voor elk dier een speciaal wapen nodig, zoals jij voor elk experiment ook andere apparatuur nodig hebt.' Hij pakte een dubbelloops jachtgeweer en liet zijn vinger over de schacht glijden. 'Ik zie het als de erotiek van doden. Snap je dat?'
'Eerlijk gezegd, niet nee,' antwoordde ik. 'Zodat we elkaar niet verkeerd begrijpen: de opdracht is toch het dier niet te doden? We zouden toch een monster afnemen en dan weer verdwijnen?'
'Tuurlijk, maar je vergeet het allerbelangrijkste.'
'Mmh?'
'Ik heb het over jouw opdracht. De reddingsmissie en jouw christelijke plicht in leven te blijven.' Met een smalende glimlach hurkte hij naast me neer en nipte aan zijn koffie. 'Wat Emily Palmbridge tijdens haar expeditie is overkomen, kan ook ons overkomen,' ging hij verder. 'Die vrouw was vast niet van plan op dit idyllische plekje met pensioen te gaan. Hier is iets gebeurd waar ze niet op was voorbereid, en ik ben niet van plan hetzelfde te laten gebeuren.' Met die woorden laadde hij het geweer door, legde het terug op zijn plek en liet de deksel weer dichtvallen.
'We weten niet eens of ze dood is,' mompelde ik. 'Verdomme...' In mijn poging mijn zakmes dicht te klappen, had ik per ongeluk op de scherpe kant gedrukt. Een dikke druppel bloed welde uit de wond. Ik stak mijn duim in mijn mond, maar de wond was diep en het bloeden wilde niet stoppen. Even raakte ik in paniek. 'Verdomme!'

'Wat is er?' Maloney leek zich te verbazen over mijn heftige reactie.
'Hebben we iets om dit mee te desinfecteren? Het wemelt hier van de bacteriën.'
'Rustig aan.' Hij opende zijn heuptasje en haalde een klein pakje tevoorschijn. 'Laat het nog even bloeden, dat is genoeg om de wond te reinigen, en dan plak je dit erop.' Hij hield me een pleister voor. 'Het is waar dat er hier meer ziekteverwekkers rondzwerven dan bij ons, maar zo erg is het ook weer niet.'
'Je hebt zeker niet gezien wat een virus als ebola bij een mens kan aanrichten,' antwoordde ik, terwijl ik snel de wond afdekte. 'Heb je wel eens gezien hoe de slijmhuid in de mond, neus en ogen oplost en begint te bloeden, hoe spieren en organen veranderen in een vloeibare massa en hoe slachtoffers na hevige pijn sterven?'
'Jij wel?' vroeg hij mij licht geamuseerd.
'Tot nu toe alleen op film, tijdens een seminarie over pathologie. Maar dat was voor mij genoeg.'
Maloney streek over zijn kin. 'Ik wil geen voorbarige conclusies trekken, maar je bent een echte academicus.'
'Hoe bedoel je?'
Hij keek me aan met zijn groene ogen. 'Je denkt te veel na. Het leven is eenvoudig. Ook al lijkt het niet zo, bekeken vanuit een veilig laboratorium. Je moet nodig de wijde wereld in en zelf aan de slag. Dat wondje bijvoorbeeld...,' zei hij en hij glimlachte vriendelijk, '... daar ga je echt niet dood aan. Ik heb wel wonden verpleegd waarbij je echt was flauwgevallen als je er alleen maar aan had geroken. En die mensen genieten nu nog van een blakende gezondheid. Zo snel ga je niet dood. En als dat een poging was om onder werk uit te komen, dan moet ik je helaas teleurstellen.' Hij sloeg met zijn handen op zijn dijbenen en ging staan. 'Kom op, back to business. Als je klaar bent met doktertje spelen, kun je mij helpen met de andere kisten.'
'Nog eventjes.'
Maloney trok zijn wenkbrauwen op.
'Ik wil nog iets met je bespreken, en wel onder vier ogen.'
'Wat bedoel je?'

'Het gaat om onze begeleidster.'
'Ze is beeldig, nietwaar?'
Meer dan een scheve glimlach kreeg ik niet. 'Ik weet niet of beeldig het juiste woord is. We zijn niet zo goed begonnen...'
'Dat heb ik gemerkt.'
'... maar ze heeft er toch recht op de waarheid te weten. Waarom hebben jullie tegen haar gelogen?'
'O, dat.' Hij veegde een denkbeeldig stofje van zijn mouw en deed alsof dit het minst belangrijke onderwerp ter wereld was. 'Dat kan ik gemakkelijk uitleggen. Het gaat om de algehele veiligheid.'
'Dat begrijp ik niet.'
'Nou, het is gewoon zo dat jij hier geen ervaring mee hebt. Ervaring met hoe dingen in landen als deze werken. Neem bijvoorbeeld die staatssecretaris. Iedereen is tevreden, zolang we op zoek zijn naar dwergolifanten. Het dier is klein en oninteressant genoeg om door de verantwoordelijke instanties als onbelangrijk te worden afgeschreven. Zeg echter Mokéle m'Bembé en iedereen wordt wakker. Want dat is iets waar ze in zijn geïnteresseerd. Dat kan geld en publiciteit opleveren. Omdat dit wezen momenteel onvindbaar is, hebben ze het naar het rijk der fabeltjes verbannen, waar het vreedzaam ligt te sluimeren. Intussen houden ze zich met hun eigen zaakjes bezig en wachten ze tot er iemand van buiten komt om hun werk op te knappen. Maar dat doe ik niet, dat beloof ik je. Elieshi zal pas iets te weten komen als het echt niet anders kan. Alleen zo kunnen we het risico minimaliseren dat het hier morgen wemelt van de zwaarbewapende ordetroepen.'
'Geloof je niet dat ze ons vertrouwen heeft verdiend?'
Hij keek me aan met zijn groene ogen en zijn stem klonk ernstig. 'Als ik aan het werk ben, geloof ik niets, dat bewaar ik wel voor mijn gebeden.'

Het was laat in de namiddag toen alles was uitgeladen en we de laatste kist naar het basiskamp aan de rand van het meer hadden gebracht. We hadden het vliegtuig met vereende krachten een stuk het land op getrokken en daar met touwen vastgemaakt. Boven de horizon verza-

melden zich al de eerste grotere wolken. In de verte was donder te horen en waarschijnlijk zou het nog die avond gaan regenen. Sixpence, die een stinkend pijpje had aangestoken, had de tijd genomen om me uitvoerig uit te leggen wat er allemaal in het kamp stond. Omdat hij nogal gek was op techniek, duurde dit enige tijd. Eerst nam hij me mee naar de oever van het meer, waar een digitale videocamera stond opgesteld die precies op het midden van de watervlakte gericht was.
'Ter observatie,' zei hij goedgehumeurd. 'De camera staat altijd aan en registreert elke beweging op het water. In deze waterdichte kist zit een zeer gevoelige lens met een versterker, die zelfs 's nachts scherp beeld geeft.' Hij keek even in het oculair. 'Voor het geval onze vriend er de voorkeur aan geeft alleen 's nachts te verschijnen. Maar zeg niet tegen Elieshi waar hij voor nodig is. Ze zat me al gek aan te kijken en ik moest wat verzinnen over krokodillen en nijlpaarden.'
Hij keek nog een laatste keer door de camera en vroeg mij toen hem naar het kamp te volgen. Zes tenten, waaronder vier slaaptenten, stonden in een halve cirkel rond een groot vuur en een stevige klaptafel. Daarop stond een vreemd apparaat dat er met zijn opvouwbare platte antenne uitzag als een iets te groot uitgevallen bloem die met haar kelk de hemel in probeerde te reiken.
'Onze enige verbinding met de buitenwereld,' zei hij.
'Een satellietontvanger, nietwaar?'
Hij knikte. 'Een Inmarsat M4. Klein, licht en snel. De tijd dat we met een twintig kilo zware installatie de wereld over reisden, is echt voorbij. Heb je een mobieltje bij je? Geef eens even.' Ik gaf hem mijn mobiele telefoon, niet zonder me te verontschuldigen voor mijn naïveteit dat ik het had meegenomen. 'Dat maakt toch niets uit,' antwoordde hij lachend. 'We zijn zo aan die kleine dingen gewend dat we vergeten dat ze het lang niet overal doen.' Hij pakte een kabeltje dat uit de ontvanger kwam, stak het in mijn mobieltje en toetste een nummer in. 'Prachtig. Als de M4 genoeg zonlicht heeft getankt, kun je bellen wanneer je wilt.'
'Zo gemakkelijk?'
'Yep. De accu's zijn binnen een kwartier opgeladen en dan kun je aan de gang. Ik wil je echter aanraden zo weinig mogelijk te bellen. We

weten nooit wie er meeluistert en deze expeditie moet toch ons kleine geheimpje blijven. Zo, en nu laat ik je zien hoe het kamp verder is georganiseerd. Daar vind je bijvoorbeeld de ziekenboeg.' Hij stapte een manshoge tent binnen, waar gedempt licht naar binnen viel. De lucht was plakkerig, maar ik zag direct dat alles goed georganiseerd was. Veel kisten die ik samen met Maloney had versleept, stonden hier. Sixpence ging de hele rij af. 'Graanproducten, blikjes eten, koffie en thee, melkpoeder, suiker, zout, kruiden, soepblokjes en gedroogd vlees en de nodige whisky en rode wijn. Daar staan de hygiëneartikelen en onze uitgebreide eerstehulpkoffer. Vis en water hoefden we niet mee te nemen, daar is hier genoeg van.'
'Het water moet toch nog worden gesteriliseerd?'
'Natuurlijk. Dat doen we met deze pomp, die een keramisch filter heeft dat zelfs de kleinste bacteriën uitfiltert. Voor de zekerheid gaan er ook nog een paar Micropur-tabletten in elke tank water. Hier eten we ook als het buiten te slecht weer is. Op naar de onderzoekstent!'
In de volgende tent wachtte mij een grote verrassing. Geheimzinnig lachend opende Sixpence een van de aluminium koffers.
'Neopreenpakken,' riep ik verbaasd uit. 'We gaan toch niet duiken?'
'Natuurlijk. Je moet toch intussen wel hebben begrepen dat wij erg grondig te werk aan. Als Mokéle m'Bembé niet bij ons komt, gaan wij gewoon naar hem toe.'
'Jullie zijn helemaal gestoord,' antwoordde ik, maar toch durfde ik hem niet uit te lachen. Ik merkte dat hij het meende. 'Heeft Elieshi die al gezien?'
Hij schudde zijn hoofd. 'Natuurlijk niet, ze zou zich anders zeker hebben afgevraagd waarom we in duikpakken op olifantenjacht gaan.'
'Ik houd niet van dit soort spelletjes,' gaf ik eerlijk toe, maar hij haalde zijn schouders op. Zonder op mijn opmerking in te gaan, liep hij naar de volgende kist.
'Hier hebben we het lasergestuurde waarschuwingssysteem, een soort lichtkast die direct alarm slaat als er iets in de buurt komt. Ik denk niet dat we het nodig zullen hebben. Onze vriend is zo groot dat we hem ook zo wel horen. Daar ligt onze rubberboot met bui-

tenboordmoter en verschillende vaten brandstof. We gebruiken hem al jaren en hij is niet kapot te krijgen, dat kan ik je wel zeggen. Tja, wat is er dan nog, die kisten hier, waarin jouw gentechnisch laboratorium zit, en de apparatuur van Elieshi. Schijnbaar zijn daarmee bepaalde dierengeluiden op een afstand van honderden kilometers te lokaliseren. Ik moet toegeven dat ik erg nieuwsgierig ben de apparatuur in werking te zien. Omdat deze tent het grootste is, hebben we besloten dat jij en Elieshi jullie apparatuur hier op deze tafels kunnen zetten. Is er genoeg plek?' Ik liet mijn blik over de tafels en stoelen en hanglampen glijden en knikte. 'Gemakkelijk. Ik had eerlijk gezegd niet gerekend op zoveel comfort.'
'Comfort is noodzakelijk, want het wordt een zware tijd.' We liepen de tent uit, net op tijd om te zien hoe Maloney met zijn digitale camera een foto maakte van Elieshi. De manier waarop hij naar haar lachte, deed me denken aan de woorden van Sixpence bij ons vertrek uit Brazzaville. Niet voor het eerst voelde ik twijfel. Als Maloney echt had gezworen nooit weer een relatie aan te gaan, hoe zat het dan met dit geflirt? Een zijdelingse blik was voor mij genoeg om te zien dat ook Sixpence had bemerkt wat er gaande was. Hij lachte nog wel, maar niet van harte. Hij bekommerde zich om het vuur dat al vrolijk knapperde en een grote ketel met water verwarmde die aan een driepoot hing. We hadden besloten vanavond een stevige eenpansmaaltijd te koken, voordat we ons de volgende dag aan onze eerste gegrilde vis zouden wagen. Maloney en Elieshi kwamen op ons af lopen alsof er niets was gebeurd.
'Is het hier niet heerlijk, Astbury,' zei de jager goedgehumeurd. 'Dit is nou het Afrika waar ik zo van houd. Wild en tomeloos. Adem de geur eens in. Zo'n heerlijke geur vind je nergens anders ter wereld.' Hij schoof zijn brede hoed in zijn nek en keek omhoog. 'Het ziet ernaar uit dat het over een halfuurtje gaat regenen, maar dat is niets om ons zorgen over te maken. Er gaat niets boven een stevig tropisch onweersbuitje, en bovendien zitten het vliegtuig en alle spullen in het kamp stevig vast.'
'Wat gebeurt er als het vliegtuig toch beschadigd raakt?' vroeg Elieshi. 'Hebben jullie een noodplan?'

'Natuurlijk. Als we iets niet kunnen repareren, kunnen we gewoon naar Brazzaville bellen om een vervangende kist te laten brengen. Maar dan moeten we de piloot weer in Impfondo afleveren. Dat zou ons een hele dag kosten. Laten we dus hopen dat het zover niet komt.'
'En als de satellietontvanger het niet meer doet?'
'Dan hebben we echt een probleem.' Maloney pakte zijn vest en haalde er een pakje sigaretten uit. Elieshi en Sixpence namen dankbaar aan, maar ik sloeg vriendelijk af. 'Als dat gebeurt, zijn we op onszelf aangewezen. Voor het eind van de maand komt hier zeker niemand langs. We zouden moeten proberen op eigen houtje weg te komen.' Hij stak de sigaretten een voor een aan. 'Maar dat zal niet gemakkelijk zijn, dat kan ik wel zeggen. In het noorden en oosten liggen drassige bossen, daar kunnen we niet langs. In het zuiden ligt wel grasland, dat hebben we van bovenaf gezien, maar daar zou ik zelfs met een groep ervaren jagers niet doorheen durven trekken. Te onoverzichtelijk, te veel roofdieren. Blijft het westen over. Daar liggen een aantal rivieren waardoor het water vanuit Lac Télé in de Likouala aux Herbes stroomt. Met onze rubberboot is daar goed te komen. Met wat geluk zijn we dan binnen twee dagen in het dorp Kinami.'
Ik schrok op. 'Kinami?' De naam klonk bekend. 'Is dat niet het dorp waar Emily's filmopnamen zijn aangespoeld?'
'Precies,' zei Maloney terwijl hij de as van zijn sigaret tikte. 'Maar dat is een weg die ik alleen met veel tegenzin in sla. De kans dat we daar met open armen worden ontvangen, is erg klein.'
'Wat is daar eigenlijk gebeurd?' vroeg ik, want ik zag hier een kans om wat meer duidelijkheid te krijgen. 'Het klinkt alsof je er meer over weet.'
Weer die zuinige glimlach. 'Als je daar meer over te weten wilt komen, kun je zelf contact opnemen met Lady Palmbridge. Het enige wat ik erover weet, is dat de prijs die de bewoners van het dorp voor de videobeelden verlangden, veel te hoog was. Het kwam tot een opstootje tussen hen en de door de regering gestuurde soldaten.'
'Was dat de reden waarom jij en staatssecretaris Assis elkaar zo vertrouwelijk knipogen gaven?'

'De regering wil niet dat de zaak bekend wordt.'
'Wat is daar gebeurd?'
Maloney haalde zijn schouders op, maar ik geloofde dat ik het vuur in zijn ogen zag flakkeren.
Ik sprak met zachte stem verder. 'Een slachtpartij, nietwaar? Dat wil je hier toch mee zeggen? En dat is ook de reden waarom jij en staatssecretaris Assis hebben besloten erover te zwijgen.'
Hij bleef het antwoord schuldig, maar zijn zwijgen zei meer dan duizend woorden. Plotseling herinnerde ik me de avond voor mijn vertrek. De avond met Sarah. Ze had toch gelijk gehad toen ze zei dat veel zaken in dit deel van de wereld anders werden geregeld. Ze had overal gelijk in gehad, al vanaf het begin.
'Mijn god, die arme mensen.' Ik sloeg mijn hand voor mijn mond. 'En hoe gaat het nu verder? Ik wil er niet aan denken welke prijs Lady Palmbridge al heeft betaald voor haar droom en hoe ver ze bereid is te gaan.' Ik keek Elieshi aan en merkte dat haar blik tussen ons heen en weer schoot, onzeker over wat ze van dit gesprek moest denken.
'Ik begrijp niet waar jullie je over opwinden,' zei ze wantrouwig. 'Waarom waren deze beelden zo waardevol? Ik bedoel maar, we hebben het hier toch over dwergolifanten?'
'Vertel het haar.'
Maloney liet de sigaret vallen en trapte hem uit. Terwijl hij zijn hoofd optilde, keek hij mij aan met een blik waar ik de rillingen van kreeg. Hier was plotseling weer die andere Maloney, die ik eventjes had gezien in het huis van de Palmbridges en die zich daarna had verstopt achter dat vriendelijke gezicht. Toch liet ik me niet afschrikken.
'Ze heeft het recht het te weten,' ging ik verder.
'Wat te weten? Waar heb je het over?' Elieshi's stem klonk nerveus. Vragend keek ze naar de anderen. 'Wat moet je mij vertellen? Ik wil graag de hele waarheid horen, hier en nu.'
'Mokéle m'Bembé,' zei Sixpence lachend, terwijl hij in het vuur bleef porren. 'Daar zijn we naar op zoek.'
Even bleef het stil.

'Natuurlijk,' giechelde Elieshi. 'Waarom niet direct het monster van Loch Ness? Jongens, als jullie me voor de gek willen houden, moeten jullie met iets beters komen.' Ze speelde met haar vlechtjes. 'Wanneer hebben jullie dit bekokstoofd? Toen we nog in Brazzaville waren? Na de Vietnamees, hè? Ik stel jullie niet graag teleur, maar ik laat me niet bij de neus nemen, daarvoor heb ik al te veel types als jullie meegemaakt. Leuk geprobeerd, maar helaas mislukt. Ik denk dat jullie me een pilsje schuldig zijn.'
Niemand van ons lachte. Niemand zei iets.
Elieshi's blik werd onzeker, haar bewegingen nerveus, onrustig. Waarom ze mij op dat moment aankeek, weet ik niet. Misschien straalde ik van alle aanwezigen de grootste onschuld uit. 'David, vertel eens. Dat verhaal over Mokéle m'Bembé is toch onzin, nietwaar?'
Ik kon niet antwoorden. Iets kneep mijn keel dicht. Ik kon alleen haar blik ontwijken en naar de grond staren.
Elieshi's lachen verstomde. 'Dat bestaat toch niet. Ik ben vierhonderd kilometer diep de jungle in gereisd om te gaan zoeken naar een hersenspinsel?'
'Geen hersenspinsel,' zei Maloney. 'We hebben hem allemaal gezien, inclusief de dochter van onze opdrachtgever. Ze heeft er waarschijnlijk met haar leven voor betaald.'
Hij keek even naar het meer. 'Het leeft en is gezond en wij gaan het vangen, met of zonder jouw hulp.'
Het bleef lang stil. Elieshi moest het nieuws eerst verwerken. Ten slotte leek ze te zijn doordrongen van de feiten. Ze hief haar hoofd en ik zag de woede in haar ogen. 'Ik wil terug,' zei ze. 'Morgen.' Ze stond op, spuugde op de grond en liep met langzame passen naar de oever.
Nadat ze achter het manshoge olifantsgras was verdwenen, draaide Maloney zich naar mij om. Langzaam, als in slowmotion. Zijn blik beloofde weinig goeds.

19

Zaterdag 13 februari

De regen tikte die avond steeds harder op de luifel van de onderzoekstent. Drie dagen waren voorbijgegaan sinds we hier waren aangekomen. Drie dagen waarin niets was gebeurd, behalve dat Maloney, Sixpence en ik de omgeving hadden verkend en bijna elk dier hadden weggejaagd dat hier leefde. We hadden wevervogels en hun kokonachtige nesten, grijze papegaaien en krokodilwachters ontdekt. We hadden zelfs een kroonarend gezien terwijl hij een Colobusaap van een tak plukte en meenam naar zijn nest. Alleen van Mokéle m'Bembé ontbrak elk spoor. Zelfs geen voetafdrukken om aan te tonen dat het dier echt bestond. Ik begon Elieshi's twijfels bijna te delen. Waren we er misschien ingeluisd? Waren de opnamen die we in het huis van de Palmbridges hadden gezien misschien een geraffineerde illusie? Net als de computersimulaties van de fabriek? Misschien had de biologe wel gelijk en was Mokéle m'Bembé niet meer dan een legende. Maar waarom had Lady Palmbridge ons dan naar deze godvergeten plek gestuurd? Wat voor zin had deze actie? Ik kon het niet verklaren, maar voelde hoe mijn oude twijfels weer aan me begonnen te knagen. Er gebeurde geen wonder, niets onverklaarbaars. Alles wat mysterieus en geheimzinnig leek, was misschien toch door mensen verzonnen om anderen te manipuleren en voor hun karretje te spannen.
Ik leunde achterover en keek hoe er in Elieshi's tent een lichtstraal heen en weer bewoog. Ik was blij dat het Maloney was gelukt haar over te halen om te blijven. Ik wist niet wat voor onderhandelingstactieken hij had gebruikt, maar het maakte me ook weinig uit. Ik voelde me beter met haar erbij. In haar geloofde ik een verwante ziel te hebben gevonden. Zij was iemand die ook niet graag in de luren werd gelegd. Daarbij liet ze een frisse wind door het anders zo stugge herengezelschap waaien.

Ik keek op de thermometer. Ondanks de aanhoudende regen was het geen graadje koeler geworden. Nog steeds lag een zwoele deken over het land, waardoor mijn hemd aan mijn lichaam bleef plakken en ik bijna begon te geloven dat ik hier nooit rustig zou kunnen slapen. Het gestage tromgeroffel maakte het moeilijk me op mijn werk te concentreren. Al twee uur was ik bezig mijn dagboek bij te werken en de spullen te controleren die door Lady Palmbridge waren meegegeven. Veel was het niet, maar meer had ik ook niet nodig. Een goede microscoop, steriel verpakte reageerbuisjes en een koffer met de meest geavanceerde apparatuur die er op het gebied van genetisch onderzoek te krijgen was. Hoe graag ik het apparaat ook in actie wilde zien, het zou moeten wachten totdat we een weefselmonster van Mokéle m'Bembé hadden. Mijn blik viel op de geigerteller die Elieshi had meegebracht. Een eerste meting bij het meer had aangetoond dat de stralingswaarden van het water iets verhoogd waren, maar niet genoeg om mijn hypothese te bevestigen. Op een gegeven moment zou ik toch een dieptemeting moeten uitvoeren.
Fijne regendruppels drongen door het tentdoek, vielen op mijn gezicht en vermengden zich met het zweet op mijn huid.
Ik draaide me weg van de apparatuur en keek naar het kamp. De nacht was zo donker dat het leek alsof de lucht iets stoffelijks had. Af en toe werd de nachtelijke hemel verscheurd door een bliksemschicht en danste de weerspiegeling over het water van het meer. Mismoedig keek ik naar Elieshi's tent. Ik hield mijn adem in. Het licht van de zaklamp was uitgegaan. Toch was de biologe niet gaan slapen, integendeel. Ze stond stokstijf voor de ingang, liet de regen op zich neervallen en staarde de duisternis in. Ik volgde haar blik, maar kon niets zien. Pas toen een nieuwe bliksemschicht de hemel oplichtte, zag ik het ook. We waren niet alleen. In die fractie van een seconde dat het licht was, had ik een kleine menselijke figuur gezien, die onbeweeglijk aan de rand van het kamp stond en ons aankeek.
Een pygmee, schoot me door het hoofd.
'Elieshi?' fluisterde ik, maar ze gebaarde dat ik me stil moest houden. Daarom bleef ik zitten en keek hoe ze langzaam en voorzichtig op de indringer afliep. De oerbewoner maakte geen aanstalten om te

vluchten. Ook leek het niet alsof hij ruzie zocht. Hij stond gewoon naar ons te kijken. Ik zag dat als een teken dat hij met ons in contact wilde komen. Elieshi was hem tot op drie meter genaderd en begon hem naar zich toe te wenken. Alsof hij op die uitnodiging had gewacht, stapte de man uit de schaduw ons kamp binnen. Hij was veel kleiner dan hij in eerste instantie had geleken. Hij was gekleed in een rode lendendoek en was hoogstens een meter vijftig. Ik vond het erg moeilijk in te schatten hoe oud hij was, omdat zijn fysionomie en mimiek heel anders waren dan bij Europeanen. Toch had ik de indruk dat hij nog relatief jong was. Misschien een jaar of twintig of vijfentwintig. Hij zag er vreselijk mager uit. Ook leek het alsof hij bij een gevecht of ongeluk gewond was geraakt. Hij hinkte en zijn linkerarm hing slap langs zijn lichaam. Hij zag er jammerlijk uit. 'Kijk toch eens,' mompelde ik toen ik zag hoe ernstig zijn verwondingen waren. 'Die man moet direct worden verpleegd. Help mij om hem naar de ziekenboeg te brengen. Snel!'
'Eens kijken of we hem mogen aanraken,' zei Elieshi en ze begon in een vreemd klinkende taal tegen hem te praten. De woorden schenen goed aan te komen. De man begon naar zijn verwondingen te wijzen en knikte toen Elieshi hem vroeg om de tent binnen te gaan. Ik rende vooruit en stak de gaslantaarn aan die aan het dak hing. Intussen hadden ook Maloney en Sixpence gemerkt dat er iets was gebeurd, zoals ik aan de lichtbundels in hun tenten kon zien.
Een paar minuten later had het hele team zich om de donkere man verzameld, die ons met grote ogen aanstaarde.
'Wat wil hij van ons?' vroeg ik aan Elieshi.
'Voor zover ik het heb begrepen, wil hij ons waarschuwen,' antwoordde ze. 'Maar ik heb geen idee waarvoor.' De biologe knielde voor hem neer en begon zijn wond te reinigen en desinfecteren. 'Mijn talenkennis is sinds mijn laatste bezoek aan de pygmeeën wat verwaterd. Hij spreekt een zeldzaam dialect, maar ik weet wel dat hij Egomo heet en van de stam van de Bajaka komt. Zij wonen ongeveer vier dagen lopen hiervandaan.'
Vol bewondering keek ik hoe de pygmee gelaten de pijnlijke procedure over zich heen liet komen.

'Hoe is hij aan deze verwondingen gekomen?' wilde ik weten, terwijl ik toekeek hoe Elieshi zijn pijnlijke schouder aftastte. Egomo kromp ineen van de pijn.
'Zijn sleutelbeen is gebroken,' constateerde ze. 'Ik zal proberen de arm te fixeren. Geef mij eens een mitella.' Ik greep in de eerstehulpkoffer en haalde pleisters, zwachtels en een doek tevoorschijn.
Nadat Elieshi al zijn wonden had verzorgd en zijn arm had verbonden, hield ze hem een beetje van de koude eenpansmaaltijd en een stuk brood voor. De pygmee rook er eerst wantrouwig aan, maar nadat hij het had geproefd, schoof hij de inhoud van het bord gretig naar binnen. Hij negeerde de lepel en gebruikte alleen zijn vingers. De verbonden arm leek hem niet in de weg te zitten, vooral omdat Elieshi het bord voor hem vasthield. Het leek alsof hij al dagen niets had gegeten. Toen het bord leeg was, knikte hij dankbaar en boerde luid. Elieshi vulde het bord opnieuw en ging verder met haar verhoor. Dit keer at Egomo veel rustiger en nam hij meer tijd voor zijn antwoorden, waarbij ik de indruk kreeg dat hij mij de hele tijd aan zat te kijken. Ik kon zijn grote bruine ogen bijna voelen.
'Om het kort samen te vatten,' zei Elieshi na een tijdje, 'ik heb niet alles begrepen wat hij mij vertelde, maar wat wel duidelijk is, is dat hij erg bang is. Hij vertelde over een vreselijke ontmoeting in het grasland. Waarschijnlijk bedoelt hij die kale plek in het zuiden. Waar hij zo van is geschrokken, wilde hij niet vertellen. In elk geval moest hij vluchten, waarbij hij gewond is geraakt. Hij zei dat hij nog een keer terug wil, omdat hij zijn wapens en proviand daar kwijt is geraakt, en als wij met hem meegaan, zal hij ons het verwoeste kamp laten zien.'
'Een verwoest kamp?' Ik werd nieuwsgierig. Dit was de eerste concrete aanwijzing dat er hier toch iets niet in de haak was. 'Waar ligt het precies? Misschien is dat Emily's kamp. Vraag hem of hij misschien een vrouw met blond haar heeft gezien.' Toen hij de naam Emily hoorde, veranderde Egomo's gelaatsuitdrukking. Hij leek te weten waar ik het over had. Maar toen hij antwoordde, had ik meteen door dat er iets vreselijks was gebeurd.
'Hij zegt dat hij daar geen blonde vrouw heeft gevonden,' vertaalde

Elieshi. 'Hij zegt wel dat er veel mensen lagen. Allemaal dood. Je moet weten dat er in de taal van de pygmeeën veel woorden zijn voor ons woord "dood". Voor hen is de dood een verandering in de staat van bewustzijn. Zelfs de lucht en de aarde, ja zelfs stenen hebben een eigen leven. Hij gebruikte echter een uitdrukking die heel zelden wordt gebruikt. Het betekent dat iets echt dood is en zijn ziel voor altijd kwijt is.'

'Weet hij heel zeker dat Emily er niet bij was? Heeft hij alle lichamen goed bekeken? Ik dacht dat hij in paniek was weggevlucht. Misschien waren een aantal te zwaar verminkt...,' ik haperde. De gedachte dat Emily ergens daarbuiten in de nacht op hulp lag te wachten, was bijna ondraaglijk. Elieshi legde kalmerend een hand op mijn arm.

'Misschien heeft hij zich vergist,' mompelde ik. 'Misschien kunnen we nog iemand redden als we nu vertrekken.'

Sixpence schudde zijn hoofd. 'Onmogelijk. We moeten wachten tot het licht wordt. En trouwens: kijk eens naar onze gids, die kan zijn ene been niet meer voor het andere zetten. Nee, als we iets doen, dan morgenochtend.'

'Hoe zit het met die waarschuwing?' vroeg Maloney, die tot nu toe rustig en zwijgend had staan luisteren. 'Wat heeft hem aangevallen en vooral: wat heeft volgens hem die mensen gedood?'

Elieshi legde de vraag voor aan de donkere jager. Het antwoord dat we kregen, hoefde niet te worden vertaald. Het was een eenvoudige, vertrouwd klinkende naam en als Elieshi nog twijfelde aan onze bedoelingen, dan was die twijfel nu verdwenen. Ik zag hoe ze bij het uitspreken van de naam ineen kromp en ons met een mengeling van verwarring en koppigheid aankeek.

Aan slapen dacht niemand meer. Zwijgzaam en in gedachten verzonken zaten we met zijn vieren om het nachtelijke kampvuur. We gaven een fles wijn door en staarden in de vlammen. Egomo was na een derde portie eten achter de aluminium kisten in de voorraadtent gaan liggen om te slapen. Ik vond het jammer, want ik had hem niet eens gevraagd of hij Emily persoonlijk had gekend. Maar hij had de goede beslissing genomen, vooral gezien zijn verwondingen.

'Ik vraag me af waar hij vandaan gekomen is en wat hij heeft meegemaakt,' zei ik. Ik voelde hoe zwaar het zwijgen me viel. 'En natuurlijk waarom hij ons wil waarschuwen.'
'Het is inderdaad vreemd.' Elieshi vulde haar beker met heet water en roerde er een lepel instantkoffie door. Veel te veel voor mijn smaak, maar Elieshi was in veel opzichten anders.
'Het ligt niet in de aard van pygmeeën om zich met vreemden te bemoeien,' legde ze uit. 'Ze leven in een eigen wereld, die volstrekt gescheiden is van die van ons. Ik heb wel eens met het "kleine volk", zoals ze schertsend worden genoemd, te maken gehad, maar er komt altijd een punt waarop je niet dichter bij ze kunt komen. Op geestelijk vlak, bedoel ik. Zodra je vertrekt, besta je niet meer. Uit het oog, uit het hart. Vanuit dit oogpunt is het dus erg verwonderlijk dat Egomo de moeite heeft genomen ons te waarschuwen. Maar er is nog iets.'
Ik wist waar ze naartoe wilde: 'Is jou ook opgevallen dat hij mij zo aankeek? Heb je daar een verklaring voor?'
'Niet direct,' antwoordde ze en schudde haar hoofd. 'Het is alleen zo dat hij jou continu zijn broeder noemde.'
'Zijn broeder?'
'Zo klonk het in elk geval.'
'Het je een idee wat hij daarmee bedoelt?' vroeg ik.
'Het woord "broeder" is in de taal van de pygmeeën niet echt specifiek gedefinieerd. De manier waarop hij het woord gebruikte, geeft echter aan dat hij doelde op een soort zielsverwantschap tussen jullie. Je moet begrijpen dat dit volk slechts deels in het heden leeft. De andere helft speelt zich af in het rijk der geesten, goden en voorvaderen, in een wereld die ons totaal vreemd is. Allemaal dingen die ons voorstellingsvermogen te boven gaan. Voor Egomo ben jij zijn spirituele broeder, raar of niet.'
'Ik kan me niemand voorstellen waarop deze beschrijving minder van toepassing is dan mijzelf,' gaf ik aan. 'Maar hoe dan ook, het heeft weinig zin me daar nu het hoofd over te breken. Eerst moeten we meer te weten komen over het verwoeste kamp. De gedachte dat Emily daar ergens ligt en op onze hulp wacht, verscheurt me.'

'Neem me niet kwalijk,' zei Stewart Maloney met zachte stem, 'maar ik geloof niet dat die gedachte erg realistisch is. Ik weet dat haar lot je zeer aan het hart gaat, maar je moet het idee dat ze nog leeft uit je hoofd zetten.' Hij legde zijn hand op mijn schouder. 'Stel dat je maanden geleden hetzelfde was overkomen. En stel dat je het had overleefd. Wat had je dan gedaan?'
Ik schudde mijn hoofd. 'Geen idee.'
'Ik zal het je zeggen: je had geprobeerd contact te maken met de buitenwereld. En als dat niet was gelukt, had je geprobeerd hier weg te komen en het dichtstbijzijnde dorp te bereiken. Je was hier zeker niet gebleven, wachtend op het einde.'
Hij glimlachte. 'Kop op, jongen. Als deze Egomo zegt dat ze er niet was, dan geloof ik hem. Hij lijkt een goed stel ogen te hebben en een blonde vrouw is in dit deel van de wereld een sensatie. Hij zou het zich in elk geval herinneren.'
Ik knikte bedenkelijk. 'Ik kreeg het idee dat hij haar kende. Hij reageerde zo vreemd toen haar naam viel. Misschien hebben ze elkaar al eens ergens ontmoet.'
'Alles is mogelijk,' antwoordde Maloney en hij haalde zijn schouders op. 'Maar dat zou mijn theorie ontkrachten dat de lijken niets met haar te maken hebben. Misschien waren dit vermiste hulptroepen of was het een groep stropers die tijdens hun rooftocht werd verrast.'
'Waar ik een groot probleem mee heb, is dat ik nog steeds hoop dat ze daar ergens is.'
Maloney ging staan. 'Lady Palmbridge had helemaal gelijk.' Ik keek hem van opzij aan. 'Waarover?'
'Je hebt nog gevoelens voor haar. Je zult haar niet eerder kunnen loslaten dan wanneer je zekerheid hebt over wat er met haar is gebeurd. Daarom was het een slimme zet van de oude Lady om jou erbij te betrekken. Nog los van je vakkennis natuurlijk,' voegde hij eraan toe. Ik kreeg echter de indruk dat hij dat laatste niet echt meende.
'Als je mij nu wilt verontschuldigen,' zei hij en hij sloeg zichzelf op het bovenbeen. 'Ik moet even dat bosje daar water geven.'
Ik keek hem na en zag hem in het olifantsgras verdwijnen. Ik schudde mijn hoofd. 'Ik moet toegeven dat Maloney voor mij nog steeds

een gesloten boek is. De ene keer is hij aardig, de andere keer hard en afwijzend, dan weer autoritair en dan weer krijg je de indruk dat hij je beste vriend is.'
Sixpence lachte. 'Dat is Stewart ten voeten uit. Ik heb hem nooit anders gekend. En ik ken hem al erg lang.'
Elieshi zweeg, maar de blik waarmee ze de jager nakeek, sprak boekdelen. Ze voelde zich tot hem aangetrokken, dat was duidelijk, en om de een of andere reden ergerde me dat.
'Wat doen we nu?' Ik draaide me naar haar om. 'Wat heeft Egomo nog meer gezegd?'
Elieshi leek mijlenver weg. 'Hm? Ach ja... Egomo.' Ze leek moeite te hebben haar gedachten te ordenen. 'Hij heeft aangeboden ons morgen direct na zonsopkomst naar het verwoeste kamp te brengen.' Ze keek me aan en glimlachte moeizaam.
'Je hebt dus toch de waarheid gesproken,' mompelde ze, terwijl ze op een van haar met kraaltjes versierde staartjes kauwde. 'Je bent er echt van overtuigd dat Mokéle m'Bembé geen fabeldier is?'
'We hebben hem gezien,' zei Sixpence. 'Hij was hier en wij zullen hem vinden.'
Elieshi knikte kort. 'Oké, jongens. Ik denk dat het tijd is dat ik de waarheid te horen krijg, en wel van jou, David.'
'Van mij?'
'Precies. Neem me niet kwalijk, Sixpence, maar David schijnt de scepticus van de groep te zijn en mijn eigen twijfels zijn nog niet verdwenen. Ook wil ik alles weten over de haken en ogen van deze expeditie, als die er zijn.'
Sixpence kon hier niets tegen inbrengen en dus begon ik haar alles te vertellen. Van mijn aankomst op Palmbridge Manor tot de krankzinnige theorie over het erfgoed van de dinosauriërs. Tot mijn verrassing leek Elieshi daar veel minder problemen mee te hebben dan ik. Meerdere keren onderbrak ze mij om wat meer uitleg te krijgen over het een of ander, waarbij ze afwisselend gefascineerd en afwijzend leek. Uiteindelijk begon ze zelfs te lachen. 'Een interessant idee, over het immuunsysteem. Zo gek dat het zelfs waar zou kunnen zijn. Mokéle m'Bembé. De laatste dinosaurus. Als je eens wist

wat die naam bij mij oproept. Ik geloof dat er in dit land geen kind is dat dit dier niet eens zou willen zien. In veel gebieden heeft hij de status van een god. Zijn naam is omgeven door een aura van angst en fascinatie, bijna onvoorstelbaar, en dat al honderden jaren.' Ze schonk zichzelf een glas wijn in. 'Ik weet niet wanneer de legende van het monster van Loch Ness werd geboren, maar Mokéle m'Bembé is ouder, dat kan ik jullie verzekeren. En nu beweren jullie dat jullie hem hebben gezien.' Ze schudde haar hoofd.
'Emily heeft hem in elk geval gezien, en zelfs gefilmd,' zei ik. 'Waarom denk je dat die video-opnamen zo'n grote waarde hadden voor Lady Palmbridge? Ze was ervoor bereid letterlijk over lijken te gaan. Waarschijnlijk was de dorpsbewoners van Kinami iets nog ergers overkomen als ze de opnamen hadden kunnen zien. Het was voor hen een geluk bij een ongeluk dat de afspeelfunctie van de camera defect was. Als de dorpsbewoners hadden gezien wat wij hebben gezien...,' ik schudde mijn hoofd.
'Het lot van deze mensen gaat je echt aan het hart. Dat verbaast me. Jullie blanken interesseren je in het algemeen niet zo voor de belangen van mijn volk.'
'Niemand had hoeven sterven als vanaf begin open kaart was gespeeld. Wat mij zo irriteert, is...' Verder kwam ik niet, want toen stond Maloney weer naast ons. Iets in zijn houding vertelde me dat we in groot gevaar verkeerden.

Egomo werd badend in het zweet wakker. Hij trilde over zijn hele lichaam. Nog steeds dacht hij de pijn van de messcherpe tanden te kunnen voelen die zich in zijn vlees hadden geboord. Hij bekeek zijn lichaam en betastte het. Onder het verband voelde hij dat alles er nog zat. De goden zij dank was het maar een droom geweest. De angst en het gevoel van dreiging waren er echter nog. Zijn zintuigen waren gespitst. Hij ging rechtop zitten en zocht iets om zich aan vast te houden. Zijn schouder stak zo erg dat de tranen hem in de ogen sprongen. Hij zakte bijna in elkaar toen een golf van pijn door zijn lichaam trok. Hij klampte zich vast aan een van de voorraadkisten, sloot zijn ogen en wachtte tot de pijnaanval voorbij was. Na drie keer

diep ademen had hij zichzelf weer onder controle. En toen voelde hij het weer. Daarbuiten was iets.
Iets groots.
Hij keek om zich heen. Had hij zijn wapen maar niet verloren. Het enige dat hij nog had, was dat stompe hakmes, dat hij eeuwen geleden had geruild voor twee duikerantilopen. Een belachelijk wapen, nog geen vijf vingers breed. Hij moest denken aan die ogen die hem in zijn droom hadden aangestaard, die grasgroene ogen, zo groot als schoteltjes, en hij wist dat hij met dit wapen geen schijn van kans had.
Toen zag hij een open kist waarin allerlei werktuig lag. Zijn blik viel op een mes dat zo lang was als zijn onderarm. Zou hij dat misschien mogen lenen? Hij stak zijn hand in de kist en liet zijn duim voorzichtig over de snijkant glijden. Scherp, stelde hij tevreden vast, een goed mes. Hij moest het gewoon meenemen, ook al mocht het niet van de anderen. In deze situatie kon hij niet anders. Hij klemde zijn tanden op elkaar en verliet de tent.

'Maak het vuur uit, direct!'
Nog voordat ik begreep wat er aan de hand was, had Sixpence een emmer water over het vuur leeggegooid. Binnen een seconde zaten we in het pikkedonker.
Ik zat als versteend op mijn krukje, niet in staat om iets te zeggen of me te bewegen. Langzaam zag ik de details van onze omgeving, en een detail alarmeerde me enorm. De pygmeeënstrijder was wakker. Hij stond ongeveer tien meter van ons vandaan aan de rand van het water, met ons broodmes in zijn hand, en staarde over het water.
Niemand had gezien of gehoord dat hij uit de tent was gekomen. Hij leek wel een schaduw, en net als bij Maloney werd zijn aandacht getrokken door iets in het water. Ik rekte mijn hals om meer te kunnen zien, maar ik zag alleen maar wat vage schimmen. Dat kon van alles zijn. Bomen, struiken of mistflarden. In deze duisternis zag elke vorm er bedrieglijk uit, maar ik probeerde rustig te blijven. Na twaalf jaar intensief academisch onderwijs had ik een denkmechanisme ontwikkeld dat zelfs onder deze bizarre omstandigheden nog

feilloos functioneerde en probeerde alles verstandelijk te verklaren. Op dat moment scheurde de hemel open en wierp de maan een zilverkleurige straal over het water. Mijn pols versnelde en ik hield mijn adem in. Het licht was zo bovenaards helder dat het hele meer in het licht leek te baden. Niets leek aan deze koude weerschijn te kunnen ontsnappen. Maar hoe ik ook mijn best deed om iets te zien, er was helemaal niets. Alleen wat luchtbellen die vanuit het midden van het meer omhoog borrelden en concentrische ringen over het water verspreidden. Ik ademde uit. Vals alarm. Wat die twee jagers ook gezien dachten te hebben, ze moesten zich hebben vergist. Ik wilde net weer ontspannen achterover leunen toen ik Maloney zag. Mij werd duidelijk dat het gevaar nog niet was geweken. Hij had zijn verrekijker gepakt en tuurde in de nacht.
'Wat is er met hem aan de hand?' hoorde ik Elieshi fluisteren.
'Geen idee,' antwoordde ik. 'Maar als daar iets is geweest, dan is het nu weer weg.'
'Stil jullie,' siste Sixpence. 'Het is er nog steeds. Stewart vergist zich nooit.'
'Maar daar is toch niets,' fluisterde ik terug. 'Alleen wat luchtbellen. Dat kan van alles zijn.'
'Niet hier.'
Op dat moment liet Maloney de verrekijker zakken. 'Six, houd op met snateren en pak de camera.'
'Natuurlijk, de camera. Wat ben ik toch een idioot!' De aboriginal sprong op en rende naar de bewakingscamera. Ik hoorde hoe de elektromotor begon te snorren terwijl hij de dvd terugspoelde. Na wat zoeken leek hij te hebben gevonden wat hij zocht. Ik hoorde een klikje toen hij op de knop voor de afspeelfunctie klikte. Daarna hoorde ik een tijdlang niets meer.
'Six, is er wat te zien?'
'O mijn god,' hoorde ik hem mompelen. 'Dit is onmogelijk. Kom hier iedereen, dit moeten jullie zien.'
In een mum van tijd stonden we allemaal om hem heen en keken om de beurt. Eerst Maloney, daarna Elieshi en ik als laatste. De tijd kroop voorbij totdat ik eindelijk mijn oog tegen de plastic ring van het ocu-

lair mocht drukken. Eerst zag ik alleen maar groene ruis, wat werd veroorzaakt door de lichtversterkende optiek van de nachtkijker. Maar toen verscheen er een gestalte in de elektronische sneeuw. Een vorm die mij angstaanjagend bekend voorkwam. Het was een enorme, glanzende rug, die helemaal bedekt was met stervormige vlekken. Net zo snel als hij was opgedoken, was hij ook weer verdwenen.
'Jezus!' liet ik me ontvallen. Ik moest de opname een keer terugspoelen en opnieuw bekijken voordat ik ervan overtuigd was dat het echt was wat ik had gezien. Nee, hier was geen vergissing mogelijk. Het wezen was er, ik zag het met eigen ogen, en het was verdomde dichtbij. Het ergste was dat Maloney en Egomo, die bovennatuurlijke zintuigen leken te hebben, het pas hadden gemerkt toen hij alweer verdwenen was. Hoe was het beest erin geslaagd om zo ongemerkt dichtbij te komen?
Ik hief mijn hoofd en keek in de bange gezichten van mijn collega's.
'Wat moeten we nu in godsnaam doen?' mompelde ik.
Maloney was de enige die nog kalm was. Zijn stem klonk rustig en beheerst.
'Vanaf nu zullen we de hele nacht waken,' besloot hij. 'In twee groepen, we wisselen elkaar om de drie uur af. Maar voordat we daarmee beginnen, zullen we de foto-elektrische beveiliging en de automatische schietinstallatie opbouwen. Dom dat we dat niet direct hebben gedaan. Hemel nog aan toe, hij stond bijna bij ons in de tent. Hoe kan zoiets groots zo stil zijn? David, help Sixpence aan de rechterkant, ik en Elieshi gaan naar links. Hij moet een meter vijftig hoog zijn, met een omtrek van minstens honderd meter. Ik wil op tijd gewaarschuwd worden als er iets in de buurt komt.' Hij balde zijn vuisten zo hard dat ze knakten. 'Verdomme! We waren veel te lichtzinnig. Nog zo'n fout en we zijn allemaal dood!'

20

Zondag 14 februari

De ochtend kroop als een vale, grijze schemering mijn tent binnen. De paar uurtjes die ik na mijn wachtdienst nog had kunnen slapen, waren gevuld geweest met dromen van gigantische slangen en hagedissen, zonder twijfel een reactie op onze nachtelijke verschijning. Intussen bleef wat we hadden meegemaakt nog wat onwerkelijk. Had ik echt dat legendarische monster gezien dat volgens de overlevering hele rivieren kon stoppen? Of was het een waanvoorstelling geweest? Misschien een verdwaalde maanstraal die zich had gebroken op een nat, druppend blad of de rug van een nijlpaard? Wat het ook was geweest, het had ons team goed wakker geschud.
Ik trok de rits open en keek naar buiten de druilerige wereld in. Het was vannacht behoorlijk afgekoeld. De vochtige lucht boven het meer had zich tot een dichte mist gecondenseerd. Het hield de vliegende bloedzuigers wel uit de buurt, maar bracht weer andere problemen met zich mee. We waren praktisch blind. Hoe moesten we ons doel nu zien? Wie kon zeggen of Mokéle m'Bembé niet precies op dit moment zin had in een paar avonturiers? Ik dacht weer aan de omheining met de automatische schietinstallatie, maar zou die ons op tijd waarschuwen, laat staan een reptiel van die afmetingen tegenhouden? Vraag na vraag, waarop mijn vermoeide geest geen antwoord kon geven.
Eerst moest ik opstaan. Dus glipte ik in mijn halflange sportbroek, trok mijn wandelsandalen aan en liep op wankele benen naar het kampvuur in de hoop dat iemand al een pot sterke koffie had gezet. Tot mijn grote verrassing zag ik dat iedereen al wakker was. Ze stonden bij een apparaat dat eruitzag als een combinatie van een autoaccu en een Samsonitekoffer.
'Ach, Mr. Astbury is ook wakker,' begroette mij een verbazend goedgeluimde Maloney. 'Eindelijk. Heb je de afgelopen nacht nog wat

kunnen slapen? We hebben je extra lang laten liggen, zodat je goed bent opgewassen tegen de spannende dag die komen gaat. Kom hier eens kijken.'
Ik pakte snel een kop koffie en een stuk brood en ging bij de anderen staan. De pygmee was in geen velden of wegen te bekennen. Elieshi zat op haar knieën voor het apparaat en was net bezig de accu door middel van een kabel te verbinden met een aparte, kegelvormige doos. Maloney legde zijn hand op mijn schouder. 'Kom gerust dichterbij,' wenkte hij. 'Een fascinerend apparaat,' zei hij, wijzend op de witte kunststofkegel. 'Dat is de microfoon. Hij kan infrasone geluiden, bijvoorbeeld van olifanten, opvangen. Hij is verbonden met een versterker en een frequentiefilter, die de tonen versturen naar een notebook, zodat ze zichtbaar kunnen worden gemaakt.'
'Infrasoon?'
'Is het begrip je niet bekend, professor?' Elieshi knipoogde vrolijk. 'Nu stel je me teleur. Ik dacht dat jij alles wist. Olifanten maken zich, net als andere grote zoogdieren, over grote afstanden verstaanbaar door middel van infrasone geluiden. De geluidsgolven liggen onder de menselijke gehoorgrens, zodat we hun taal pas in 1984 ontdekten. De eerste test met dit apparaat vond plaats in Namibië in 1999. Sindsdien is het ELP, zoals het Elephant Listening Project kortweg heet, een vast onderdeel van het programma om de soort te beschermen.'
'Hoe dan ook,' ging Maloney verder. 'Als dit apparaat infrasone golven kan opvangen, is het zeer geschikt voor ons. Herinner je je nog die berichten over de geluiden die Mokéle m'Bembé zou uitstoten?'
Ik knikte. 'Zeer diepe tonen, die tot ver te horen waren.'
'Precies. Zeer waarschijnlijk zijn die tonen slechts een fractie van het totale klankenspectrum. Als we het apparaat gisteren al zouden hebben gehad, waren we waarschijnlijk gewaarschuwd door een vuurwerkshow aan geluiden. Maar wat niet is, kan nog komen,' zei hij. 'In elk geval is onze collega er nu druk mee bezig om het apparaat gebruiksklaar te maken. Misschien kunnen we zo alvast wat registreren voordat we weer terugkomen.'
'Je bent dus nog steeds van plan om naar het grasland te gaan?'

'Die vraag verbaast mij,' antwoordde Maloney. 'Ik dacht dat je niet zou kunnen wachten tot we er waren.'
'Dat klopt,' gaf ik toe. 'Ik zal me gaan aankleden.' Ik had het nog maar net gezegd toen ik iets in de bosjes zag bewegen. Egomo was er weer. Hij stond achter de omheining en gebaarde ons hem te volgen.
'Doe dat,' zei Maloney. 'Je hebt vijf minuten. En vergeet je laarzen niet. Ik heb zonet een gabonadder gezien, daar achter het olifantsgras.'

Ongeveer twee uur laten zaten we midden in de jungle. Egomo liep voorop, gevolgd door mij en Sixpence, terwijl Elieshi en Maloney de rij sloten. De smaragdgroene lucht was gevuld met de geluiden van talloze oerwoudbewoners. Hun gefluit, gekwetter en gegrom pulseerde, zwol aan tot een hels crescendo, waarna het verstomde en weer opnieuw begon. Het leek bijna alsof de klanken een eigen leven leidden.
Door het dikke bladerdak viel hier en daar een glinsterende lichtstraal naar beneden die het schemerlicht bij de grond doorbrak en een blad, bloem of een knalbonte parasietplant streelde en in het licht zette. Helaas had ik geen tijd om alles goed te bekijken, want onze gids haastte zich ondanks zijn verwondingen met een adembenemend tempo door het kreupelhout. Daarbij bewogen zijn voeten zo snel dat ze voor mijn ogen bijna in elkaar over leken te lopen. Ik had moeite hem te volgen en meerdere keren werd hij door de schemering opgeslokt. Waren we hem echt kwijtgeraakt, dan was dat rampzalig geweest. Ik had mijn vaders kompas wel bij me, een erfstuk dat ik altijd overal mee naartoe nam, maar dat had ons niet kunnen helpen. Het oerwoud zag er overal hetzelfde uit. Er waren geen herkenbare paden of wegen, geen oriënteringspunten, er was zelfs geen zon om ons te helpen. Gelukkig wachtte Egomo steeds op ons, ook al ergerde hij zich aan onze traagheid. Hij stond dan op ons te wachten, schudde zijn hoofd en mompelde wat. Ik had bewondering voor hoe perfect hij qua kleur en lichaamsbouw in het regenwoud paste. Ondanks zijn verwondingen waren zijn bewegingen soepel. Zijn voeten leken elke hindernis al van verre te zien en moeiteloos te omzeilen. Vaak bleef hij

even staan luisteren in de schemering, terwijl zijn lichaam helemaal verstarde. Dan leek hij eerder op een stuk hout dan op een mens.
'Deze jungle is verschrikkelijk,' hoorde ik Sixpence naast me verzuchten, toen we weer even pauzeerden. 'Alles hier is leugens en bedrog.'
'Hoe bedoel je?'
'Heb je die boa constrictor niet gezien die bijna je gezicht aaide?'
'Dat was toch een liaan?'
Sixpence schudde zijn hoofd. 'Zie, dat bedoel ik nou. Niets is hier wat het lijkt. Kijk deze tak maar eens.' Hij wees op een dor twijgje dat midden op een groene struik lag en licht trilde. Terwijl ik me afvroeg wat die beweging zou kunnen veroorzaken, kwam plotseling een verlengstukje tevoorschijn, dat door de lucht zweefde en een greep naar voren deed. Toen nog meer ledematen zich in beweging zetten, zag ik dat dit een perfect gecamoufleerd insect was.
'Een carausius,' mompelde ik.
'Ik zei het toch: allemaal leugens en bedrog.'
Ik staarde naar de wandelende tak: 'Maar dat is toch het dominante principe van de natuur: iedereen tegen iedereen, en degene met de beste trucjes wint.'
Sixpence schudde lachend zijn hoofd. 'Dat zeggen mensen die hun hele leven met de neus in de boeken hebben gezeten.'
'Dat heb ik helemaal niet,' antwoordde ik. 'Toen ik vijf was, kort na de dood van mijn moeder, heeft mijn vader me meegenomen op reis. Hij was ook bioloog. We hebben bijna twee jaar in Tanzania gewoond, aan de voet van de Kilimanjaro.'
'Dus dit is niet je eerste keer in Afrika?'
Ik schudde mijn hoofd. 'Maar het is lang geleden. Mijn moeder was net overleden, en ik had het gevoel alsof iemand mijn leven had afgepakt. Terugkijkend klinkt het erg naïef, maar toen heb ik geleerd een bepaalde nederigheid te hebben in het oog van de schepping.'
'Een instelling die ik van harte deel,' zei Sixpence. 'Kijk maar naar Stewart en mij. Wij lijken erg op elkaar, en dat hoewel ik ben opgevoed in de traditie van mijn voorouders en Stewart een ras protestant is.'
Ik fronste mijn wenkbrauwen. 'Waarom voelt hij dan zo'n sterke behoefte Gods schepselen op deze aarde om te leggen?'

'Dat heeft te maken met de andere helft van zijn opvoeding. Als kind uit een gezin met zeven kinderen en een strenge, despotische vader kon hij niet anders dan hardvochtig worden. Hij is een gespleten persoon. De sterkste wint – dat is zijn motto. "Bevolkt de aarde en onderwerpt haar," dat is zijn filosofie. De jacht is zijn tweede geloof, en je doet er goed aan niet in zijn vaarwater te komen als hij zijn prooi in het vizier heeft.'
'Ach ja, de erotiek van het doden. Daar heeft hij al iets over verteld. Maar die filosofie past helemaal niet bij jou. Wat is jouw rol daarin?'
Sixpence keek me indringend aan. Het leek alsof hij probeerde te achterhalen of ik zijn antwoord wel zou begrijpen. 'Ik ben hem door bloedschuld veel verplicht,' antwoordde hij aarzelend. 'Hij heeft mij meerdere keren het leven gered en ik zal zo lang aan zijn zijde blijven tot ik die schuld heb ingelost.'
'Hebben die littekens op zijn armen daar iets mee te maken?'
Sixpence lachte en schudde zijn hoofd. 'David, je bent een aardige kerel, maar soms ben je net wat te nieuwsgierig. Ik heb het al een keer gezegd: als Stewart er niet over wil praten, dan is dat zijn goed recht. Ik kan je alleen vertellen dat het om de littekens van de zielen van overleden vrienden gaat. Vrienden die hij in de loop van zijn leven heeft verloren. Dat moet je als verklaring volstaan. En als ik je een goede raad mag geven: begin er verder niet meer over.'
Op dat moment zette Egomo zich weer in beweging. De pauze was voorbij. Ik stond verward op en volgde de pygmee verder het ondoordringbare groen in.
Het duurde niet lang voordat ik merkte dat het bos minder dicht werd. Er kwamen steeds meer gaten in bladerdak, waardoor het zonlicht nu ongehinderd op de grond viel. Na een paar honderd meter hadden we de bosrand bereikt.
'Daar zijn we dan,' hijgde Sixpence. 'Dit is dus het grasland. Van hieruit gezien is het nog indrukwekkender dan vanuit de lucht. Het ziet eruit alsof het is gemaaid, alsof iemand een enorm stuk bos heeft gekapt.'
Elieshi schudde haar hoofd. 'Nee, het is een natuurlijk fenomeen. Hier is niet altijd oerwoud geweest.'

'Echt waar?'
'Ja, het is nog niet zo lang geleden. Misschien twee- tot drieduizend jaar geleden, toen zag het land eruit zoals dat daar.' Ze wees naar de vlakte. 'Door het droge, koele klimaat was dit grasland, met hier en daar een groep bomen. In die tijd leefden hier nog olifanten, neushoorns en giraffen. Toen werd het klimaat vochtiger en warmer. Het oerwoud breidde zich uit en overwoekerde het gras. Er zijn theorieën dat een aantal diersoorten door het bos werd ingesloten en geen kant meer op kon. De dieren moesten wennen aan een leven in het halfdonker. Bijvoorbeeld de okapi.'
Maloney schoof zijn hoed in zijn nek. 'Ik heb me altijd al afgevraagd hoe zo'n steppebewoner in het oerwoud terecht is gekomen. Klinkt logisch. Maar we hebben nu wat anders te doen dan te discussiëren over klimaatveranderingen. Kun je Egomo vragen hoe ver het nog is?'
Het antwoord van de pygmee was kort en krachtig.
'Het is niet ver meer,' vertaalde Elieshi. 'Hij zegt dat je het al kunt ruiken.'
We staken onze neuzen in de lucht – en warempel, daar was wat. 'Verbrand vlees,' zei Maloney. 'Er is niets dat zo ruikt. Kom op!'

21

Een kwartier later waren we bij het kamp aangekomen. Het zag er heel anders uit dan ik me had voorgesteld. Ik begon te betwijfelen of het wel een goed idee was geweest om hier naartoe te komen. Geen enkel beeld, hoe gruwelijk ook, had de sfeer kunnen beschrijven die hier hing. Ik drukte mijn zakdoek tegen mijn mond en liep aarzelend door het verwoeste kamp. We zagen verschillende lijken, vreselijk verminkt. Overal lagen gestalten in vreemde bochten gedraaid, met de ingewanden uit hun buik gerukt en ontbrekende lichaamsdelen, waardoor het moeilijk was te bepalen hoeveel slachtoffers er waren geweest. Ik dacht minstens zes lijken te tellen, maar het konden er ook een of twee meer zijn. Overal lagen gebruiksvoorwerpen, ingedeukt, kapot en verscheurd, met sporen van een vuur dat alles wat niet verwoest was, had verkoold. Een vernielde Toyota Landcruiser verborg de vreselijke verwoesting die erachter lag. Kapotte tenten waarvan de stangen als dode vingers omhoog staken, lagen naast ingedeukte proviandkisten, waarvan de inhoud achteloos over de grond verspreid lag. Stoelen, pannen, blikken en wapens lagen, bedekt met een laagje as en modder, op de grond.

Veel erger waren de verbrande lijken, die al in verre staat van ontbinding verkeerden en enorm stonken. Een aantal had al tot feestmaal van diverse roofdieren gediend.

Aan de rand van het kamp vond ik een lijk dat alleen nog met veel fantasie als menselijk kon worden aangemerkt. Het gezicht van een man, inclusief de ogen, was eraf gerukt, zodat alleen zijn rode, glanzende dodenschedel mij aangrijnsde. Dat was me teveel. Mijn maag kwam in opstand en ik rende een paar stappen het gras in om over te geven. Ik wilde niet dat de anderen me zagen.

'Mijn god,' stotterde ik toen ik mijn maag had geleegd. Ik veegde de laatste etensresten uit mijn gezicht. Mijn benen voelden aan als boter.

'God heeft hier niets mee te maken gehad,' zei Maloney, die ongemerkt achter me was komen staan. 'Hij was er niet toen dit gebeurde. Er was

niemand die deze arme zielen had kunnen helpen. Ze waren helemaal alleen.' Hij spuugde op de grond. 'Voel je je weer wat beter?'
Ik ging rechtop staan. 'Het gaat wel. Het is de geur.'
'Hier, neem dit maar,' zei hij en trok een blad van een stekelige plant. Hij wreef het fijn tussen zijn vingers. 'Wikkel dat in je zakdoek. Het helpt de stank wat te verdoezelen.'
Inderdaad steeg de frisse geur van munt in mijn neus omhoog en mijn maag kwam weer wat tot rust.
'Beter?'
Ik knikte.
'Goed, kom mee. Misschien kunnen we erachter komen wat hier is gebeurd.' Hij haalde zijn digitale camera tevoorschijn en begon de details van de verwoesting vast te leggen.
Sixpence voelde zich net zo ellendig als ik. 'Dit was het werk van Mokéle,' mompelde hij. 'Er bestaat geen ander wezen dat een troep zwaarbewapende soldaten zo gemakkelijk kan afslachten. Geen luipaarden, geen nijlpaarden, zelfs wilde olifanten hadden dit niet gekund.'
Het woord afslachten beviel me absoluut niet in deze context en ik merkte dat mijn maag weer verkrampte. Maar ik moest hem gelijk geven. Het waren inderdaad soldaten. Waarschijnlijk de groep die Emily's verdwijning had moeten oplossen.
'Congolese regeringstroepen,' concludeerde Elieshi toen ze het uniform van een van de slachtoffers had bekeken. 'Dat daar lijkt de commandant te zijn geweest.'
'De ramp moet zich hebben voltrokken kort voordat Egomo hier voor het eerst langskwam,' zei Maloney. 'Misschien tijdens dat vreselijke onweer, als we zijn verhaal moeten geloven.'
'Ik begin het zo langzamerhand eens te worden met Stewart,' mompelde Sixpence. 'We zouden de wereld een groot plezier doen door dit monster te doden.'
'Sergeant Gérard Matubo,' las ik op een met bloed besmeurd naamplaatje. 'Derde infanterieregiment Djambala. Nu hebben we in elk geval een naam. Als we die vergelijken met de lijst van verdwenen soldaten, weten we het zeker.'

'Die lijst hebben we niet nodig. Ik heb de bevelschriften en het dagboek gevonden,' riep Maloney. We haastten ons naar hem toe. Hij stond over een metalen kist gebogen die eruitzag alsof er een vrachtwagen overheen was gereden. 'Hier staat alles in. Vanaf het moment dat ze de videocamera en verscheidene bandjes vonden in Kinami en die per koerier naar Brazzaville stuurden tot...,' hij keek op, '... tot de ontdekking van het verlaten kamp van Emily Palmbridge aan het meer. Het staat hier zwart op wit. Emily Palmbridge. Dat is ons eerste concrete aanknopingspunt. Nu hebben we eindelijk een spoor. Wacht even, zei Egomo niet iets over een tweede kamp?'
'Ja, hij heeft het er wel over gehad,' zei Elieshi. 'Het zou direct aan het meer liggen, ongeveer vier kilometer van ons kamp vandaan.'
'We moeten er zo snel mogelijk naartoe.' Maloney bestudeerde de papieren. 'Het lijkt alsof de soldaten bij het doorzoeken van het tweede kamp werden verrast door het monster. Bij de vlucht landinwaarts is hun radio kapot gegaan. Misschien werd het door Mokéle verwoest, dat kan ik niet zo goed meer lezen op de verkoolde bladzijden. Hier wordt steeds gesproken over een *ombre menaçante...*'
'Een bedrieglijke schaduw,' fluisterde Elieshi.
'... die hen vanaf het meer hiernaartoe is gevolgd. Wat dat betekent, weten we allemaal. Sergeant Matuba heeft daarna het grootste deel van zijn manschappen opdracht gegeven zich hier te verschansen, terwijl zijn twee beste mannen te voet zouden proberen via het grasland het dorp Ozéké te bereiken om hulp te halen. Dat was...,' hij keek op zijn horloge, '... bijna drie weken geleden.'
Maloney schudde zijn hoofd, terwijl hij het boek en de papieren die niet al te beschadigd waren, in zijn schoudertas stopte. 'We kunnen er wel van uitgaan dat die poging is mislukt en dat geen van beide het gered heeft. Waarschijnlijk liggen hun lichamen ergens daar buiten en worden ze nu afgekloven door roofdieren. Intussen had de rest zich hier ingegraven en heeft meer dan twee weken lang op hulp gewacht.'
'Die nooit is gekomen. In plaats daarvan kwam de dood,' vulde ik hem aan. Met een flauw gevoel in mijn maag liep ik nog een keer over de onheilsplek. De voormalige omheining van het kamp was nog goed te

zien. De soldaten hadden een anderhalve meter hoge muur opgeworpen met een diameter van zo'n tien meter. Van de muur was bijna niets meer over. Behalve op een plek aan de noordkant was de muur bijna helemaal weggeslagen. Verrassend genoeg lagen de meeste lijken buiten de cirkel, wat misschien te wijten was aan het feit dat ze door roofdieren het hoge gras in waren getrokken.

'Wat moeten we doen met de lichamen?' hoorde ik Elieshi vragen.

'Ik stel voor benzine over ze heen te gieten en ze te verbranden,' zei Sixpence. 'Dat is misschien niet echt eerbiedig, maar toch nog steeds beter dan ze over te laten aan de vreetlust van de luipaarden.'

'Die deze plek zeer zeker snel zullen vinden,' zei Maloney. 'Het is een wonder dat ze er nog niet zijn, met zo'n aantrekkelijk geurtje. Waarschijnlijk weerhoudt onze aanwezigheid hen ervan om de buit te vechten. Maar hoe lang nog? We moeten hier zo snel mogelijk weg.'

Ik luisterde maar met een half oor naar het gesprek, want ik was te veel bezig met de vraag die al een paar uur door mijn hoofd spookte. Er klopte iets niet aan dit kamp. Er waren een paar dingen die niet goed in het beeld pasten.

'Ik zal benzine gaan zoeken. Astbury, help jij Sixpence met de lichamen?'

'Hm?'

Maloney schraapte ongeduldig met zijn voet over de grond. 'De doden. Ze moeten op elkaar worden gestapeld.'

'Nog eventjes.' Ik merkte dat mijn argwaan steeds groter werd. Ik ging in het midden van het kamp staan en voelde de grond. De plek was in tegenstelling tot de omgeving veel dieper. Ik dacht ook cirkelvormige sporen te kunnen zien, die hier begonnen en naar buiten uitwaaierden. De hele kring zag eruit als... een krater.

'Mr. Astbury, we wachten op u!'

'Ik heb het vermoeden dat Mokéle m'Bembé geen schuld heeft aan deze tragedie.'

'Wat zeg je?'

Plotseling waren alle ogen op mij gericht.

Ik ging staan en liep naar de rand van de muur. De aanwijzingen waren eensluidend.

'Als ik de sporen goed lees, is hier iets heel anders gebeurd,' begon ik langzaam. 'Kijk maar eens naar de omheining. De muur die de soldaten hebben opgeworpen, is naar buiten gedrukt en niet naar binnen, zoals bij een aanval van buitenaf te verwachten is. Kijk zelf maar.'
Sixpence volgde mij en schudde zijn hoofd. 'Dat kan ook wat anders betekenen. Misschien is het monster in het kamp gesprongen en heeft hij in de daaropvolgende strijd de grond naar buiten gedrukt.'
'Zonder voetafdrukken achter te laten? Dat zou zelfs een legende als Mokéle niet lukken.' Ik liep naar een van de doden. 'Kijk toch eens hoe de lichamen liggen. Allemaal buiten de cirkel, alsof ze naar buiten zijn geslingerd. Volgens mij is hier een explosie geweest, en wel een erg krachtige. Waarschijnlijk is hun voorraad TNT de lucht in gevlogen. Misschien heeft een van de soldaten te dicht bij de kist met springstof een sigaretje staan roken, wie weet? Kijk maar eens goed naar de lichamen. De meeste hebben brandwonden op hun rug en achterhoofd. Helaas hebben we niet genoeg tijd en middelen om ze te onderzoeken op kruitsporen, maar ik wed dat we iets zouden vinden.'
Maloney wees naar de omgevallen Toyota. 'En hoe past die in het plaatje?' Hij wees op de ingedrukte deur, die duidelijk met veel geweld door een grote poot was ingetrapt. 'Als onze vriend hier niet is geweest, wie heeft die afdruk dan achtergelaten?'
Ik moest toegeven dat ik dat niet kon verklaren. Ik had alleen een paar aanwijzingen en mijn intuïtie. 'Ik weet het niet,' gaf ik toe. 'Maar een ding weet ik wel: we moeten niet te snel oordelen, pas nadat we over meer feiten beschikken.'
Maloney snoof. 'Dat zie ik anders. Voor mij is de zaak duidelijk. Eerst moeten we nog zorgen voor een gepaste crematie, dan gaan we terug en gaan we op zoek naar het tweede kamp.'

Het was al middag toen we de schamele overblijfselen van het kamp aan het meer bereikten. Mijn aanvankelijke euforie dat we eindelijk een aanknopingspunt hadden over de verblijfplaats van mijn jeugdliefde maakte weldra plaats voor een deprimerend besef. Na slechts een paar minuten werd me duidelijk dat hier niets meer te vinden

was. Het spoor was koud. De soldaten hadden de omgeving zorgvuldig uitgekamd en alles meegenomen wat ze belangrijk vonden.
Ik was erg teleurgesteld. Lusteloos porde ik wat in de grond, zonder enige hoop iets te vinden. Mijn gedachten begonnen af te dwalen en ik dacht aan het gesprek met Maloney.
Hoe kon hij zo bekrompen zijn? Hij was er vast van overtuigd dat Mokéle de schuld was van de ramp. Het was altijd hetzelfde: mensen zagen alleen maar wat ze wilden zien. Zelfs ervaren mannen als hij vormden daarop geen uitzondering. Waarom begreep hij niet dat mijn ontdekking belangrijk kon zijn? Die wierp nieuw licht op het dier waar we naar op zoek waren en op wat zich hier echt had afgespeeld. Ik probeerde de gespannen sfeer te ontvluchten om mijn hoofd weer leeg te krijgen en liep van de anderen weg. Ik voelde me niet helemaal op mijn gemak toen ik door de begroeiing langs de oever liep en probeerde geen dieren op te schrikken. Maar ik wilde even alleen zijn. Terwijl ik nadacht over wat er tot nog toe was gebeurd, kwamen plotseling flarden zinnen mijn kant op drijven. Ik volgde de stemmen en hoorde dat het Maloney en Sixpence waren, die zich ook even hadden afgezonderd. Ze waren met elkaar in gesprek, en de toon klonk ernstig. Nieuwsgierig kroop ik dichterbij, tot ik de stem van Sixpence duidelijk kon horen: '... vind dat je met je vingers van haar af moet blijven.'
'Wat gaat jou dat aan. Ben jij mijn chaperonne of zo?'
'Natuurlijk niet, maar ik ben je vriend en de enige die jou af en toe zijn mening durft te geven. En daarom vraag ik je: is het serieus of is het gewoon een pleziertje?'
'Ik wist niet dat dit jou interesseerde.'
'Het interesseert me wel degelijk. Ik was erbij toen je vrouw en je zoontje bij die bosbrand om het leven kwamen. Ik was erbij toen je zwoer nooit meer van een vrouw te kunnen houden. Je weet dat ik die eed altijd grote onzin heb gevonden en dat ik enorm blij zou zijn geweest als je een nieuwe liefde zou hebben gevonden, maar dat hoeft toch niet per se Elieshi te zijn?'
'En waarom niet?' vroeg Maloney.
'Ze is veel te jong voor jou. Een groen blaadje, ze had je dochter kun-

nen zijn. Je houdt niet van haar en je brengt ons op deze manier allemaal in gevaar.'
'Onzin.'
'Geen onzin. Is jou niet opgevallen dat die jonge Astbury ook wat voor haar lijkt te voelen?'
Dat had ik totaal niet verwacht. Ik dook omlaag. Elieshi en ik? Dat was toch volkomen idioot. Als Sixpence bepaalde gevoelens tussen ons had opgemerkt, dan wist hij meer dan ik. Toch was mijn interesse gewekt. Ik was inmiddels zo dichtbij gekomen dat ik tussen de grasprieten door een blik op de twee mannen kon werpen. Maloney was gaan zitten en had zijn hoed in zijn nek geschoven. Hij liet het zonnetje op zijn gezicht schijnen.
'Die twee? Die kunnen elkaar niet uitstaan, dat ziet zelfs een blinde. Het zou Astbury niets uitmaken of we iets zouden hebben of niet. In tegenstelling tot jou, lijkt mij.'
Sixpence mompelde kwaad wat voor zich uit. 'Je hebt geen enkel greintje mensenkennis. Heb je nooit gehad en zul je nooit krijgen ook, anders was het je allang opgevallen dat die zogenaamde wrijvingen tussen die twee gewoon tekenen van genegenheid zijn. En ik zal je nog iets vertellen: we kunnen ons geen hanengevechten veroorloven. Niet bij wat er hier al op het spel staat.'
Ik moest even diep in- en uitademen. Dat was toch belachelijk! Ik was absoluut niet geïnteresseerd in die nukkige biologe. En het was duidelijk dat ze zich tot Maloney aangetrokken voelde. Terwijl ik nog na zat te denken over die verwarrende bewering, was de Australische jager gaan staan.
'Ik zal je vertellen wat hier aan de hand is,' zei hij dreigend. 'Jij bent jaloers, dat is alles. Jij wilt die kleine gewoon voor jezelf, nietwaar?' Hij lachte schamper. 'Nou, ga je gang. Dat zou pas echt interessant zijn. Ik zou de laatste zijn om een goed gevecht uit de weg te gaan; dat zou jij toch wel moeten weten met al die mensenkennis van je.'
'Jaja, zolang jij maar plezier hebt. Wat anderen van je denken, dat heeft je toch nog nooit geïnteresseerd.'
Ik hoorde dat Maloneys stem killer werd. 'Als het je hier niet bevalt, dan ga je toch gewoon. Ik kan het hier ook wel in mijn eentje af.'

'Ik kan niet weg, en dat weet je net zo goed als ik.'
'Hemel nog aan toe, hou toch eens op met dat eeuwige gezeur over jouw eed. Telkens als wij eens een meningsverschil hebben, kom je weer met dat oude verhaal op de proppen. En dan moet ik me weer schuldig voelen. Ik heb er geen zin meer in, snap je? Het hangt me de keel uit, dat morele gezwets van jou. Ga weg, ik bevrijd je van je gelofte.'
'Dat kun je niet,' hoorde ik Sixpence mompelen. 'Dat kan ik zelf niet eens.'
Na een lange stilte zei Maloney: 'Oké, blijf dan maar.' En na nog een pauze voegde hij eraan toe: 'Als ik eerlijk ben, betekent die kleine helemaal niets voor me.'
'Dat zeg ik toch al de hele tijd. Maar dan kun je net zo goed van haar afblijven,' mompelde Sixpence.
'Kan ik niet, ik ben een jager – en wel op alle terreinen. En je weet toch wat ze over zwarte vrouwen zeggen.'
'Geen idee, maar misschien wil jij het me vertellen?'
'Kom nou, dat weet iedereen toch. Ze zouden zo wild zijn als beesten. Ze zitten erop te wachten tot ze worden besprongen, anders hebben ze geen rust. Op een gegeven moment zal ik die kleine geven wat ze wil, en haar dan weer laten vallen. Het is gewoon een onschuldig spelletje, dat even snel voorbij is als het is begonnen.'
Ik geloofde mijn oren niet. Dit was te gek voor woorden. Ook Sixpence leek te zijn geschrokken.
'Ach, zo zit het,' zei hij. 'Besef jij eigenlijk wel dat Elieshi en ik dezelfde huidskleur hebben?'
'Met jou is dat toch iets heel anders. Jij bent als een broer voor mij.'
'En wat als ze nou blank was geweest? Ik weet zeker dat je dan heel anders over haar zou praten. Hoe denk je eigenlijk dat ik me voel als ik dit soort racistische uitspraken moet aanhoren?'
'Hou je kop! Daar zit iets.'
Maloney was opgesprongen en keek mijn kant uit, het geweer, dat hij altijd bij zich droeg, in de aanslag. Zo snel mogelijk en zonder geluid te maken, liet ik me op de grond zakken. Verdomme, hij had me ontdekt! Hij zou gehakt van me maken als hij erachter kwam dat ik ze

had afgeluisterd. Ik kon maar één ding doen. Weggaan, en wel zo zachtjes mogelijk. Maar dat was gemakkelijker gezegd dan gedaan.
'Hallo! Is daar iemand?' riep Maloney. Hij deed een paar stappen mijn kant op. Ik hoorde zijn leren laarzen knerpen. Ze kwamen steeds dichterbij. Hij had mij gehoord, dat was wel duidelijk, maar hij leek nog niet zeker te weten wat hij nu moest doen. In het ergste geval zou hij gewoon zijn geweer mijn kant op richten en schieten. Het zweet stond op mijn voorhoofd. Wat moest ik in godsnaam doen? Ik kon me maar beter overgeven. Liever een pak slaag dan met een kogel in mijn buik doodbloeden bij Lac Télé.
Ik wilde net opstaan toen ik een hand op mijn schouder voelde.
De pygmee stond achter me.
Zonder een geluid te maken was hij dichterbij gekomen. Hij keek op me neer en er tekende zich een flauwe glimlach af rond zijn mond. Ik legde mijn vinger op mijn lippen, en hij begon nog breder te lachen. Hij leek te begrijpen dat ik in de problemen zat, maar toen deed hij iets wat het bloed in mijn aderen deed stollen. Hij hief zijn hand op en stootte een kreet uit.
De twee mannen zagen hem direct.
'Ach, het is onze kleine vriend,' zei Maloney, en hij liet zijn wapen zakken. 'Egomo, je hebt mazzel dat je nog leeft. Als je nog langer had gewacht, had ik geschoten. Je moet ons niet meer zo besluipen.'
Sixpence mompelde: 'Hij begrijpt toch niet wat je zegt.'
'Dat is ook waar. Ach, wat maakt het uit. Ik zie dat je je kruisboog hebt gevonden. Egomo, je bent nu weer een grote jager, nietwaar? Ik heb ook zo'n wapen, maar dan iets groter. Zal ik het je eens laten zien? Natuurlijk wil je het zien.' Hij klopte met zijn hand op de grond naast hem. 'Kom, mijn vriend, kom bij ons zitten, in de kring met de andere grote jagers.'
Toen hij daarna hard begon te lachen, kon ik me stilletjes terugtrekken.

GEMEENTELIJKE
KOKSIJDE
OPENBARE BIBLIOTHEEK

22

Zoals in deze regionen gebruikelijk viel de avond verbazend snel. Van het ene op het andere moment werd het zo donker dat het leek alsof iemand een grote doek over de hemel had geworpen. De sterren kwamen tevoorschijn, en met hen ook de geluiden van de nacht. Het kwaken van de kikkers, het klagen van een uil en het doffe gebrom van een nijlpaard dat in de modder heen en weer lag te rollen.

We zaten om de resten van een enorme zwarte meerval die op een stok gespietst boven het kampvuur hing te sissen. De vangst hadden we te danken aan Maloney en Egomo, die in de late namiddag met de boot waren uitgevaren, terwijl Sixpence en ik Elieshi hielpen bij het uitwerken van de infrasone data. Maloney had wat rust en afzondering nodig, dus was hij samen met Egomo gaan vissen. De jongen was eerst wat achterdochtig geweest. Zijn volk was blijkbaar niet gewend aan het vissen met een boot, maar het vooruitzicht om een grote jager aan het werk te zien, had hem toch overtuigd. Egomo's scherpe ogen en Maloneys geoefende hand in het speerwerpen hadden elkaar prima aangevuld: na een korte tijd kwamen ze terug met de meerval, die zo'n een meter twintig lang was.

Terwijl wij tevreden en voldaan achterover leunden, begon onze donkere bezoeker op een afstandje de vleesresten van zijn stuk vis van de graten te plukken en in bladen van een reuzenphrynium te wikkelen, als voorraad voor de volgende dag.

Maloney was vol lof over Egomo. 'Die pygmee heeft geweldige ogen,' dweepte hij. 'Hij ziet de prooi nog voordat die ons ziet. Six, zo iemand zouden we in ons team goed kunnen gebruiken. Ik heb hem als dank voor zijn hulp ons broodmes gegeven. Hij was er al erg op gesteld. Ik hoop dat hij nog een tijdje bij ons blijft.'

'Wat ik ervan heb begrepen, is hij dat wel van plan,' zei Elieshi. 'Toen ik gisteravond met hem sprak, zei hij dat hij graag zou blijven, in elk geval tot zijn wonden zijn genezen. Dan zou hij weer teruggaan naar

zijn dorp.' Ze sloeg haar handen op haar bovenbenen. 'Kom toch bij ons zitten, Egomo, dat zouden we erg fijn vinden.'
De pygmee, die schijnbaar had gehoord dat we over hem aan het praten waren, lachte en kwam bij ons zitten. Hij wisselde een paar woorden met Elieshi en toen gebeurde er iets totaal onverwachts. Egomo greep Elieshi zonder enige waarschuwing bij de borsten. Gewoon zomaar, alsof het de normaalste zaak van de wereld was. Mijn mond viel open toen ik zag hoe hij haar borsten even masseerde, toen weer ging zitten en deed alsof er niets was gebeurd. Nog verbaasder was ik over het feit dat Elieshi niet eens protesteerde.
'Wat was dat?' vroeg ik.
'Dat? O, niets hoor.' Elieshi blies een vlechtje uit haar gezicht. 'Dat is bij zijn volk heel gewoon. Het betekent dat ik mooie borsten heb. Dat is een van de mooiste complimenten die je als pygmee aan een vrouw kunt geven.'
Met een schalkse blik opzij voegde ze daaraan toe: 'Dat betekent niet dat jullie dat nu ook mogen doen. Tenzij jullie eerst een halve meter krimpen.'
Ik ging op mijn hurken zitten en hobbelde naar Elieshi toe. Lachend hield ze haar vuist onder mijn neus. 'Leuk geprobeerd.'
Maloney begon te schaterlachen. 'Ik mag Egomo steeds meer. Van mij mag hij blijven.'
'Van mij ook,' bevestigde ik en ging weer zitten. 'Ik hoop alleen dat hij ons niet per ongeluk vergiftigt. De bladeren waar hij de vis in heeft verpakt, zien er erg ongezond uit,' merkte ik half grappend op. 'De helft van alle planten om ons heen is zeer giftig.'
'Maak je geen zorgen, professor. De reuzenphrynium staat boven aan het menu van de gorilla en wordt door pygmeeën in allerlei gerechten gebruikt. Hij staat bekend als een licht verteerbare plant.'
'Als je de maag van een gorilla hebt,' voegde ik daar knipogend aan toe. Ik nam het Elieshi niet kwalijk dat ze me nog steeds professor noemde. Het hoorde op de een of andere manier bij ons spelletje. Ik wist niet wat voor spel het was en hoe de spelregels luidden, maar dat maakte me niet uit. Ik begon het leuk te vinden. Ook had ik na wat ik vandaag uit Maloneys mond had horen komen een beetje een

slecht geweten. Alsof ik ergens schuld aan had, gewoon omdat ik een andere huidskleur had. Natuurlijk was dat van de gekke, maar toch kon ik dat gevoel maar niet van me afschudden.
Ik keek naar Elieshi terwijl ze op het laatste restje vis knabbelde en ondertussen met Maloney zat te praten. Steeds weer spookten zijn kwetsende woorden door mijn hoofd. Ik had medelijden met haar. Eerst was ze in de leugen over de dwergolifant getrapt en nu stond ze op het punt haar hart te verliezen aan een man die haar als een speeltje beschouwde.
'Oké,' Maloney onderbrak het gesprek en tikte met zijn mes tegen zijn wijnglas. Het gebaar paste totaal niet bij de situatie, omdat we ons niet in het type gezelschap bevonden waarbij de gastheer een uitgebreide toost uitbrengt. 'Ik vind het tijd worden om een strategie te ontwikkelen,' legde hij uit. 'Ik zal het even kort samenvatten. Ten eerste hebben we Egomo's beweringen, die in principe erg geloofwaardig lijken, niet te vergeten de twee verwoeste kampen die we met eigen ogen hebben gezien. Wij waren allemaal getuige van het grote monster dat uit het meer opdook en ons heeft bekeken. De opname is weliswaar van slechte kwaliteit, maar alles bij elkaar, met de gegevens die Elieshi vandaag weer heeft verzameld, is het duidelijk. Het dier dat wij zoeken, bestaat echt. Hij is hier. Hij leeft, hij ademt en hij laat sporen achter. Als iemand nog aan zijn bestaan zou hebben getwijfeld, dan is die twijfel nu wel uit de wereld geholpen. Dat brengt me bij punt twee: alle aanwijzingen duiden erop dat ons doelobject agressief van aard is en dat we het nodige kunnen verwachten.'
'Hoe kom je tot die conclusie?' onderbrak ik hem. Ik vond dat hij best mocht weten dat we het op dat punt niet eens waren. 'Wat we tot nu toe gezien hebben, kan ook anders worden uitgelegd.'
'Astbury, zowel de videobeelden van Emily Palmbridge als de sporen die we hier hebben gevonden, geven duidelijk aan dat Mokéle m'Bembé over een uitgesproken territoriumdrift beschikt en niet zal aarzelen zijn gebied te verdedigen. Daarbij gaat hij bedreven, stil en brutaal te werk. En zeer efficiënt, als ik dat mag zeggen. We hebben te maken met een tegenstander die minstens onze gelijke is. Twee

verwoeste kampen en onze ontmoeting van gisteren bevestigen dit.'
Hij wierp mij een blik toe die aangaf dat voor hem de kous af was.
'En dat brengt ons bij punt drie. Ik vertel zeker geen geheimen als ik zeg dat we ons in groot gevaar bevinden. Alles wat we tot nu toe hebben meegemaakt, leidt tot de conclusie dat het nog maar een kwestie van tijd is totdat hij ons weer zal aanvallen. Het gedragspatroon van de Congosaurus wijst erop dat hij zijn tegenstander eerst bestudeert voor hij toeslaat. We kunnen ons niet naar het achterland terugtrekken, dat heeft het lot van de soldaten ons wel geleerd. Hun kamp bevond zich op meer dan drie kilometer van het meer. We hebben maar één keus. We moeten sneller zijn dan hij. We moeten hem te pakken zien te krijgen voordat hij ons pakt. Er is echter een maar.'
'We weten niet waar hij is,' vulde ik aan.
'Helemaal correct, Astbury. Dat is precies het probleem. We wisten nooit waar hij zat, tot nu toe. Elieshi, wil je zo vriendelijk zijn...'
'Het is me een genoegen.' De biologe ging staan, pakte haar notebook, zette hem op tafel en klapte hem open. Het beeldscherm flikkerde aan en op de monitor was een grafiek te zien, die eruitzag als het knippatroon van een ingewikkeld kostuum. Overal waren lijnen en stippen te zien. Op veel plekken liepen ze parallel aan elkaar, dan kruisten ze elkaar, om vervolgens weer uit elkaar te lopen.
'Zonder te technisch te worden,' begon ze, 'wil ik even kort uitleggen wat ik heb gedaan. Eerst heb ik op verzoek van Stewart onze omgeving afgezocht op infrasone golven. Het resultaat was, kort gezegd, erg teleurstellend. Ik vond helemaal niets, behalve een groep bosolifanten die zich in het zuidoosten bevindt, op ongeveer dertig kilometer afstand. Ik heb verschillende filters over de opnamen gelegd, maar dat leverde niets op. Mokéle hield zich muisstil. Ook de meting in het hoorbare bereik gaf geen bijzonderheden. Daarna heb ik het apparaat in het water gezet, op een diepte van ongeveer een meter, en opnieuw gemeten, weer met dezelfde negatieve resultaten. En toen kreeg ik een idee. Ik moest denken aan hoe de bioakoestiek was begonnen en aan de diersoort waarvoor deze apparaten werden ontwikkeld. Er is, zoals jullie weten, nog een groep zoogdieren die in een frequentieband communiceert die wij niet kunnen horen.'

Ik tilde mijn hoofd op. 'Walvissen.'
'Precies. Zoals ik al bij ons eerste gesprek heb verteld, is de bio-akoestiek begonnen met het onderzoeken van walvisgezang.'
'Wil je zeggen dat...'
'Wacht maar.' Ze grijnsde naar me. 'Ik heb dus een nieuwe meting uitgevoerd, maar nu gezocht in een frequentiebereik dat boven het menselijke gehoor ligt, in het ultrasone bereik. En wat denken jullie? Raak! Er verscheen een waar vuurwerk aan geluiden en signalen op mijn beeldscherm. Watervallen van op- en neergaande tonen, die met wat fantasie als spraak kunnen worden beschouwd. Ik kan me voorstellen dat Mokéle op deze manier communiceert met soortgenoten of zich in het donker op de bodem van het meer oriënteert. Volgens mij maakt het dier gebruik van sonar, een van de hoogst ontwikkelde zintuigen in het hele dierenrijk.'
'Soortgenoten?' mompelde Sixpence, die tot nu toe stil aan zijn pijp had zitten trekken.
'Natuurlijk. Ten eerste is het ondenkbaar dat één enkel exemplaar zo lang heeft weten te overleven, en ten tweede hadden jullie het toch over een jong? We kunnen ervan uitgaan dat zich daar op de bodem een hele kolonie ophoudt.'
Ik leunde achterover. Elieshi had helemaal gelijk.
Ik observeerde haar onopvallend en plotseling zag ik haar in een ander licht. Er waren vast veel mensen die haar door haar jongensachtige manier van doen en openlijke vrouwelijkheid onderschatten – zoals ik – maar dat was een vergissing. Elieshi had vooral een goed stel hersens.
'Wat heb je daarna gedaan?' vroeg ik.
'Nou, de rest was niet zo moeilijk. Ik heb meerdere richtmetingen uitgevoerd, die gecombineerd met een schematisch overzicht van het meer, en voilà...'
'... klaar is het knippatroon,' vulde ik aan. 'Ik hoop dat je het niet erg vindt als ik het zeg, maar voor mij ziet het eruit alsof er een kolonie mieren met vieze voeten over het beeldscherm is gewandeld.'
Ze vouwde quasi gekrenkt haar handen voor haar borst. 'Wees eens eerlijk, herken je echt niets op het scherm? Hier is de omtrek van het meer.' Ze volgde met haar vinger een dunne lijn. 'Hier is ons kamp.

Ergens daar is het kamp van de soldaten, hier dat van Emily Palmbridge. Kijk nog eens hoe op deze plek in het meer de signalen dichter bij elkaar liggen.'

Hoe langer ik naar het beeldscherm keek, hoe duidelijker de contouren werden. Plotseling zag ik wat ze bedoelde. De geluidsgolven vormden een net dat zijn logica langzaam prijsgaf. Ze versmolten tot een donker punt, bijna net als bij een zwart gat, dat al het licht in zijn omgeving op leek te slokken. Ik merkte dat de rillingen me over mijn rug liepen en wist instinctief wat Maloney zou gaan zeggen.

Aarzelend keek ik hem aan. 'Je wilt daar toch niet gaan duiken, of wel?'

Hij grijnsde. 'Nou en of. Morgenvroeg. En jij gaat mee.'

Diep in de nacht werd ik wakker, gewekt door het oorverdovende gekletter van een tropische regenbui. Ik keek onder het donkere tentdak naar buiten en vroeg me af wanneer ik eindelijk weer eens een nacht zou doorslapen. Onrustig woelde ik onder het laken, maar ik kon de slaap maar niet vatten. Daarom knipte ik mijn zaklamp aan en keek op mijn horloge. Kwart voor drie. Nog ongeveer vijf uurtjes totdat Maloney, Sixpence en ik zouden beginnen aan ons roekeloze avontuur. Deze onderneming bracht zo veel risico's met zich mee dat het mij helemaal niet verwonderde dat ik niet kon slapen. Ik pakte het verkoolde dagboek van sergeant Matubo erbij en probeerde de tekst te ontcijferen. Mijn Franse lessen lagen al jaren achter me, en hoewel ik een niet onverdienstelijke leerling was geweest, kwamen de herinneringen maar langzaam weer naar boven. Talen zijn als gereedschappen. Als je ze een tijdlang niet gebruikt, gaan ze roesten.

Ik vond een tekst in het laatste stuk van het boek, dat in verhouding tot de rest niet erg beschadigd was en leesbaar was geschreven.

L'herbe met secrets pleins. Gérome affirme avoir trouvé quelques pierres étranges. Ils n'appartiennent pas ici loin. Vreemd. Was mijn Frans echt zo slecht of praatte die sergeant Matubo gewoon erg vreemd? *Het grasland verbergt veel geheimen*, stond er. *Gérome heeft stenen gevonden die daar niet thuishoren*. Hoewel ik geen idee had waar de officier het over had,

was ik toch zo geïntrigeerd dat ik helemaal niet meer aan slapen dacht. Moeizaam, stukje bij beetje en met enorme inspanningen om mijn talenkennis weer op te roepen, probeerde ik de tekst te ontcijferen. Hoe meer ik las, hoe nieuwsgieriger ik werd. *Ruines mystérieuses*, mysterieuze ruïnes. Vooral die woorden intrigeerden me, omdat ze keer op keer terugkwamen in de handgeschreven tekst. Het maakte me ook achterdochtig, omdat ik me herinnerde dat ik in een artikel over Lac Télé had gelezen dat het grasland bij het meer vroeger hoog ontwikkeld was. Een cultuur die zich hier had gevestigd lang voordat het oerwoud zich had uitgebreid en de naar schatting vijfentwintigduizend mensen had omsloten. Zouden de soldaten misschien hebben ontdekt wat zoveel archeologen nooit hadden gevonden? En zo ja, was het dan misschien geen toeval geweest dat ze hun kamp niet hadden willen opgeven? Hadden ze hun vondst misschien willen beschermen totdat er versterking uit Brazzaville was gearriveerd? Gefascineerd las ik verder en op een gegeven moment begonnen de puzzelstukjes op hun plek te vallen. Nadat ik een uur lang had gelezen en vertaald, sloeg ik het boek dicht. Aan de ene kant kon ik mijn ogen bijna niet meer open houden, maar aan de andere kant was ik gefascineerd door wat ik had gelezen. Niet de soldaten hadden de ruïnes gevonden, maar Emily Palmbridge. De soldaten waren slechts op de ruïnes gestoten toen ze haar spoor hadden gevolgd. Ze scheen een soort tempel te hebben ontdekt die de soldaten als gedisciplineerde staatsonderdanen niet uitgebreider hadden onderzocht dan nodig. Vanuit een archeologisch oogpunt was dat natuurlijk de juiste beslissing geweest. Er zou niets ergers zijn geweest dan een horde soldaten die in hun ijver alle sporen verwoest. Er stond echter niet wat er precies was gevonden. Het moest dus iets belangrijks zijn geweest, anders had sergeant Matubo niet direct een reddingsteam eropuit gestuurd.
Ik merkte dat er nog een puzzelstukje was dat tussen mij en de oplossing in stond. Het raadsel dat de ruïnes, Emily en Mokéle m'Bembé met elkaar verbond. Ik kon bijna niet wachten tot ik de anderen erover kon vertellen.
Moe knipte ik de lamp uit en ging weer liggen.

Ik was net op weg naar dromenland toen ik een vreemd geluid hoorde. Een korte kreet die, zodra ik hem hoorde, ook weer verstomde. Ik spitste mijn oren.
Daar was het weer, en dit keer herkende ik duidelijk Elieshi's stem. De arme meid had vast een vreselijke nachtmerrie. Dat verbaasde me niets, omdat ik zelf ook slaapproblemen had, maar de vraag was of ik haar wakker moest maken. Het is maar een droom, zei ik tegen mezelf, maar toen hoorde ik haar weer schreeuwen.
Ik zuchtte en opende de rits van mijn tent. Het leek steeds harder te gaan regenen, alsof het weer me ervan wilde weerhouden me te bemoeien met zaken die me niets aangingen. Met mijn hoofd in mijn kraag verliet ik de bescherming van mijn luifel en hobbelde naar Elieshi's tent. Die paar seconden in de openlucht zorgden ervoor dat ik tot op het bot nat werd, terwijl de regen naar beneden stortte.
In Elieshi's tent was het helemaal donker, maar de bewegingen die ik door de dunne stof zag, vertelden me dat ze vreselijk moest liggen woelen. Ik deed een stap dichterbij en wilde net aan de gebogen stang van de koepeltent schudden toen ik iets hoorde wat niet helemaal in het plaatje paste: de zware ademhaling van een man en direct daarna een licht gekreun.
Als versteend bleef ik een tijdje in de regen staan, daarna liep ik weer terug. Toen ik de rits achter me dichttrok, begreep ik wat ik precies had gezien. Ik had twee stemmen gehoord, een man en een vrouw. Elieshi en Maloney.

23

Maandag 15 februari

'Opstaan! Wakker worden, mijn jonge vriend, het is tijd.'
Het was net alsof een stem me in een diepe droom probeerde te bereiken, een stem die me al vertrouwd in de oren klonk en me achtervolgde, of ik nu sliep of wakker was. 'Opstaan, luiwammes. We hebben jouw hulp nodig.'
Ik deed mijn ogen open en zag Maloney voor mijn open tent staan. Met de benen stevig op de grond geplant, gekleed in een strak duikpak en vol energie.
'Moet je me zo ruw wekken?' kreunde ik. 'Het is nog niet eens...,' ik staarde op mijn horloge, '... halftien? Is het echt zo laat?'
'Echt waar. We zitten al twee uur op je te wachten. Wat doe je 's nachts toch dat je 's ochtends niet uit bed kunt komen?'
Plotseling bedacht ik me weer wat ik een paar uur eerder had gezien en gehoord en ik zweeg beschroomd. Maloney scheen niet te merken dat ik me ongemakkelijk voelde. Hij leek een geweldig humeur te hebben, in tegenstelling tot de rest van het team. Ik was nog moe, maar wakker genoeg om te zien dat er iets was veranderd. De hectische bedrijvigheid van Sixpence en Elieshi kon niet verbergen dat hier iets aan de hand was. De twee waren aan weerszijden van het kamp aan het werk en vermeden elke vorm van oogcontact.
Ik keek somber. Wat voor gevolgen zou het gestoei tussen Elieshi en Maloney hebben? Mij ergerde hun lichtzinnigheid, omdat hun gedrag talloze risico's inhield voor de groep als geheel. Natuurlijk was ik verbaasd dat Elieshi zich na de gebeurtenissen van de afgelopen nacht zo gereserveerd gedroeg tegenover de Australiër. Eigenlijk had ik stormachtige liefdesverklaringen verwacht. Behield ze afstand tot haar minnaar om Sixpence niet te kwetsen of had ze gemerkt dat de gevoelens van de jager onecht waren? Dat was te hopen, want dan zou de situatie niet zo gespannen zijn. Maar als ik eerlijk was, moest

ik toegeven dat al die gevoelens me erg verwarden. Ik wist net zo weinig als Egomo, die in de buurt van het kampvuur op zijn hurken zat en de restjes van het avondeten opat.
'Bijna klaar,' mompelde ik, trok mijn schoenen aan en trok me, gewapend met een rol wc-papier, terug in de bosjes. Toen ik terugkwam, was ik niet moe meer. Ik voelde me sterk genoeg voor een confrontatie. En die zou er komen, daar twijfelde ik niet aan.
'Mag ik even kort jullie aandacht?' riep ik. 'Ik wil jullie iets mededelen.'
Maloney fronste zijn wenkbrauwen. 'Astbury, wat is dat nou? Gaan we weer brainstormen?'
'Het is belangrijk, geloof me,' ging ik ongestoord verder toen ik zag dat de anderen vol interesse naar me toe kwamen. 'Het gaat om het dagboek van sergeant Matubo. Ik ben daar wat interessante dingen in tegengekomen die ik direct aan jullie wilde vertellen, voordat we een verkeerde beslissing nemen. Het belangrijkste is dat ik op een nieuw spoor van Emily Palmbridge ben gestoten. Blijkbaar heeft ze tijdens haar vlucht voor het monster in het grasland de resten van een oude stad gevonden. In de tekst wordt gesproken van een nederzetting die zich uitstrekte over meerdere vierkante kilometers.'
'Dat is toch grote onzin,' zei Maloney. 'Ik heb verschillende rapporten over deze regio bestudeerd en steeds werd gezegd dat hier hoogstens een paar akkers zijn geweest. Anders hadden we dat vanuit het vliegtuig toch moeten zien. Om nog maar te zwijgen van alle teams die dit gebied al in kaart hebben geprobeerd te brengen.'
Ik hief mijn hand. 'Wacht even. Deze stad, of wat het ook is, werd lang geleden na de verwoesting bedekt door modder en aarde. Het enige dat er nu nog van te zien is, en daar heb je gelijk in, Maloney, zijn die merkwaardige regelmatige vormen die we inderdaad vanuit het vliegtuig zagen en die ook al vaker zijn beschreven. Omdat deze grond intensief werd bewerkt, werd aangenomen dat het grensmarkeringen waren, ofwel randen van oude akkers. Dat het kon gaan om de plattegrond van een stad, daar dacht men schijnbaar niet aan. De soldaten realiseerden zich echter direct hoe belangrijk de vondst was, zoals te lezen is in het dagboek.' Ik tilde het boek op en haalde diep

adem, want nu kwam het moeilijkste deel. 'Ik wil daarom voorstellen de jacht op Mokéle m'Bembé uit te stellen en op zoek te gaan naar Emily in het ruïneveld. Zij is de sleutel tot onze opdracht en als zij nog in leven is, kunnen we ons de rest misschien besparen.'
'Ze is dood, man,' zei Maloney, met een dreigende ondertoon in zijn stem. 'As en stof. Wanneer dringt dat eindelijk eens tot je door?' Hij boog zich naar voren en zijn gezicht kwam tot op een paar centimeter van het mijne.
'Je moet het verleden laten rusten en je concentreren op het heden. Snap je? Wij drieën zullen zoals afgesproken in het midden van het meer gaan duiken. Einde discussie.'
'Je maakt een enorme fout,' beet ik van me af. 'Je ziet alleen wat je wilt zien. Zo was het al bij het soldatenkamp en nu maak je dezelfde fout weer. Op een gegeven moment zal jouw domheid mensenlevens kosten.'
Hij lachte kil. 'Tot nu toe heeft het mij geen windeieren gelegd. Ik heb altijd vertrouwd op mijn intuïtie en ik zal dat blijven doen als ik oud en grijs ben. Daar kan jij en niemand in deze groep iets aan veranderen.' De blik die hij Sixpence toewierp, sprak boekdelen. 'En nu heb ik geen zin meer in dit gekissebis. Aan het werk!'
Maloney beende kwaad naar de rubberboot.
'Dit kan toch niet waar zijn,' mompelde ik. 'Hij kan zo'n belangrijke ontdekking toch niet zomaar laten liggen?'
'Dat kan hij wel,' antwoordde Sixpence met een gekweld lachje, 'en dat zal hij blijven doen. Maar dat betekent niet dat je ontdekking niet belangrijk is. Neem het hem niet kwalijk, maar voor hem is het een kwestie van prioriteiten stellen, snap je? Hij wil nu op jacht en niets zal hem tegenhouden. Maar weet je...,' hij legde zijn hand op mijn schouder, '... je hoeft niet mee als je dat niet wilt. Het is een riskante onderneming. Niemand kan je dwingen met ons mee te gaan. Zelfs hij niet,' voegde hij er met een knikje in Maloneys richting aan toe.
Ik schudde mijn hoofd. 'Maar ik wil wel mee. Ten eerste omdat ik niet als lafaard te boek wil staan en ten tweede omdat ik voor het eerst in mijn leven het gevoel heb dat we iets belangrijks op het spoor zijn. Iets mysterieus, raadselachtigs.'

'Je wordt toch nog een beetje een avonturier. In de paar dagen dat we elkaar nu kennen, ben je echt enorm veranderd. En dan bedoel ik dat in positieve zin.' Hij lachte naar me. 'Zo, en nu is het tijd om je duikpak aan te trekken.'
Zwijgzaam stapte ik in het neopreenpak, terwijl Sixpence me hielp met de zuurstoftanks.
'Misschien hebben we het pak niet eens nodig,' zei hij. 'Het water is aan de oppervlakte zesentwintig graden, maar wie weet hoe diep we moeten. De pakken bieden trouwens ook een goede bescherming tegen verwondingen en parasieten, en daarvan zijn hier meerdere vervelende soorten. Heb je al eens eerder met zuurstof gedoken?'
'Mijn vader heeft me een paar keer meegenomen. Ik heb een paar jaar geleden mijn kennis nog opgefrist met een duikcursus. Ik denk dat ik het meeste nog wel weet.'
'Dat is prima. Ik zal de zuurstof van tevoren voor je instellen en als je problemen hebt, dan geef je dat gewoon aan. In de helm zit een microfoon. We kunnen constant met elkaar praten.'
'Denk je dat we diep moeten duiken?' vroeg ik.
'Mogelijk. In sommige rapporten staat dat het meer maar twee meter diep is, maar dat geloof ik niet. Dan zou het water veel warmer moeten zijn. En als hier werkelijk een kolonie van die beesten zit, zoals Elieshi beweert, dan moet het meer veel dieper zijn dan tot nu toe werd aangenomen. Maar hoe diep het echt is...,' hij haalde zijn schouders op. 'We zullen in elk geval langzaam dalen om je gelegenheid te geven te wennen aan het drukverschil. Ben je er klaar voor?'
Ik knikte en hij zette mijn helm op mijn hoofd. Na wat geruis werd het stil. Ik hoorde alleen nog mijn eigen ademhaling. Weer hoorde ik het ruisen en kraken en toen hoorde ik de stem van Sixpence.
'Mijn headset staat aan en werkt. Kun je mij verstaan?'
'Luid en duidelijk,' antwoordde ik. 'En jij?'
'Alles in orde. Zullen de we lampen even testen? De schakelaar zit onder je kin.'
'Die van jou schijnt fel en helder.'
'Die van jou ook. Gebruik hem alleen in noodgevallen. De lamp vreet stroom en die hebben we nodig voor de geluidsverbinding.'

Met deze woorden draaide hij zich om en liep vooruit. Ik bevestigde nog snel de geigerteller aan mijn pols en volgde hem.
Elieshi begeleidde ons samen met Egomo naar de oever van het meer en ik kon zien dat ze toch een beetje twijfelde aan wat we gingen doen. Stewart Maloney had de boot al in het water getrokken en stond tot aan zijn heupen in het water. Ik zag hoe hij de dromenvanger omdeed en nadat hij hem tegen zijn lippen had gedrukt, onder het duikpak stopte. Sixpence en ik moesten ons door een dik tapijt van waterlelies en algen worstelen voordat we bij hem waren.
'Ach, Astbury, je bent toch gekomen,' begroette hij me. 'Kom toch aan boord.' Hij gaf mij een duwtje om me in de boot te krijgen, waarna ik hem en Sixpence aan boord hielp. Maloney startte de buitenboordmotor. Ik had amper tijd om naar de achtergebleven twee te zwaaien; de boot maakte direct vaart en zo voeren we het meer op.
De oever verdween langzaam uit zicht en daarmee ook het laatste gevoel van zekerheid en geborgenheid. Het klinkt misschien raar, maar ik had het gevoel dat we met het verlaten van het vasteland een onzichtbare grens waren overgestoken. Een grens die onze wereld scheidde van die van de Congosaurus. Vanaf nu bevonden we ons op vijandelijk gebied.
Mijn blik viel op de wapens die Maloney had meegenomen. Een mitrailleur, een kruisboog en twee harpoenen. Een daarvan zag er erg vreemd uit.
'Wat is dat?,' vroeg ik en wees op de verdikte pijl. De jager keek me aan en ik dacht dat ik hem achter het glas zag lachen. 'Weet je nog wat ik heb gezegd? Dat voor elke jacht andere wapens nodig zijn? Deze harpoenen bevatten een bijzondere pijl, speciaal gemaakt door PGE.'
'Wat voor pijl?'
'Dit vind je vast leuk. Hij dringt door de bovenste huidlaag van het dier, om een kleine wond te maken en zich te vullen met weefsel. Daarna sluit hij automatisch en kan weer worden ingehaald. Mokéle zal er niets van merken.'
'En die andere wapens?'
'Six heeft een harpoen met giftige pijlen. Een zeer efficiënt zenuw-

gif, dat zelfs een monster als Mokéle in een paar seconden verlamt. Dit is puur ter verdediging, voor het geval het beest ons aanvalt. Maar maak je geen zorgen. We zijn hier weer weg voordat hij doorheeft wat er is gebeurd. En dat is toch wat je wilt, nietwaar?'
Ik keek hem sprakeloos aan, terwijl zijn blik over het water gleed.
'Ik heb nooit gezegd dat ik Mokéle ging doden, Astbury,' ging hij verder. 'Ik heb alleen gezegd dat ik dat graag zou willen. Maar ik heb altijd geweten dat dit een duidelijk omschreven opdracht is. Monsters nemen, Emily vinden en dan weer weg. That's all.' Hij keek me indringend aan met zijn groene ogen. 'Wat natuurlijk niet betekent dat ik niet een keer terug zal komen.'
We voeren nog een tijdje verder, toen nam Maloney zijn hand van het roer en haalde een staafvormig apparaatje uit zijn pak. 'Geen nood,' zei hij toen hij mijn bezorgde blik zag, 'het is maar een afstandsmeter.' Hij keek door een klein oculair naar verschillende punten op de oever.
'We moeten nog ongeveer honderdvijftig meter deze kant op,' besloot hij en wees naar het noordwesten. Sixpence nam het roer over en voer in de aangegeven richting. De zon stond inmiddels loodrecht boven ons en brandde fel. De warmte begon door de helm en het zwarte neopreen te branden, zodat ik me net een gebraden kip voelde die in zijn eigen vocht gaar kookte.
Maloney gebaarde Sixpence dat hij de boot moest stoppen, deed nog een meting en schakelde toen de motor uit.
'Oké, we zijn er. Dit is de plek.' Hij pakte de grote harpoen, terwijl Sixpence de kleinere nam.
'En wat moet ik doen?' vroeg ik. 'Ik ben niet zo'n held met wapens.'
'Jij gaat onze jacht vastleggen, en wel hiermee.' Hij haalde zijn waterdicht verpakte digitale camera tevoorschijn. 'Houd wat afstand, maar blijf wel in de buurt zodat je ook iets op het scherm ziet. Ik wil de opnamen later bekijken.'
'Is het daar beneden niet te donker?'
'De camera is uiterst lichtgevoelig, maar de flitser wordt automatisch ingeschakeld als er te weinig licht is. Klaar? Goed, dan gaan we naar beneden.'

Egomo stond naast Elieshi en keek naar het water. Hij snapte nog steeds niet waarom David met de andere mannen het water op was gegaan. Was hij zich niet bewust van het gevaar dat daar op de loer lag? Had hij nog niet genoeg bewijzen gezien van de vernietigende kracht van Mokéle? Moesten ze hem nu ook nog provoceren door zijn rijk binnen te dringen? En dan nog die belachelijke kleding, met die zware ijzeren stangen op hun rug en die pot op hun hoofd. Waar was dat allemaal voor nodig en wat was dat voor materiaal waar die pakken van waren gemaakt? Ze noemden het rubber, maar het zag er eerder uit als de huid van een waterslang. Hij dacht na. Waterslangen! Was het misschien mogelijk dat die mannen van plan waren...? Nee, zo dom was niemand. Hij stootte de vrouw aan. Ze leek met haar gedachten mijlenver weg te zijn. Hij moest lachen toen hij eraan dacht dat ze de nacht met de grote witte man had doorgebracht. Of ze verliefd op hem was? Hij tikte nog een keer tegen haar arm en dit keer merkte ze het.
'Ja, Egomo?'
Ze had een grappig accent, maar toch beheerste ze zijn taal, wat niet vanzelfsprekend was. Er waren maar weinig mensen die de moeite namen de taal van de pygmeeën te leren. Hij wees naar het water en vroeg haar wat de mannen van plan waren.
'Wat denk jij?' vroeg ze hem, en haar stem klonk bezorgd. 'Ze gaan naar beneden, naar Mokéle. Dat zijn ze van plan.'
Egomo kuchte en merkte dat zijn schouder weer pijn begon te doen.

Het water glinsterde groen terwijl we met stevige klappen van onze flippers de diepte in doken. Een blik op de geigerteller bevestigde mijn vermoeden. Het stralingsniveau steeg langzaam, zonder nog gevaarlijk hoog te worden. Waarschijnlijk zou de waarde verder naar beneden nog meer toenemen. Langzaam werd de druk onaangenaam en voelde ik het in mijn oren.
'Even pauze,' vroeg ik de anderen. 'Ik moet even de druk egaliseren.' Ik probeerde tegendruk te creëren in mijn hoofd, wat helemaal niet zo gemakkelijk was omdat ik mijn neus niet dicht kon knijpen. Mijn pogingen om mijn neus tegen het glas te duwen werden na een tijd-

je beloond met een bevrijdend knappen in mijn oren. Ik gaf de twee het teken dat we weer verder konden.
Er dreven veel planten in het water, waardoor het zicht minder dan tien meter was. Ik raakte langzaam gewend aan het gewicht op mijn rug en de vreemde rubber huid. Zelfs de geluiden van mijn ademhaling vielen na een tijdje niet meer op. Alleen de stilte was drukkend. Na een tijdje hield ik het niet meer uit. 'Zover de theorie "twee meter". Hoe diep denken jullie dat we nog moeten?'
'Zo diep als we moeten,' antwoordde Maloney. 'Maar langzaam. We moeten regelmatig pauzeren om aan de druk te wennen. Houd je ogen open en vergeet niet af en toe even een foto te maken.' Ik hoorde hem lachen en hij hief zijn grote kruisboog met een heroïsch gebaar boven zijn hoofd. Ik zocht hem in de beeldzoeker en toen ook Sixpence naast hem te zien was, drukte ik op de knop. Een flits doorbrak de schemering en brandde de scène op de microchip.
Op dat moment zag ik nog geen tien meter onder ons iets bewegen. Ik probeerde de anderen nog te waarschuwen, maar mijn keel zat dichtgeknepen. De waarschuwing was sowieso te laat gekomen. Een wervelstroom, als bij een enorme vloedgolf, pakte ons op en schudde ons door elkaar. In mijn oor hoorde ik geschreeuw, terwijl ik vertwijfeld probeerde me te oriënteren. Even zag ik alleen maar luchtbellen. Ik slingerde heen en weer en liet bijna de camera uit mijn handen glippen.
'Sixpence, heb je hem gezien? Waar is hij?' Dat was Maloneys stem.
'Geen idee. Zonet was hij er nog. Hij moet weer zijn weggedoken.'
'Maakt niet uit. We moeten ons weer verzamelen. Astbury, waar ben je?'
Het monster had algen en microscopisch kleine plantendeeltjes omhoog doen wervelen, zodat het zicht nog slechter was.
'Als ik dat eens wist. Waar zijn jullie?'
'Neem even een foto.'
Ik drukte op de ontspanknop.
'Oké, we zien je. Blijf waar je bent.'
Na een kort ogenblik zag ik hoe de twee duikers links vanuit het donker op me af kwamen.

'Geluk gehad,' zei de jager toen hij en zijn metgezel weer bij me waren. 'Dat had ook verkeerd kunnen aflopen.'
'Helemaal mee eens,' antwoordde ik. 'Hoogste tijd om terug te gaan.'
'Absoluut niet. We waren zo dicht in de buurt. Als ik hem eerder had gezien, had ik hem mooi kunnen raken. Laat de moed niet zakken.'
'Maar...,' protesteerde ik, '... hij weet nu dat we hier zijn. Het zicht is bovendien bijna nihil. Het zou gekkenwerk zijn om verder te gaan.'
Net op dat moment werd het weer donker. Een enorm lichaam gleed over ons heen en verduisterde het weinige zonlicht dat door de waterplanten kon doordringen. Ik zag een lange, gekromde hals, die overliep in een gigantisch lijf waaraan vier krachtige poten zaten. Tussen de tenen waren duidelijk zwemvliezen te zien. Inclusief de staart was het wezen even groot als een volwassen bultrug.
Ik raakte in paniek. Ik hapte naar lucht en merkte dat ik nog maar aan een ding kon denken: hoe kom ik hier zo snel mogelijk weg.
Ik trapte als een gek met beide benen. Ik wilde de afstand tussen mij en die monsterlijke verschijning die als een vliegend roofdier boven ons cirkelde, zo snel mogelijk zo groot mogelijk maken. Ik wilde gewoon weg. Maar de enige weg was naar beneden, de diepte in.
'Astbury, blijf waar je bent!' riep Maloney toen hij zag wat ik van plan was. 'We moeten bij elkaar blijven, anders hebben we geen schijn van kans.' Hij brulde zijn longen uit zijn lijf. 'Astbury!'
Maar zijn woorden hadden geen enkel effect, zo was ik geschrokken.
'Wacht toch even, idioot...'
Dat waren de laatste woorden die ik hoorde, toen werd de verbinding verbroken. Zo nu en dan hoorde ik wat flarden van woorden, maar ze werden overstemd door de bedrieglijke radiostilte. Dieper en dieper peddelde ik naar beneden.
Naar waar enkel duisternis heerste.

24

Op een gegeven moment voelde ik weer vaste grond onder mijn voeten. Ik had de bodem van het meer bereikt.

Om mij heen zag ik alleen maar zwart. Absolute, ondoordringbare duisternis. De last van het water boven mijn hoofd dreigde me te verdrukken en in mijn oren hoorde ik een doordringend gepiep. Plotseling herinnerde ik me het boek dat Sarah me had meegegeven, *Heart of Darkness*. Precies daar was ik nu, ook al was het een ander soort duisternis dan die Joseph Conrad beschreef. In wat voor situatie was ik nu weer terechtgekomen? Op de bodem van een meer, midden in het zwarte continent. Verloren en alleen.

Nee, alleen was ik niet. Ergens boven mij bevond zich een jager uit de oertijd, die mij vast en zeker een keer zou vinden. Hij kon namelijk iets wat ik niet kon. Hij kon met behulp van geluidsgolven in het donker zien.

In het donker zien. Ik bedacht ineens dat ik dat ook kon, in elk geval een beetje. Ik klikte mijn helmlamp aan. Een lichtbundel doorboorde de duisternis. Het water was troebel, verontreinigd door miljoenen kleine zwevende deeltjes die ik had losgewoeld. Afgestorven planten, modder en microscopisch kleine organismen dwarrelden om me heen. Bleke, levenloos uitziende kreeftjes bevolkten de bodem. Mijn voeten zonken weg in een dikke laag slijk die zodra ik een stap verzette in kleine wolken omhoog wervelde. Onwillekeurig dwaalde mijn blik naar de geigerteller en ik hield mijn adem in. Hier beneden lag het stralingsniveau veel hoger dan boven. Het was nog niet levensgevaarlijk, maar een langdurig verblijf op deze diepte was niet raadzaam.

Dus toch. Ik had het al vermoed. Een absurd idee schoot door mijn hoofd. Als ik ooit de kans kreeg over mijn avontuur te schrijven, dan zou ik kunnen wijzen op de samenhang tussen de straling en de inslag van de meteoriet. Dat zou zeker de interesse van vakgenoten wekken.

Maar nu moest ik er eerst maar eens in slagen gezond en wel aan de oppervlakte te komen. De jager zwom nog ergens boven mijn hoofd rond en dus moest ik proberen op een andere plek omhoog te zwemmen. Met krachtige slagen van mijn flippers gleed ik over de bodem, zonder een idee te hebben van de richting waarin ik me bewoog. Na ongeveer honderd meter veranderde de ondergrond. De modderige bodem ging over in een gekartelde steenmassa, die naarmate ik verder zwom, steeds groter werd.

Plotseling en totaal onverwacht opende zich voor mij een enorme afgrond. Een kloof die oneindig diep leek. De doorsnee van de spleet was moeilijk te schatten. Het licht van mijn schijnwerper reikte niet ver genoeg om de overkant te zien. De grond zag eruit alsof hij met brute kracht open was gescheurd – als het litteken van een nooit geheelde wond. Aan de vorm te zien, kon dit het gevolg zijn geweest van een meteorietinslag. Mijn geigerteller sloeg maximaal uit. Ik voelde een angst zoals ik die nog nooit had gevoeld. Ik had het gevonden. De ingang van Mokéle's onderaardse rijk.

Plotseling maakte een vreemd gevoel zich van mij meester. Het was net alsof ik stemmen in mijn hoofd hoorde, stemmen die een bekende taal spraken en die eerder beelden waren dan geluiden. Ze fluisterden en murmelden, floten en kwetterden in allerlei mogelijke toonsoorten. Het was bijna muziek.

Op dat moment hoorde ik een knak in mijn luidspreker en waren de klanken weer verdwenen.

'Hier, Six. Daar is 'ie.'

Ik draaide me om en zag in de verte de flitsen van twee lampen, die langzaam dichterbij kwamen.

'Maloney, Sixpence, ik ben hier,' riep ik euforisch. Ik was zo opgelucht dat ik niet meer alleen was dat ik naar ze toe zwom.

'Jullie zijn net op tijd. Kijk eens wat ik heb gevonden.'

'We hebben bijna het hele meer naar je afgezocht, Astbury,' snoof Maloney. 'We hadden al bijna de hoop opgegeven dat we je nog zouden vinden. Wat dacht je eigenlijk...'

Verder kwam hij niet, want op dat moment zag hij wat ik had ontdekt.

'Heilige maagd Maria, wat is dat?' hoorde ik hem mompelen. 'Six, kijk daar eens.'
Een paar seconden lang was het volkomen stil. De beide duikers zweefden boven de afgrond als vliegen boven de bek van een slapende reus.
'Astbury, ik vergeef je al je stommiteiten. Dit hier maakt alles goed. Ik heb al veel over dit meer gelezen, maar daar schijnt niets van te kloppen,' zei Maloney. Voor de eerste keer sinds ik hem kende, hoorde ik iets van eerbied in zijn stem. 'Ziet eruit als de ingang van een hol. Wist je daarvan?'
'Ik had een vermoeden.' Ik vertelde de twee over Sarahs theorie over de meteorietinslag. De radioactiviteit verzweeg ik nog, want het was nog te vroeg om daar conclusies uit te trekken.
'Daar beneden zal het nest wel zijn,' zei Maloney na een tijdje. 'Wat denk je, Six, zullen we een kijkje nemen?'
Op dat moment voelden we turbulentie in het water, alsof hij een wachtwoord had uitgesproken. Zonder het te zeggen, wisten we wat dit betekende.
Mokéle kwam eraan.

De Australiër reageerde direct. 'Astbury, je blijft tussen ons in. Ik zal proberen hem te raken. Als me dat lukt, gaan we weer naar boven, maar niet eerder, begrepen?'
Rug aan rug stonden we op de bodem van het meer te wachten. Het enige dat ik kon horen, was de ademhaling van mijn begeleiders en het kuchende gesis van de zuurstoftank. De tijd verstreek tergend langzaam. Niemand verroerde zich. We stonden allemaal op de grond, zenuwachtig en gespannen, terwijl onze helmlampen als bleke vingers het donker in prikten. De tijd leek te verschrompelen. Ik voelde dat ik op het punt stond weer in paniek te raken.
Plotseling hoorde ik een kreet.
'Daar is 'ie.'
Ik draaide me om en hield mijn adem in. Wat ik daar zag deed het bloed bijna in mijn aderen stollen. Op tien meter afstand, nog net dichtbij genoeg om hem in het licht van onze schijnwerpers te kunnen zien, lag een gigantische kop. De kop bewoog zich niet, terwijl

de rest van het dier in duisternis was gehuld. Als in een film keek ik naar de lidloze ogen met hun gespleten pupillen, de brede neusgaten, maar vooral naar de gapende mond met scherpe tanden.
'We gaan allemaal dood,' stamelde ik.
'Onzin,' bromde Maloney. 'Als hij dat had gewild, had dat beest ons allang aangevallen.'
'Hij kan altijd nog van mening veranderen.'
'Niet erg waarschijnlijk. We zijn mogelijk te dicht bij het nest.'
'En dat betekent?' vroeg ik.
'Bij veel dieren wordt het jachtinstinct pas wakker op een zekere afstand van de eigen kroost. Een veiligheidsmaatregel van Moeder Natuur, om de nakomelingen tegen de eigen ouders te beschermen.' De spanning in zijn stem was duidelijk te horen. 'Je hebt geluk bij een ongeluk gehad, Astbury, dat je de ingang hebt gevonden, anders had hij ons allang afgemaakt.' Met deze woorden hief hij zijn harpoen, drukte de anatomisch gevormde kunststofschacht tegen zijn schouder en richtte het wapen. 'Bidden dat het lukt.' Hij kromde zijn vinger en schoot.
De pijl zoefde weg, een dunne koolstofdraad achter zich aan trekkend. Met enorme snelheid verdween de kop in het donker.
Maloney vloekte toen hij zag dat de pijl zijn doel zou missen. Hij trok aan de draad en de lijn kwam strak te staan. De pijl zakte krachteloos naar de bodem. Maloney was sprakeloos. 'Zoiets heb ik nog nooit meegemaakt,' mompelde hij, terwijl hij de lijn weer inhaalde en de harpoen opnieuw laadde. 'Hij heeft me geobserveerd. Hij leek gewoon te wachten op het moment dat ik afvuurde. Wie weet of ik hem nog een keer zo goed in beeld krijg.'
'Jawel hoor,' zei Sixpence. 'Daar is hij weer.'
We draaiden ons om. En inderdaad, daar was de kop weer, op dezelfde afstand, met dezelfde gelaatsuitdrukking. Het beest speelde met ons.
'Hij speelt met ons,' siste Maloney woedend. 'Maar dit keer lukt het hem niet. Je moet hem afleiden, Astbury, zodat ik zijn flank kan zien. Probeer het daar eens mee,' zei hij en hij wees op de camera.
Ik begreep eerst niet wat hij bedoelde, maar het werd me al snel duidelijk. Met een voorzichtige beweging nam ik de camera van mijn pols en pakte hem vast. 'Klaar?'

'Klaar.'
Ik drukte af.
Een flits doorbrak de duisternis.
Wat daarop volgde, overtrof mijn stoutste dromen. Mokéle, verblind door het licht, stootte een diepe kreet uit en donderde langs ons, de bodemloze afgrond in. Een fractie van een seconde lang zagen we hem en zijn onbeschermde flank. Dit ogenblik was lang genoeg om Maloney de gelegenheid te geven om te schieten. Ik zag nog hoe de pijl wegschoot, daarna werden we door de vloedgolf getroffen. Opnieuw werden we door elkaar gesmeten. Maar dit keer vonden we, dankzij de bodem van het meer, elkaar snel weer.
'Nu moeten we opschieten,' klonk Maloneys stem in mijn oor. 'Ik heb de pijl weer. Laten we vertrekken.'

Egomo liep onrustig langs de waterkant, bleef even staan, tuurde in de verte en draaide zich weer om. Hoe lang waren de mannen nu al onder water? Veel te lang naar zijn mening. Niemand mocht zo lang ongestraft in het rijk van Mokéle verblijven. Er moest iets verkeerd zijn gegaan.
Hij liep snel terug naar Elieshi, die op een steen was gaan zitten en een sigaret rookte. In gedachten verzonken staarde ze over het water. Hij ging voor haar staan en vroeg hoe ze daar zo rustig kon zitten. Of ze niet wist in wat voor gevaar de drie jagers zich bevonden.
'Natuurlijk weet ik dat,' antwoordde ze. 'En dat weten zij ook. Kom, ga zitten.' Ze bood hem een van die vreemde witte staafjes aan en hij pakte het dankbaar aan. Egomo vond het heerlijk zo nu en dan een pijp aan te steken, maar deze sigaretten kende hij alleen van horen zeggen. Toen ze hem een vuurtje aanbood en zijn longen zich vulden met de heerlijke lucht, knikte hij dankbaar.
'Weet je, Egomo,' begon de vrouw, 'eigenlijk vind ik het even vreselijk als jij. Maar die mannen weten wat ze doen, geloof me. Maloney en Sixpence doen dit niet voor het eerst. Nou ja, eigenlijk doen ze het wel voor de eerste keer, maar ze hebben al jaren ervaring.' Elieshi probeerde zichzelf moed in te praten, dat merkte Egomo wel. In werkelijkheid was ze net zo bang als hij, en dat maakte haar kwetsbaar.

Eigenlijk mocht hij allevier de mensen wel – van de stroeve, maar warme jager, diens collega Sixpence die altijd vrolijk was en, net als hijzelf, altijd op blote voeten liep, tot Elieshi, die een groot hart had en veel wist over hem en zijn volk, iets wat helaas zelden voorkwam. Een heel bijzondere relatie had hij echter met de bleke, schuchtere man die David heette. Hij scheen niet echt bij de groep te willen horen, was bang en onzeker. En toch had hij meer reden om hier te zijn dan de anderen. Sinds Egomo hem twee nachten geleden voor het eerst was tegengekomen, voelde hij een sterke band tussen hen beiden. Een band die verder ging dan vriendschap. Hij was zijn spirituele broeder, en Egomo wist zeker dat hij hem in een vorig leven al eens had ontmoet. Ook voelde hij dat David een bijzondere opdracht had. Hij wist niet wat die opdracht was, maar het had iets met hemzelf, het meer, Mokéle en de blanke wetenschapster te maken wier lot nog onduidelijk was. David zou alle ontbrekende puzzelstukjes vinden en het verhaal weer betekenis geven, dat wist hij zeker.
Plotseling sprong Elieshi op.
Ver weg op het meer borrelde water omhoog en verschenen de hoofden van de drie duikers aan het wateroppervlak. Egomo gooide de sigaret op de grond en stuurde een schietgebedje naar de goden.

Ik had het gevoel dat ik was herboren toen we weer in de boot zaten. De pijl met zijn waardevolle lading zat veilig in een koelkardoes. Nog steeds trillend van opwinding probeerde ik mezelf uit het duikpak te bevrijden. Sixpence hielp me mijn helm af te doen en al snel voelde ik de warme lucht weer op mijn huid. De zonneschijn en het vrolijke getjilp van de Senegalzwaluwen die over het water scheerden en insecten vingen, hielpen me de angst van het afgelopen uur van me af te schudden.
We hadden het gehaald. De harpoen lag aan onze voeten; het glazen kamertje in de pijl was helemaal gevuld met weefsel. Onze levensgevaarlijke opdracht was vervuld. Ik leunde achterover. Als we weer aan land waren, hoefde ik alleen nog maar het weefsel te analyseren, in te vriezen voor de terugtocht en Emily te zoeken. Wat mij betrof, mocht Lady Palmbridge dan de mensheid gaan redden, als dat in

haar grote plan paste. Ik zou weer gelukkig en tevreden naar huis gaan en de hele zaak zo snel mogelijk vergeten.
'Kennen jullie eigenlijk het verhaal van Beowulf?' vroeg ik de twee mannen met een schalkse grijns, toen ook zij hun helm hadden afgedaan. Sixpence fronste zijn wenkbrauwen. 'Beowulf? Nee, nooit van gehoord. Jij, Stewart?'
'Een Oudengelse heldensage, nietwaar?'
'Niet zomaar eentje. De oudste Engelse sage die er bestaat. In elk geval als we het hebben over schriftelijke overlevering. Het verhaal gaat over de held Beowulf, die er met zijn mannen op uit trekt om een bevriende koning te bevrijden van een vreselijk monster. Het monster is Grendel, dat samen met zijn moeder op de bodem van een meer leeft en elke nacht aan land komt om een mens te halen om op te eten. Beowulf gaat de confrontatie met het monster aan en bestrijdt hem met blote vuisten, waarbij het monster een arm kwijtraakt. Dodelijk gewond keert hij naar huis, om op de bodem van het meer te sterven.'
'En toen leefde iedereen nog lang en gelukkig,' grijnsde Sixpence.
'Niet echt,' zei ik. 'De nacht erop komt de moeder, een nog afschuwelijker monster, om de dood van haar zoon te wreken. Ze doodt Beowulfs beste vriend en neemt hem mee. De held, diep geschokt over deze vreselijke daad, duikt in het meer en ontdekt een enorm paleis, waar grote schatten en vele wapens liggen. Ook ontdekt hij daar een toverzwaard. Het loopt uit op een beslissende confrontatie, maar de twee tegenstanders zijn aan elkaar gewaagd. Beowulfs zwaard kan niet door de lederen huid van het monster dringen, maar dan denkt hij aan het toverzwaard. Hij rent terug, haalt het en doorboort het monster.'
'En toen leefde iedereen eindelijk nog lang en gelukkig.'
'Precies. En dat heeft vrij lang geduurd, want Beowulf werd stokoud.'
Sixpence schudde zijn hoofd in gespeelde afschuw. 'Bloeddorstig verhaal. Ik geloof niet dat ik...'
Een zware klap deed de boot schudden.
Eerst dacht ik dat we aan de grond waren gelopen, maar aan Maloneys gezicht te zien was er iets anders gebeurd. Hij wees naar het water en in zijn ogen was ontsteltenis te zien. Een rugvin scheerde

rechts van ons door het water, sloeg de boot naar links en stuurde weer op ons af.
'Hou je vast!' schreeuwde hij.
Nog een klap raakte de rubberboot, die rondtolde en bijna omkiepte. Een grote golf sloeg over ons heen. De motor begon te sputteren toen er water in de ontluchtingsslang liep. Ik sloeg mijn arm om het touw en staarde naar het boegwater, dat het subaquatische monster achter zich aan trok, terwijl hij koers maakte naar het midden van het meer.
We waren nog maar honderd meter van de kant verwijderd. Te ver om te zwemmen, maar te dichtbij om de hoop op te geven. Verdomme.
'En wat doen we nu?' riep ik wanhopig. 'Denk je dat hij terugkomt?'
'Zeker weten!' brulde Maloney en hij greep naar de harpoen met gifpijlen. 'Six, probeer de motor weer aan de praat te krijgen. Ik zal proberen het monster van ons af te houden. Hij hoeft zich maar te laten zien. Dan zal hij merken dat hij de verkeerde man als speeltje heeft uitgekozen.'
Hij had zijn zin nog niet afgemaakt of de rugvin veranderde van richting en koerste weer op ons af.

25

Egomo had het gevoel dat zijn hart door een ijskoude hand werd vastgegrepen. Hij zag de groengevlekte rug die achter de rubberboot opdook. Daarna hoorde hij Elieshi schreeuwen. Het water rondom de rubberboot leek wel te koken. Overal borrelde het omhoog. Hulpeloos moest hij toekijken hoe het monster uit de diepte de drie mannen in de boot aanviel. David was gaan liggen, terwijl Sixpence probeerde de motor weer te starten. Maloney was de enige die nog overeind stond. Hij stond rechtop in de boot en confronteerde de aanvaller. In zijn hand hield hij een van die vreemde wapens die de blanken harpoenen noemden. Egomo wist niet veel van die dingen, maar betwijfelde of een monster van deze afmetingen door zo'n armetierig wapen kon worden tegengehouden, hoe goed de schutter ook was. Toch bewonderde hij de moed van de man die helemaal alleen het oerbeest wilde verslaan. Hij leek de rust zelve te zijn, terwijl hij afwachtte tot Mokéle zo dichtbij was gekomen dat hij hem goed kon raken. En die kans kreeg hij.
Toen de Congosaurus zich realiseerde dat hij de boot niet kon laten omslaan, veranderde hij van tactiek. Hij dook op en viel het team van boven aan.
Egomo zag hoe de enorme kop op de mannen af schoot en greep zijn kruisboog stevig vast.

Maloney stond wijdbeens naast mij toen Mokéle direct naast ons uit het water opdoemde. Hij was misschien vijf of zes meter van de boot verwijderd en de geur van rottende vis die van hem afkwam, was zo sterk dat het me de adem benam. De groengevlekte huid was helemaal begroeid met algen en zag eruit als het oppervlak van een met mos begroeide rots, met dat verschil dat hier onder het oppervlak krachtige spieren te zien waren. De lange, gekromde hals was minstens vier meter lang en daaraan zat een kop vast die slechts met moeite als dinosaurusachtig kon worden aangemerkt. Ik had de kop al eens gezien in de video van Emily en tijdens onze duiktocht, maar in beide gevallen was het zicht slecht geweest. Nu, bij daglicht, zag ik dat zijn kop leek op die van een vis, met dat verschil dat de ogen niet aan de zijkanten van het gezicht zaten, maar boven de lange snuit langs naar voren keken, wat hem een zeer intelligente blik gaf. De hoorn, die ik ook al in Emily's video had gezien, groeide als een antieke helm uit zijn achterhoofd. Waar oren hadden moeten zitten, staken waaiervormige uitgroeisels uit de schedel. Het meest angstaanjagend aan het dier was zijn bek, die onmiskenbaar op die van een haai leek. Smal, groot en gevuld met de vreselijkste wapens die in het dierenrijk te vinden waren, vlijmscherpe tanden. Ik ontwaarde duidelijk de rijen tanden die van achteren naar voren schoven, klaar om bij het uitvallen of afbreken van een tand direct een nieuw exemplaar klaar te zetten.

Dit kon onmogelijk een dinosaurus zijn, in elk geval niet van het soort dat we altijd zagen in boeken of computergeanimeerde documentaires op tv. Of de geleerden hadden zich allemaal vergist, of hier was iets anders gebeurd. Ik had geen tijd om verder te denken, want net op dat moment schoot de kop naar voren en klapte het gebit boven onze hoofden dicht. Een afgrijselijk klap weerklonk, net als bij een bulldozer die met zijn stalen grijper een betonblok verpulvert. Dat was het moment waar Maloney op had gewacht. Hij vuurde de pijl af in de nek van het dier, laadde nog een keer en schoot opnieuw. Dit gebeurde zo snel dat hij al een derde pijl in de harpoen had klaarliggen toen het dier met een woedende blik weer naar de diepte verdween. Het had al met al maar een paar seconden geduurd.

'Dat was het dan, jij vervelend stuk vreten!' schreeuwde Maloney triomfantelijk. 'Ik had je gewaarschuwd.'

'Weet je zeker dat die pijlen hem überhaupt wat hebben aangedaan?' Ik trilde over mijn hele lichaam. Mijn handen wilden het touw niet meer loslaten.

'Weet je waar deze pijlen mee zijn gevuld, Mr. Astbury?'

Ik schudde mijn hoofd.

'Met curare, het dodelijkste zenuwgif ter wereld. De dosis van een pijl is genoeg om een kudde olifanten te doden. Het werkt sneller dan de

zenuwen het kunnen doorgeven. Met andere woorden: je bent al dood voordat je hersenen doorhebben dat je bent geraakt. Geloof mij maar, terwijl wij hier zitten te praten, ligt Mokéle al dood op de bodem van het meer.' Hij lachte sluw. 'Bij zo'n enorm reptiel helpen kogels niet. Ik dacht al dat zoiets zou gebeuren, dus heb ik mij goed voorbereid.'
'Dit keer lijkt het niet te hebben gewerkt.' Geschokt wees ik naar het wateroppervlak, waar duidelijk iets bewoog.
Maloneys ogen leken bijna uit hun kassen te rollen.
'Onmogelijk,' mompelde hij, en voor het eerst sinds het begin van onze reis dacht ik angst in zijn ogen te kunnen zien. 'Dat kan niet. Geen enkel dier heeft deze dosis ooit overleefd, zelfs een walvis niet. Dat moet een tweede exemplaar zijn.'
Maar de kop van Mokéle, die net op dat moment uit het water stak, vertelde een ander verhaal. Er staken duidelijk zichtbaar twee pijlen uit zijn hals.
'Heilige moeder van God, de motor, Six. Snel!'
'Nog even, nog een momentje.'
De aboriginal had de kap van de motor geschroefd en probeerde de carburateur weer droog te krijgen. 'We hebben geen momentje meer!' schreeuwde Maloney en hij trok zijn geweer uit zijn leren foedraal. 'Astbury, pak een peddel en doe je best. Elke meter telt. Als we de komende minuten niet aan wal weten te komen, zijn we allemaal dood!' Hij legde aan en vuurde. De terugslag van het wapen drukte de boot een paar meter naar voren. Alsof dat het teken was geweest waarop mijn handen hadden gewacht, begonnen ze plotseling weer te bewegen, grepen de riemen vast, verankerden ze in de houders en begonnen te peddelen.
Er klonk nog een schot over het water, een geluid dat vanaf de kant werd weerkaatst. Mokéle vertoonde geen enkel teken van pijn. Of de kogels ketsten direct af op zijn leren huid, of de verwondingen deden hem niets.
Op dat moment hoorde ik een spugend, sputterend geluid en werden we omhuld door een wolk slecht verbrande brandstof. Sixpence trok nog een keer krachtig aan de kabel en inderdaad... de motor liep weer.

'Geweldig, Six,' brulde Maloney, 'en nu zo snel mogelijk naar de kant. Ik probeer het beest nog even op afstand te houden.' Hij liet zijn woorden direct volgen door een paar knallen en schoot nog twee keer op het monster, maar zonder resultaat. Mokéle leek onverwoestbaar.

Bezorgd keek ik naar de motor. Hij pufte dan wel regelmatig, maar scheen maar op halve kracht te lopen. Waarschijnlijk zaten er nog steeds verontreinigingen in de brandstof. Drie mannen waren gewoon teveel. Mokéle kwam steeds dichterbij en als zijn eerste aanval als doel had gehad om ons te verjagen, dan was nu duidelijk dat hij van plan was om ons te doden. Hij liet zijn tanden zien en er drupte taai speeksel uit zijn bek.

De oever kwam tergend langzaam dichterbij. Ik zag Egomo en Elieshi, die heen en weer liepen en opgewonden met hun armen zwaaiden. Maloney gaf hen een teken dat ze moesten vluchten, maar ze begrepen hem niet.

'Verdomme,' vloekte hij. 'Ook dat nog. We hebben geen tijd om babysit te spelen. Six, maak koers richting het kamp. Ik moet zo snel mogelijk bij onze voorraad springstof zien te komen. Het is onze enige kans dit monster tegen te houden.'

Maar het was duidelijk dat het dier ons zou inhalen voordat we de oever zouden bereiken.

Op dat moment nam ik een beslissing waarvan ik wist dat het mijn dood zou kunnen worden.

Ik haalde diep adem en liet me overboord vallen.

'Nee!' hoorde ik Sixpence schreeuwen; toen vouwden de golven zich boven me samen. Het duikpak vulde zich met water en trok me als een steen naar de bodem. Terwijl ik dieper en dieper zonk, zag ik hoe de motorboot met hogere snelheid verdween. Mijn plan leek te werken.

Een paar seconden later zwom de Congosaurus over me heen. Zijn enorme silhouet wierp een grote schaduw op de bodem. Een ademloos moment minderde hij vaart en zocht naar me. Ik raakte in paniek toen ik zag dat hij zijn kop in het water stak en met zijn scherpe ogen de bodem afzocht. Maar toen zwom hij verder. Of hij had me niet gezien, of hij was niet op mij uit.

Ik had bijna geen lucht meer. Ik wachtte net lang genoeg tot het monster ook uit zicht was en zwom toen naar boven. Al hoestend vulde ik mijn longen met lucht en keek om me heen. Van Elieshi en Egomo ontbrak elke spoor.
Mokéle was de boot blijven volgen, maar mijn actie scheen de mannen een kleine voorsprong te hebben gegeven. Ze waren al bij de strook waterplanten aangekomen en sprongen in het heupdiepe water. Maar Mokéle zat hen op de hielen.
Met al mijn krachten probeerde ik naar de kant te zwemmen. Maar het was verder dan ik had gedacht en het duurde even voordat ik aan wal was. Nog een paar stappen en ik stond op het droge. Zo snel ik kon, trok ik mijn flippers en het hinderlijke duikpak uit.
Intussen was op de oever een genadeloos gevecht uitgebroken. Ik hoorde geschreeuw en gevloek, overstemd door wat schoten uit Maloneys buks. Plotseling doken Elieshi en Egomo weer op. Ik zag dat ze ook wapens in hun handen hadden. Mokéle twijfelde even. Of hij was verrast door de enorme weerstand die deze kleine wezens boden, of hij miste de bescherming van het water. Wat het ook was, het gaf mij even de tijd. Zo snel ik kon, rende ik naar ze toe. Ik moest omlopen, omdat ik op een ongeveer tweehonderd meter lang stuk oever stuitte dat zo drassig was dat ik er niet kon lopen. Even kon ik niet meer zien wat er gebeurde. Ik hoorde alleen nog de geluiden van een gevecht, en die waren angstaanjagend genoeg. Plotseling hoorde ik een donderslag die de bodem deed trillen.
Springstof.
Maloney had zijn dreigement dus uitgevoerd. Scherpe takjes en dorens prikten in mijn benen. Ik verdrong de pijn en rende zo snel mogelijk verder.
Eindelijk kwam ik bij het kamp. Zwaar ademend sprong ik uit de bosjes tevoorschijn en keek om me heen.
Mokéle was verdwenen.
Het team had zich langs de waterkant verzameld en keek naar het water. Maloney was de eerste die mij zag. In zijn handen glinsterde nog steeds een van de witte springstofcilinders. 'Daar komt onze held.'

Zwaar ademend rende hij naar me toe en schudde me blij de hand. 'Astbury, dat was het moedigste dat ik ooit heb gezien. Je hebt ons het leven gered.'
'Maloney heeft verdomme gelijk,' vulde Sixpence daaraan toe en klopte me op mijn schouder. 'Zonder jouw bezonnen daad had dat monster ons gepakt, dat is wel zeker. Hartelijk dank.'
'Met bezonnenheid had het weinig te maken,' gaf ik eerlijk toe. 'Eerder met paniek. Als ik meer tijd had gehad om na te denken, was ik niet in het water gesprongen, dat weet ik wel zeker.' Ik had altijd al een hekel gehad aan dankbetuigingen, en daarom veranderde ik snel van onderwerp. 'Waar is hij?'
'Weer in het water,' zei Maloney, en zijn glimlach verdween. 'We hebben enorm geluk dat we nog leven. De springlading heeft hem niets gedaan, maar hij is er wel enorm van geschrokken.' Hij schudde zijn hoofd. 'Ik heb al het nodige meegemaakt, maar dit slaat alles. Hij reageert niet op zenuwgif, kogels schijnen hem niet te deren en van explosies schrikt hij alleen maar. Wat is dit in godsnaam voor een beest?'
'Dat zal de genetische analyse uitwijzen,' antwoordde ik weer kort. 'Maar een ding kan ik u al wel vertellen: een dinosaurus is het niet.'
Alsof hij had gehoord dat we over hem spraken, dook Mokéle weer op, op veilige afstand van de kant. De blik in zijn ogen vertelde me dat de jacht nog niet voorbij was. Het reptiel had ons in zijn vizier en hij zou niet rusten voordat wij het loodje hadden gelegd.
'We moeten hier weg,' zei ik. 'Wel of geen Emily, laten we onze spullen pakken en verdwijnen.'
'Als we daar nog de kans toe krijgen,' zei Maloney. 'Zien jullie wat ik zie?'
Ik begreep eerst niet wat hij bedoelde, want Mokéle zwom bij ons vandaan en bewoog iets naar links. Maar toen zag ik het staartstuk dat uit de bosjes stak.
'Mijn hemel, het vliegtuig!'
Ik zag de paniek in Elieshi's ogen. 'Als hij dat vernielt, zitten we in de val. Dan kunnen we alleen nog maar hulp oproepen en wachten tot iemand ons hier snel komt halen.'

'En dat heeft, dat weten we al, bij de soldaten ook niet gewerkt,' vulde Maloney aan. 'Six, stap weer in de boot en houd het beest van veilige afstand in de gaten. Geef ons rugdekking vanaf het water als hij aanvalt. Astbury en ik zullen het vliegtuig beschermen, koste wat het kost.'

Zo snel het ging, trok ik een T-shirt, broek en schoenen aan, terwijl Maloney onze wapens laadde. Toen ik klaar was, drukte hij me een M6-mitrailleur in de hand en legde kort uit hoe het wapen werkte. Zelf had hij de kruisboog met exploderende pijlen gepakt.

'Geen tijd meer voor halve maatregelen,' zei hij toen hij mijn sceptische blik zag. 'Als we hem nu niet tegenhouden, zitten we hier als op een presenteerblaadje.' En met een zuinige glimlach voegde hij eraan toe: 'Vanaf nu is het: hij of wij. Klaar?'

Ik knikte.

'Goed, kom mee.'

De beweging deed me goed, want het onderdrukte mijn angst. De Beaver lag stilletjes in de bocht te dobberen waar we hem hadden vastgeboden. Niets wees erop dat Mokéle zich hier ergens bevond. Bijna niets. Op ongeveer vijftig meter afstand stegen luchtbellen op.

'Daar zit hij,' fluisterde de Australiër. 'We mogen nu geen risico's nemen. Ik gooi de touwen los, terwijl jij in de cockpit klimt en de motor start.'

'Ik wat...?'

'Je hebt me wel begrepen. Je moet de motor starten en het vliegtuig uit de gevarenzone manoeuvreren.'

'En als hij achter me aan zwemt?'

Hij lachte koud. 'Dan start je door en stijgt op. Je weet toch hoe dat moet. Hier is de sleutel.' Hij wierp hem door de geopende deur. 'Het moet niet zo moeilijk zijn, ten slotte is de machine nu veel lichter.'

'Je bent compleet gestoord,' zei ik. Toch slikte ik mijn angst in en nam plaats achter de stuurknuppel. Terwijl Maloney bij de geopende deur op de drijver stond en uitkeek naar Mokéle, probeerde ik me te herinneren hoe Sixpence de motor had gestart.

Benzinemenging instellen, op de startknop drukken, sleutel erin steken en omdraaien. Ik hoorde een klikkend geluid, toen gepruttel

en… toen sprong de motor tot mijn grote verbazing aan. Zo gemakkelijk was dat dus. Ik verlaagde de druk en keek naar buiten. Langzaam… heel langzaam kwamen we in beweging. Maar we hadden nog maar een paar meter afgelegd toen plotseling Mokéle's hals uit het water schoot en hij met zijn enorme lijf de doortocht belemmerde. Alsof hij doorhad wat we van plan waren.
'Verdomme,' vloekte ik. 'Zo komen we nooit langs hem. Wat moet ik nu doen?'
Maloney dacht even na en schudde toen zijn hoofd. Zijn mond was nog maar een smal streepje. 'Dit beest is verdomde slim. Het wil ons de weg afsnijden. Zet de motor maar weer uit.'
Ik deed wat hij zei, en het dier verdween direct weer onder water. Maloney keek stomverbaasd. 'Hebt u ooit zoiets gezien, Mr. Astbury? Hij schijnt elke beweging te anticiperen en reageert direct. Als ik niet beter zou weten, zou ik denken dat we hier met een mens te maken hadden. Zijn intelligentie is verbazingwekkend. We moeten iets anders bedenken.'
Hij gebaarde me om uit te stappen. 'Pak je geweer. Ga zo voorzichtig mogelijk op de rechterdrijver staan. Ik neem de linker. Als Mokéle zijn kop uit het water steekt, schiet dan op de hals. Hij schijnt daar het kwetsbaarst te zijn. We moeten hem nu doden, dat is onze enige kans.'
Het wapen lag zwaar tegen mijn borst toen ik met een ongemakkelijk gevoel uit de cockpit stapte. Ik zag Sixpence op een afstandje voorbij varen. Hij zwaaide naar ons, maar ik kon zien dat hij bezorgd was. Hij was zich wel degelijk bewust van het gevaar dat onder de luchtbellen loerde en voer er in een grote boog omheen. Hij hield zijn wapen in de aanslag.
Minuten gingen voorbij.
Waarom viel Mokéle niet aan? Wat was hij van plan? Wilde hij wachten tot we weggingen? Ik begreep het beest gewoon niet. Hij gedroeg zich zo anders dan ik van dieren gewend was. Maloney had helemaal gelijk. Hij was iets té intelligent.
De spanning begon aan me te knagen en ik begon te spelen met de

beveiliging van het wapen. Mijn vingers gleden over het gladde metaal, terwijl ik met mijn nagels over het geribbelde oppervlak kraste. Het wachten was om gek van te worden.
Plotseling en totaal onverwacht schoot er een kogel uit mijn geweer. Het patroon schoot voor mijn voeten het water in.
Het wapen gleed uit mijn vingers en was zeker gezonken als ik het ook niet over mijn schouder had hangen. Ik was zo verrast dat ik bijna uitgleed en zelf in het water viel.
Op dat moment brak de glanzende rug van Mokéle door het wateroppervlak. Hoewel ik het beest die dag al een paar keer had gezien, kromp ik ineen. De slagtanden boden een gruwelijke aanblik. Schuimend van woede en snuivend, zodat het bloed bijna in mijn aderen stolde, kwam hij dichterbij. Het was wel duidelijk dat mijn onhandigheid met het geweer de oorzaak was van zijn woede. Terwijl ik langzaam terugweek en probeerde op zijn hals te richten, kreeg ik hetzelfde idiote idee dat ik in het kamp van de soldaten had gehad. Wat als Mokéle ongevoelig was voor wapens? Dat was natuurlijk een interessante gedachte, omdat het ervan uitging dat het beest die dingen herkende. Toch liet het idee me niet los en toen ik nog een keer in zijn intelligente ogen keek, voelde ik dat ik heel dicht bij de waarheid was.
'Waarom schiet je niet, verdomme?' riep Maloney ongeduldig vanaf de andere kant van het vliegtuig. 'Je hebt vrij zicht.'
'Ik kan het niet,' mompelde ik. 'Het is niet goed.'
'Wat is dat nou weer: het is niet goed? Verdomme! Wacht, ik kom naar je toe.' Zijn woede was onmiskenbaar. Maar ik moest hem over mijn vermoeden vertellen, ons leven kon ervan afhangen.
Maloney scheen zich echter niet voor mijn vermoedens te interesseren. Hijgend en zwetend wurmde hij zich naar me toe, waarbij het vliegtuig vervaarlijk begon te schommelen.
'Als je wilt dat iets goed gebeurt, moet je het zelf doen,' snoof hij, toen hij met beide voeten op mijn drijver stond. Hij wierp me een korte, vernietigende blik toe, richtte en kreeg het reptiel in zijn vizier.

'Nee,' riep ik. 'Niet doen. Laat de kruisboog zakken, hij reageert op onze wapens.' Ik probeerde nog Maloneys arm te pakken, maar het was al te laat.
'Onzin,' hoorde ik hem zeggen en toen schoot hij.

26

De pijl zoefde in een rechte lijn op de hals van het dier af. Mokéle, die ons nauwlettend in de gaten had gehouden, reageerde direct. Met een bliksemsnelle beweging liet hij zich op zijn zij vallen, en de pijl miste hem op een halve meter. Ik had nog nooit een groot dier gezien dat zo snel kon bewegen. Maloney schijnbaar ook niet, want hij vloekte en pakte een volgende pijl. Maar hij kreeg de kans niet om deze af te vuren, want op dat moment explodeerde de pijl, die twintig of dertig meter achter het monster in het water lag, met een oorverdovende kracht. De druk van de explosie was zo groot dat de warmte me in het gezicht sloeg. Sixpence, die zich dichter bij de explosie had bevonden, werd uit de boot geslingerd.

De Congosaurus brulde van woede. Daarna ging hij in de aanval. Het deed me denken aan de confrontatie op het meer, maar dan met één groot verschil. Dit keer was het menens. Vergeleken met deze aanval leek die op de rubberboot eerder een halfhartige poging om ons weg te jagen.

Met één enkele klap van zijn staart vernielde Mokéle de linkerdrijver van de Beaver. Als Maloney niet naar mijn kant was geklommen, had hij deze aanval waarschijnlijk niet overleefd. Mokéle stootte zijn hals naar voren en ramde zijn machtige tanden in het blikken omhulsel van de motor. Met een paar happen scheurde hij kabels, draden en isolatiemateriaal uit het motorruim. Hij schudde met zijn kop, zodat de onderdelen meters ver naar links en rechts vlogen. Daarna was de rechterhelft van het vliegtuig aan de beurt, onze kant. Hij slingerde zijn staart door de lucht en ik kon nog net op tijd wegduiken voordat hij de romp trof. Glas versplinterde. De deur werd naar binnen gedrukt alsof hij van aluminiumfolie was. Met een kreunend geluid kiepte het vliegtuig om. De klap was zo hard dat ik met een enorme boog van de drijver werd geslingerd en vier meter verderop met een klap in de modder belandde. Ik hapte naar adem, maar had geluk bij een ongeluk. De val had mij uit de directe gevarenzone geslingerd. Maloney daarentegen zat er nog middenin. Op de een of andere manier was hij erin geslaagd zich aan een schoor vast te klampen. Zijn handboog was echter uit zijn hand gegleden en lag in het slijk. Hij zou er absoluut niet bij kunnen komen voordat het monster nog een keer zou aanvallen. Mokéle verhief zijn machtige lichaam uit het water. Hij kwam nu regelrecht op Maloney af. In vergelijking met het beest zag de jager eruit als een dwerg. Hulpeloos moest ik toekijken hoe het monster op de Australiër inhakte. Maar toen weerklonk een schot over het water. Sixpence.

Het was de aboriginal gelukt om weer in de boot te klimmen, en nu vuurde hij met Maloneys grotere olifantenbuks op het oerwezen. Een dof soppend geluid weerklonk. Bloed spoot uit een diepe wond op de schouder van het beest en we hoorden een dierlijke kreet. Mokéle was dus toch niet onoverwinnelijk. Nu zag ik ook een oneindig aantal littekens, die me eerder niet waren opgevallen omdat zijn huid was begroeid met zo'n dikke laag algen.

Mokéle draaide zich om en aarzelde. Hij had Sixpence gezien, maar leek te aarzelen welke van de twee tegenstanders hij als eerste moest uitschakelen. Sissend draaide hij zich weer om naar Maloney, die nog steeds zijn wapen niet had kunnen pakken. Toen viel er opnieuw een schot.

'Nee!' schreeuwde Maloney. 'Hou daarmee op, Six! Motor aan en maken dat je wegkomt. Weg!'

Maar het was al te laat. Na dit laatste schot veranderde Mokéle van strategie. Hij dook onder en zwom op de rubberboot af. Ik kon duidelijk de golven zien die op de boot afkoersten. Met panische bewegingen probeerde Sixpence de motor weer aan de praat te krijgen, terwijl Mokéle op hem af stevende als een tientonner op een nietsvermoedende passant. Sixpence realiseerde zich dat het te laat was om met de boot weg te komen. Hij slingerde het geweer weg en sprong in het water. Misschien hoopte hij dat het beest alleen de boot zou aanvallen. Maar hij had zich vreselijk vergist.

Ik zag hoe Mokéle's kaken zich openden en sloten, hoorde ze hard dichtklappen en daarna klonk een vreselijke kreet. Sixpence verdween en het water verfde zich rood.

Mokéle zwom nog twee keer om de plek heen en dook toen in een bloedrode wolk van schuim naar de diepte.
'O god, nee,' riep Maloney hevig ontdaan. Ondanks het gevaar liep hij het water in en zwom naar zijn vriend, die ongeveer vijf meter van de kant beweginglooss in het water dreef.
Na een tijdje kwam hij terug, met in zijn armen een bundel die ooit een mens was geweest. Ik zag al vanaf een afstandje dat mijn ergste vermoedens waarheid waren geworden. Toen hij het levenloze lichaam van Sixpence aan land droeg, sloeg ik mijn hand voor mijn mond.
Een been ontbrak, het andere hing slechts nog met een paar aderen en pezen vast aan zijn lichaam. Over zijn hele onderlichaam was een grote gapende wond te zien, waaruit grote delen van zijn darmen naar buiten hingen. Zijn ogen waren wijd open en stonden star van schrik, zijn huid was grauw en bleek. Toen Maloney hem voor mijn voeten op de grond legde, ontsnapte er een ratelend geluid uit zijn borst.
Sixpence leefde nog.
Maloney knielde naast hem neer. Hij leek te huilen, hoewel ik dat niet met zekerheid kon zeggen. Misschien waren zijn wangen nog nat van het water. Hij keek me met rode ogen aan, en zijn stem klonk zacht en gebroken. 'Alsjeblieft Astbury, help mij hem te redden.'
Ik knielde naast de aboriginal neer, tilde zijn hoofd op en streek de natte haren uit zijn gezicht. 'Het is al goed,' rochelde hij, 'maar je kunt nog één ding voor me doen...'
'Zeg het maar, mijn vriend. Zeg het maar.'
Sixpence probeerde te lachen. 'Blijf met je vingers van Elieshi... een goed mens. Heeft het niet verdiend om slecht te worden behandeld...'
Zijn lachen verstarde en met een laatste kuchje zakte hij weg.
Ik sloot mijn ogen.

Toen ik ze weer opendeed, stonden Elieshi en Egomo naast ons. Geen van beiden zei iets. Stilletjes staarden ze naar Stewart Maloney, die zijn dode vriend in de armen hield en hem zacht heen en weer wiegde. Het gezicht van de jager was grijs. Er lag een koortsige blik in zijn ogen. Elieshi legde haar hand op zijn schouder om hem te troos-

ten, maar een korte blik van hem maakte duidelijk dat het beter was hem nu niet aan te spreken, laat staan aan te raken.
'We moeten hem begraven,' zei ik toch. 'Het begint donker te worden en in de schemering komen de roofdieren bij het water drinken.'
Maloney knikte en veegde met zijn mouw over zijn smerige gezicht. Hij wierp een korte blik op het vernielde vliegtuig, alsof hij er zeker van wilde zijn dat ook daar niets meer te redden was. Daarna stond hij op en droeg zijn vriend terug naar het kamp. We liepen zwijgend achter hem aan.
Toen we bij het kamp waren aangekomen, hadden we allemaal de tranen in onze ogen. Maloney koos een mooie plek uit aan de voet van een kapokboom en begon met een schop een graf te delven. Het leek veel te kort te zijn voor een gewoon mens, maar toen ik het verwoeste lichaam zag, begreep ik het. Maloney legde zijn vriend in de aarde, deed zijn dromenvanger af en legde die op Sixpences borst. Daarna sprak hij een aantal woorden uit die ik niet verstond, aangevuld met gebaren die me deden denken aan een rituele bezwering van een indiaanse medicijnman.
Zonder te wachten of iemand van ons nog iets wilde zeggen, bedekte hij het lichaam met aarde, trok zijn bowiemes en stak het in de boom. Met korte, nauwkeurige bewegingen kraste hij iets in de bast. De krassen ontblootten het daaronder liggende, rood glinsterende cambium. Toen hij achteruit stapte, zag ik dat er één woord stond.
Nyngarra!
De letters zagen eruit alsof ze in bloed waren geschreven. Ik wist niet wat ze betekenden, maar het woord leek onheil te beloven. Ik zocht om hulp bij Elieshi, maar aan haar reactie te zien, begreep zij er net zo weinig van als ik. Maloney leek het niet te willen uitleggen en ik besloot hem er niet naar te vragen. Met een snelle beweging maakte hij het glimmende mes schoon aan zijn broek. Ik rekende erop dat hij het zou wegstoppen, maar toen deed hij iets wat het bloed in mijn aderen deed stollen. In alle rust ontblootte hij zijn onderarm en trok het scherpe lemmet over de huid. De wond begon direct te bloeden. Hij pakte wat aarde van de grond en wreef die over het litteken. Het moest vreselijk pijn doen, maar Maloney vertrok geen spier.

Plotseling herinnerde ik me wat Sixpence me eerder in de jungle had verteld. Hij had gezegd dat de littekens stonden voor de zielen van gestorven vrienden. Huiverend bedacht ik dat zijn armen vol zaten met littekens.
En nu was er een nieuwe bijgekomen.
Elieshi liep naar hem toe. Troostend legde ze haar arm op zijn schouder, maar hij schudde haar af als een lastige vlieg. Zonder ons een blik waardig te keuren liep hij naar zijn tent, trok de rits dicht en liet zich de rest van de avond niet meer zien.
Radeloos bleven we een tijdje aan het graf staan, daarna liepen we bedrukt naar het kampvuur. Ondanks de dreiging die nog steeds uitging van het meer waren we opvallend rustig. We voelden dat Mokéles woede nu even was bedaard. Sixpence' offer had ons wat tijd gegeven. Maar hoe lang zou het duren en wat zou er daarna gebeuren?
De herinnering aan de gebeurtenissen van vandaag begonnen door te dringen tot de buitenste laag van mijn bewustzijn en er vormde zich een steeds hogere muur van vragen en angst. Ik voelde dat mijn handen onrustig werden en mijn vingers begonnen te kriebelen. Ik stopte mijn handen in mijn broekzakken, maar het gevoel verdween niet; integendeel het begon zich uit te breiden naar mijn benen. Ze begonnen te trillen en als ik niet was gaan zitten, was ik ter plekke omgevallen.
'Mijn god, je bent zo wit als een doek,' zei Elieshi, die naast me stond. 'Bloedsomloop. Adem een paar keer stevig in en uit. Ik zal even wat halen om je bloedsuiker weer omhoog te krijgen.' Ze verdween in de voorraadtent en kwam terug met een handvol zoetigheid.
Ik pakte een mueslireep en een zak M&M's. Na een grote slok uit de veldfles ging het alweer beter. De biologe ging naast me zitten en pakte een van de kleurige nootjes. 'Heb jij iets van dat ritueel begrepen?' vroeg ze. 'Ik moet toegeven dat ik het wat griezelig vond.'
Ik knikte. 'Nog zorgelijker vind ik dat hij zijn dreamcatcher heeft afgedaan.'
'Zijn wat?'
'Zijn dreamcatcher. Hij had hem altijd om, waar hij ook naartoe ging. Zelfs bij het duiken droeg hij hem. Dat hij het ding nu heeft

afgedaan, voorspelt weinig goeds. We moeten op onze hoede zijn.' Ik schudde mijn hoofd.
'Wat is er op de bodem van het meer eigenlijk gebeurd?' vroeg Elieshi. 'Vertel.'
Het duurde even voordat ik haar het hele verhaal had verteld.
'Jullie hebben dus echt de ingang van een hol gevonden,' mompelde ze terwijl ze weer een van de kleurige kogeltjes met haar tanden doormidden beet. 'Geen wonder dat de signalen in mijn aantekeningen op die plek zo sterk waren.' Ze was volledig in gedachten verzonken. 'Ik moet proberen de geluiden beter van elkaar te scheiden. Misschien lukt het me om een patroon te herkennen. Dat zou belangrijk kunnen zijn.'
'Je bedoelt dat je de taal wilt leren?'
'Zoiets. We hebben tijdens de aanval beeld en geluid laten meelopen. Als ik beide synchroniseer, kan ik misschien op basis van de geluiden en de bijbehorende acties een persoonlijkheidsprofiel opstellen. Dan weten we wat hem bang, opgewonden of kwaad maakt. En welke geluiden aan een aanval voorafgaan.'
Ik knikte. Als dat plan werkte, hadden we een goede kans Mokéle beter te begrijpen.
'Een geniaal idee. Doe dat,' zei ik. 'En terwijl jij Mokélisch leert, zal ik me bezighouden met onze inwendige vriend. Ik moet toegeven dat ik iets aan dat beest toch wat vreemd vind. Ik kan niet wachten tot ik zijn DNA zie.' Ik reikte haar de hand. Elieshi ging staan met een glimlach die haar angst echter niet kon verdoezelen. Maar nu hadden we in elk geval iets te doen.
We liepen naar de onderzoekstent, zetten de stroomgenerator aan en gingen op onze plekken zitten. De biologe concentreerde zich op haar geluidsopnamen en dook direct in haar eigen wereld onder. Ik klikte het koelelement open waar de pijl in zat en legde die voor me op tafel. De pijl zelf beschikte ook over een even eenvoudig als briljant patent. Binnen in de pijl zaten vijf kamers, die bij het penetreren van Mokéles huid direct waren gevuld met vloeistof en weefsel. Ze konden afzonderlijk worden geopend, zodat een monster kon worden geanalyseerd zonder de andere te vervuilen. Tot zo ver ging alles goed. Ik legde de pijl aan de kant en wijdde me aan de alumi-

niumkoffer waarin het analyseapparaat zat dat Lady Palmbridge had meegegeven. Het pronkstuk, de gendeler die ze me de ochtend na het diner persoonlijk had laten zien, bestond uit een microprocessor die de verschillende genstrengen met elkaar vergeleek en kon zoeken naar specifieke informatie.
Ik liet de sloten van de koffer openspringen en opende de deksel. Onvoorstelbaar hoe klein het apparaat was. Waar vroeger een heel laboratorium voor nodig was, paste nu in dit glanzende, zilverkleurige koffertje.
Voorzichtig tilde ik het apparaat eruit, waarvan het grootste deel bestond uit een met vloeistof gevulde tank, waarin de restrictie-enzymen rondzwommen die werden gebruikt om bepaalde stukken DNA eruit te knippen. De analyse van een hele streng zou veel te tijdrovend zijn en bovendien was ik alleen maar op zoek naar het deel waarin de informatie over het immuunsysteem was opgeslagen. De uitgesneden delen werden door het apparaat op lengte gesorteerd, radioactief gemarkeerd en zichtbaar gemaakt. Zo ontstond een patroon dat voor elk levend wezen uniek was.
Het belangrijke sequentieapparaat van PGE voerde al deze werkzaamheden zelfstandig uit. De analyse zelf, waar vroeger drie of vier aparte tests en meerdere dagen voor nodig waren, werd nu in één enkele stap uitgevoerd.
Ik keek vol bewondering naar het apparaat. Dit kleine prototype zou in de nabije toekomst een revolutie kunnen betekenen voor de hele criminologie. Het was compact, licht en kon praktisch overal worden gebruikt om een genetische vingerafdruk te maken. Niet langer wachten op resultaten van het hopeloos overbelaste genlaboratorium. Een minuscuul monster van het te onderzoeken materiaal was al voldoende en het resultaat lag binnen een halfuur op je bureau.
'Oké dan,' mompelde ik zachtjes en zette het apparaat aan. Een zoemend geluid gaf aan dat het klaar was voor gebruik. De monitor lichtte op en er verscheen een aantal testbeelden. Dertig seconden later las ik de groen oplichtende letters:
STATUS OKÉ – APPARAAT KLAAR VOOR GEBRUIK
Ik opende de pijl, deed de inhoud van een van de kamers in een ste-

riel verpakte reageerbuis en liet hem weer in zijn koele bedje glijden. Daarna opende ik de schacht voor DNA-monsters van het sequentie-apparaat en plaatste er het glazen buisje in. Een elektronisch piepje gaf aan dat het monster was herkend en werd geaccepteerd en het klepje werd als door een spokenhand gesloten. De monitor kwam tot leven.

Ik koos twee analysemethoden, waarbij op basis van een menging van DNA-fragmenten kon worden gezocht naar een specifieke sequentie. Ik wilde natuurlijk vooral weten of de informatie uit Mokéles DNA overeenkwam met het menselijke gen. Lady Palmbridge had mij ook een cd meegegeven met referentiemateriaal.

Daarmee was de invoerfase afgesloten en ik kreeg het bericht dat het resultaat ongeveer een halfuur op zich zou laten wachten.

Ik rekte me uit en wierp een korte blik op de biologe, die nog steeds geconcentreerd aan het werk was, en verliet toen de tent. Wat kon ik doen totdat het resultaat er was? Ik kreeg een idee. Ik kon proberen Sarah te bereiken. Sixpence had me laten zien hoe de satellietontvanger werkte. Het apparaat stond zoals altijd op stand-by, dus stak ik de kabel van mijn mobieltje in het contact, wachtte tot de lijn vrij was en koos daarna het nummer. Het duurde even voordat ik wat gekraak hoorde.

'Hallo?' Sarahs stem klonk zo ver weg dat ik de telefoon stevig tegen mijn oor moest drukken om haar te kunnen verstaan. En toch voelde ik bijna direct een warm gekriebel in mijn buik.

'Sarah! Ik ben het, David.'

'David!' Het was bijna een schreeuw. 'Waar zit je? Hoe gaat het met je? Ik heb al de hele tijd op je telefoontje zitten wachten.' De verbinding viel even weg, maar toen hoorde ik haar stem weer. 'Waarom heb je niet eerder gebeld? Ik werd bijna gek van de zorgen.'

'Het spijt me,' antwoordde ik, 'maar het kon niet eerder. Er is zo veel gebeurd. De laatste dagen waren spannender dan alles wat je je maar kunt bedenken. Maar het gaat redelijk. En ik mis je,' voegde ik eraan toe, om haar niet ongerust te maken. Maar het was al te laat. 'Wat betekent redelijk?' Sarahs stem klonk dringend. 'Kun je praten?'

Ik keek om me heen. 'Ja, er is nu niemand.'

'Brand los.'
De woorden kwamen als een waterval en het duurde bijna twintig minuten voordat ik alles had verteld. Maar toen kwam ik bij de dood van Sixpence en begon mijn stem te haperen. Ik kon nog een paar woorden uitbrengen maar viel toen stil.
'En toen?' Haar stem klonk smekend.
'Sixpence is dood. Hij is voor mijn ogen gestorven.'
'Mijn god.' Ik hoorde haar ademen. 'Wat is er gebeurd?'
Ik vertelde over onze duik, de vlucht over het water en de strijd om het vliegtuig. De bloederige details bespaarde ik haar, want ze was ervaren genoeg om te weten hoe zoiets eruitzag. Sarah zweeg even, terwijl ze nadacht over wat ik had verteld. Toen ze weer kon praten, was ze verrassend genoeg meer geïnteresseerd in de duik dan in het volgende drama.
'We hadden dus gelijk over die inslag,' fluisterde ze. 'Er is een verband tussen Mokéle en die gebeurtenis. Je zei dat de stralingswaarden op de bodem van het meer hoger waren dan boven?'
'Een beetje.'
'En die stemmen die je hoorde?'
'Dat is vast niets. Waarschijnlijk heb ik het me maar ingebeeld. Het was daar beneden aardedonker en ik was hartstikke bang.'
'Misschien wel. Misschien niet. Mijn gevoel zegt me dat er een verband is. Ik denk dat er een vreselijk geheim achter zit en ben bang dat je nog een keer moet gaan duiken als je het te weten wilt komen. Ik had echter liever dat jullie hulp gingen halen en zo snel mogelijk daar weggingen.'
'Als jij het zegt, klinkt het zo logisch en eenvoudig. Ik weet echt niet wat ik moet doen,' zei ik. 'Ik mis je zo. Ik zou willen dat je hier was.'
Op dat moment kwam Elieshi uit de tent.
'Kom snel, professor,' riep ze me met een vreemde uitdrukking op haar gezicht toe. 'Je programma is klaar. Ik weet niet hoe het apparaat werkt, maar wat daar staat, ziet er nogal vreemd uit. Je moet echt komen kijken.'
'Ik moet ophangen, Sarah. Tot gauw. Ik zal je zo snel ik kan weer bellen.'

'Pas goed op jezelf.' Ik hoorde nog hoe ze een kus op de hoorn drukte. 'Ik hou van je.'
Ik ook van jou... wilde ik nog zeggen, maar toen was de verbinding al verbroken.

27

De monitor begroette me met de deprimerende mededeling: TEST NIET VOLTOOID. Er volgde een lange lijst foutmeldingen, die er allemaal op wezen dat het apparaat het DNA-monster gewoon niet had herkend.
'Verdomme,' mompelde ik en probeerde een aantal commando's, die allemaal niets uithaalden.
'Is het apparaat misschien defect?' vroeg Elieshi, die over mijn schouder meekeek.
Ik schudde mijn hoofd. 'De systeemtest ging goed. Geen idee wat er aan de hand is.' Ik pakte weer een reageerbuisje uit het omhulsel en drukte het Elieshi in de hand. 'Hier, houd even vast.' Ik pakte mijn zakmes uit mijn broekzak en sneed mezelf in mijn linkerduim. Er drupte wat bloed uit, dat Elieshi in het buisje opving. Ik verwisselde de monsters in het sequentieapparaat, drukte op *enter* en stak mijn duim in mijn mond. Nog geen twee minuten later werd het resultaat weergegeven op het scherm: MANNELIJKE PROEFPERSOON, GEWENSTE TESTMETHODE? 'Het lijkt allemaal te werken,' glimlachte Elieshi. 'Kan het apparaat ook een persoonlijkheidsprofiel van mij maken? Hobby's, voorkeuren, seksuele geaardheid, zoiets?' Ze knipoogde naar mij.
'Mooi dat je jouw gevoel voor humor weer terug hebt,' grijnsde ik en drukte op een paar toetsen om terug te keren naar het hoofdmenu van het analyseprogramma. 'Dat zou een leuk spelletje zijn: "Herken jezelf!" De laatste trend in de speelgoedwinkel! Helaas hebben we daar geen tijd voor. Wat we nu nodig hebben, is een antwoord op de vraag waarom het apparaat het monster van Mokéle niet heeft herkend.'
'Misschien heeft hij geen DNA.'
'Dat is onzin. Elk levend wezen op deze planeet heeft DNA. Er zijn geen...' Uitzonderingen, wilde ik nog zeggen, maar toen herinnerde ik me het gesprek met Sarah.

'Hemel nog aan toe,' fluisterde ik en verwisselde de twee reageerbuisjes weer.
'Wat is er?' vroeg Elieshi. Ze ging zo dicht achter me staan dat ik haar adem in mijn nek voelde.
'Ik denk dat we bij dit onderzoek bij het begin moeten beginnen, en wel bij de chemische structuur.'
Ik voerde een aantal opdrachten in het sequentieapparaat in die mij informatie zouden moeten verschaffen over de opbouw en samenstelling van het DNA en leunde achterover.
'Zo,' mompelde ik, 'nu zullen we zien of Sarah het bij het juiste eind had.'
Elieshi keek me vragend aan. 'Leg dat eens uit, David. Ik begrijp nog steeds niet waar je op doelt.'
We hadden nog een paar minuten voordat het apparaat een resultaat zou geven, dus vertelde ik haar over mijn vermoedens.
'Zie je,' begon ik. 'Al het leven op onze planeet wordt gedefinieerd door vier basen – adenine, thymine, guanine en cytosine – die zich combineren tot trio's, de zogenaamde triplets. Bij vier verschillende basen en drie verschillende mogelijkheden zijn er voor dit kleine aantal vierenzestig verschillende combinaties mogelijk. Als we een base zien als een letter en een triplet als een woord, dan kan de hele evolutie als een moleculstreng worden weergegeven. Net zoals we met de zesentwintig letters van het alfabet alle kennis van de mens kunnen opschrijven.'
'Dat is mij bekend,' knipoogde Elieshi. 'Ik ben bioloog, voor het geval je het bent vergeten.'
Ik glimlachte flauwtjes. 'Ik wilde het verhaal graag vanaf het begin vertellen. De eerste keer dat ik begon te vermoeden dat de sleutel van ons probleem in de genetische code kon liggen, vertelde mijn vriendin Sarah me dat Lac Télé een impact was, ofwel een meteorietkrater.'
'Dan is ze dus toch je vriendin.'
'Dat heb ik nooit ontkend,' antwoordde ik, terwijl ik probeerde me niet van de wijs te laten brengen.
'De meeste meteorieten die op aarde zijn gevonden, vertonen een verhoogde radioactiviteit. Daarom was het ook zo belangrijk om een geigerteller mee te nemen. Zoals ik heb kunnen vaststellen, bevin-

den zich op de bodem van het meer stralingswaarden die net nog binnen het bereik liggen dat voor de mens veilig is. Ik hoef jou als bioloog natuurlijk niet uit te leggen wat voor gevolgen radioactiviteit heeft op hoogontwikkelde wezens.'

'Het leidt tot mutaties.'

'Dat klopt. Tot een opvallende verandering van het erfgoed. En deze verandering is groter naarmate het levenswezen hoger ontwikkeld is. Een hoog ontwikkeld wezen, zoals een dinosaurus, die tijdens zijn leven met deze inslag te maken zou hebben gehad, zou aan de gevolgen van de straling of zijn gestorven...'

'... of zou hebben overleefd en zich hebben aangepast,' maakte Elieshi de zin af. 'Wat mij echter erg onwaarschijnlijk lijkt. In de meeste gevallen leidt radioactieve straling tot onherstelbare schade aan het erfgoed. Alsof hele stukken informatie door elkaar worden gehusseld en weer bij elkaar geraapt. Dit resulteert in 99 procent van de gevallen in een ramp.'

'Niet als hij over genoeg reparatiegenen beschikt om de beschadigde delen weer te laten functioneren.'

Ze fronste. 'Dat is een erg fantasierijke theorie. Waar moeten die reparatiegenen dan wel vandaan komen?'

'Misschien komen we het geheim van de meteoriet langzaam maar zeker op het spoor. Misschien is dat de reden waarom Lady Palmbridge zo op geheimhouding hamerde.'

'Bedoel je dat ze hiervan afwist?' Elieshi draaide een cirkel met haar vinger.

Ik knikte. 'De meteoriet, de leeftijd, de radioactiviteit – ze moet van alle factoren op de hoogte zijn geweest en haar conclusies hebben getrokken. Anders is de vasthoudendheid waarmee ze dit project is blijven steunen niet te verklaren. Toen ze Emily's opnamen van Mokéle in handen kreeg, was de zaak voor haar duidelijk.'

'Maar één ding begrijp ik niet,' zei Elieshi. 'Zelfs als Mokéles erfgoed een gemuteerde vorm is van het dinosaurus-DNA, dan had het sequentieapparaat het toch moeten herkennen?'

Ik knikte. 'Ervan uitgaande dat de mutaties niet zo ernstig zijn dat ze buiten het meetbereik van het apparaat vallen.'

Op dat moment werd de monitor weer wakker en werd het resultaat van de chemische analyse weergegeven. Hoewel ik erop had gerekend iets ongewoons te zien, viel mijn mond toch open. Wat er stond, was moeilijk te geloven voor iemand die met beide benen stevig op de grond stond en heilig geloofde in de wetten der natuur.
'Vijf basen?' Elieshi hapte naar lucht. 'Kijk nou eens. Na de chemische analyse is uracyl gevonden. Maar waar komt dat in hemelsnaam vandaan?'
'Ik heb geen idee,' mompelde ik. 'Het enige dat ik weet, is dat we daarmee een veel groter aantal combinatiemogelijkheden hebben...'
Ik kreeg een wee gevoel in mijn maag, terwijl ik me realiseerde wat deze ontdekking betekende. 'Het aantal beschikbare informatiedragers is bijna verdubbeld. In plaats van tot vierenzestig zijn er dan honderdvijfentwintig combinatiemogelijkheden.'
'Meer zelfs,' zei Elieshi, en ze tikte op het beeldscherm waar de computer een voorbeeld gaf van de nieuwe DNA-streng. 'Kijk daar eens,' fluisterde ze, 'de basen combineren zich niet tot triplets, maar groepjes van vier. Quadruplets, als die überhaupt bestaan.'
'Die bestaan. Maar dat zou betekenen...,' ik rekende het in mijn hoofd uit, '... dat er niet honderdvijfentwintig maar zeshonderdvijfentwintig mogelijke combinaties zijn. Een ongelooflijk aantal. Waarom heeft een levend wezen zo veel opslagruimte nodig?'
'Misschien om bepaalde vaardigheden te leren?' gokte Elieshi. 'Vaardigheden waar wij niets van afweten?'
Sprakeloos staarde ik naar de monitor die ons steeds nieuwe gezichtspunten van het nieuwe DNA liet zien. Ik liet me in een stoel zakken. 'Hoe we het ook bekijken,' mompelde ik, 'Mokéle is een soort superdino.'
'Hij is veel meer,' verzuchtte Elieshi. 'Hij is een sprong in de evolutie. Een ontwikkelingshistorische verdere ontwikkeling zoals die nog niet is voorgekomen. Dit zou het leven op deze planeet voorgoed kunnen veranderen.'

28

Dinsdag 16 februari

Egomo staarde een beetje kwaad omhoog. Sinds ze vanochtend vroeg waren vertrokken, richting het grasland, miezerde het, en de wolken wilden maar niet breken. Een fijne, gelijkmatige regen dwarrelde al urenlang naar beneden. Regen die op je huid bleef plakken en na een tijdje erdoorheen leek te dringen. En alsof dat nog niet genoeg was, was zijn schouder de laatste uren nog meer pijn gaan doen. Elieshi had hem wel uitgelegd dat de pijn normaal was en hoorde bij het genezingsproces, maar hij wist wel beter. Het was de god van de wind en het weer die hen wilde tegenhouden en af wilde houden van hun doel om het geheim van de oude stad te ontrafelen. Dat er een oude stad was, daar twijfelde niemand meer aan. De tekenen waren overduidelijk. Overal vonden ze potscherven, overwoekerde resten van muren en fundamenten van bouwwerken die lang geleden ingestort waren. Zelfs de sporen van straten waren met enige fantasie gemakkelijk te herkennen. Deze plek was vervuld van oude herinneringen. Egomo bekeek het gebied dat voor hen lag nauwlettend. Hij hield er steeds rekening mee dat ze luipaarden of een rood, agressief wrattenzwijn zouden tegengekomen. Maar de regen leek veel dieren te hebben afgeschrikt, die zich waarschijnlijk onder het beschermende bladerdak van het nabijgelegen woud hadden verschanst. Zijn zorgen leken met elke meter minder te worden. Toch miste Egomo Stewart Maloney. Zijn hulp was bij deze riskante onderneming zeer welkom geweest. Maar de jager had zich volledig teruggetrokken in zijn rouw en wilde noch eten noch met hen meegaan. Hij was een gebroken man. Egomo betreurde dat des te meer omdat hij hem de dapperste jager vond die hij ooit was tegengekomen. Dat beeld van hem alleen tegenover Mokéle, zonder wapens en zonder hoop op overleving, zonder een spoortje angst te vertonen, zou hem altijd bijblijven. Maar na de dood van zijn vriend was alles veranderd. In tegenstelling tot Maloney hadden Elieshi en David de tragedie goed verwerkt. Ze waren continu aan het kletsen en praatten over dingen die Egomo niet begreep. Ze hadden het ook over hoe buitengewoon Mokéle was, wel gevaarlijk en superieur, maar ook superintelligent. Alsof ze zich dat nu pas realiseerden. Ze praatten zo luid dat ze aan de overkant van de grasvlakte te horen zouden zijn geweest, als de regen niet alle geluiden had opgezogen. Stadsmensen. Toch was David zo slim geweest om het dagboek van de gedode soldaten mee te nemen. Daarin stonden, naast veel tekst, ook kaarten van het gebied waarop zelfs de plekken van een paar bijzondere gebouwen waren aangegeven. Egomo had amper ervaring met kaarten, maar wist wel dat ze een weergave waren van het landschap, zoals gezien door de ogen van een vogel. Zijn eigen volk onthield de ruimtelijke omgeving op een andere manier – ze vlochten de locaties van paden, watergaten en jachtgebieden door verhalen – maar als je eenmaal aan het principe gewend was, ging het heel goed. Op één specifiek punt op de kaart waren opvallend veel aantekeningen gemaakt, iets wat zeker betekende dat dit een belangrijke plek moest zijn. Egomo keek om zich heen. Als hij zich niet vergiste, waren ze nu precies op die plek aangekomen.

'Je wilt toch niet zeggen dat je niet bekend bent met de onderzoeksresultaten van Engel en Macko?' vroeg ik ademloos. 'Ik heb het over buitenaardse aminozuren.' Egomo had het tempo er behoorlijk in en het spraken viel me zwaar. 'Heb je nog nooit gehoord dat deze bouwstenen van het leven al dertig jaar geleden in een meteoriet zijn gevonden?'
Elieshi schudde haar hoofd en ik moest toegeven dat ik ervan genoot meer over een onderwerp te weten dan zij. Sinds we het kamp hadden verlaten, waren we in een strijd verwikkeld zoals alleen academici die kunnen voeren. En eindelijk had ik een onderwerp gevonden waar ik bijzonder veel over wist. 'De Allendemeteoor, 1969. Een sensationele ontdekking, omdat daarin aminozuren werden gevonden die bewezen dat de bouwstenen van het leven verspreid zijn over het hele heelal en onder de juiste omstandigheden praktisch elke planeet kunnen

bevruchten. Tegenwoordig wordt zelfs gesproken over zaadkiemen. Het is te danken aan vondsten als deze dat ik me überhaupt begon te interesseren voor de genetica en de structurele biologie.'
'Wil je daarmee zeggen dat er nog andere oorzaken kunnen zijn voor Mokéles mutaties behalve radioactiviteit?'
'Moeilijk te zeggen. Daar is een uitgebreid onderzoek voor nodig. Maar wat daar ook uitkomt, het is nu al een sensatie. De duvel moet er wel mee spelen als dit ons niet een stuk dichter bij de Nobelprijs brengt.'
Ze lachte. 'Je bent een dromer, David. Maar een aardige dromer, dat wilde ik je al eerder zeggen.'
'Vind je?' Ik merkte dat ik begon te blozen.
'Ik dacht dat je mij niet kon uitstaan.'
'In het begin. Maar in de tussentijd heb ik je beter leren kennen. Je bent iemand die nog niet veel van het leven heeft gezien. Daar komt jouw onzekerheid vandaan. Je bent zo anders dan Maloney.' Ze zweeg.
'Elieshi?'
'Hm?'
'Mag ik een persoonlijke vraag stellen?'
'Natuurlijk.'
'Het is wel een heel persoonlijke.'
'Wind er maar geen doekjes om. Vooruit met de geit. Ik heb een dikke huid, of was je dat al vergeten?' Ze lachte me speels aan.
'Dat gedoe tussen jou en Maloney. Is het serieus?'
'Je hebt dat gemerkt?'
Ik voelde dat ik alweer begon te blozen. 'Nou ja... ik...'
Ze maakte een wegwerpbeweging met haar hand. 'Niet de moeite waard. Het was seks, meer niet. Wat mij betreft had het wel meer kunnen worden, maar Stew liet me overduidelijk weten dat hij het daarbij wilde laten. Zijn reactie gisteren aan het graf van Sixpence heeft mij dat wel duidelijk gemaakt.' Ze trok haar schouders op, en haar ogen stonden droevig. 'Hij is een in en in eenzame man.'
Ik was verbluft over de openheid waarmee Elieshi over haar intiemste gevoelens sprak. 'Je hebt waarschijnlijk gelijk,' mompelde ik en

dacht aan het gesprek tussen Sixpence en Maloney dat ik had afgeluisterd. Het was duidelijk dat de jager nooit over het verlies van zijn gezin heen was gekomen. Maar dat vertelde ik Elieshi niet. Ik wist niet hoe ze op die informatie zou reageren. Nog los van het feit dat ik de informatie op een niet al te nette manier had verkregen.

'Nu ben je mij ook een antwoord schuldig,' zei ze met een sluwe glimlach.

'Hm? Hoe bedoel je?'

'Vertel me wat meer over je vriendin. Jij en Emily Palmbridge. Hoe zit het precies in elkaar? En waag het niet belangrijke details te verzwijgen. Ik merk dat soort dingen direct.' Haar glimlach veranderde in een grijns.

'Oké, eerlijk is eerlijk. Maar ik moet je waarschuwen: het is een lang verhaal.'

'Ik houd van lange verhalen. Vooral als ze geschikt zijn om een lange voetmars korter te doen lijken. Begin maar.'

Op Elieshi's verzoek begon ik uitgebreid te praten en vertelde haar alles wat met deze reis te maken had. Ik begon bij mijn kindertijd en vertelde het hele verhaal tot en met mijn gesprek met Sarah. Ik liet niets weg en dikte niets aan en was net lekker op dreef toen ik tegen de pygmee op liep, die plotseling en schijnbaar zonder reden stil was blijven staan.

Zijn ogen keken verwijtend. Met een botte beweging wees hij naar het dagboek en daarna op de grond voor zich.

'Ik denk dat we er zijn,' zei ik ten overvloede. 'Maar hoe kan dat? Heb ik dan zo lang gepraat?'

'Ongeveer een halfuur.'

'Mijn god, waarom heb je me niet onderbroken?'

'Daarvoor was het veel te spannend.' Ze lachte schalks. 'Bedankt voor je eerlijkheid. Ik geloof dat ik nu snap wat jou drijft. Laten we hopen dat we hier een paar antwoorden vinden.'

Ik deed mijn capuchon af en keek over de druipnatte grasvlakte. 'Het ziet er hier net zo uit als op andere plekken in deze verdomde wildernis. Ik kan niets zien wat erop zou duiden dat we ons doel hebben bereikt. Misschien heeft Egomo zich vergist.'

'Dat denk ik niet,' antwoordde Elieshi, die in tegenstelling tot mijzelf niets om de regen leek te geven. 'Als hij ergens zeker van is, moeten we hem serieus nemen. Pygmeeën zijn de beste spoorzoekers die ik ken. Laten we gewoon even rondkijken.'
'Prima.'
We gingen apart op onderzoek uit. Nog geen vijf minuten later hoorde ik haar roepen: 'Professor! Ik heb het gevonden. Hier!' Ik rende op haar af en kwam tegelijk met Egomo bij haar aan.
Wat ik daar zag, deed me de regen vergeten. Er zat een gat in de grond dat naar een diepe grot leek te leiden. Ernaast bevonden zich vier graven, kortgeleden gedolven, een ervan voorzien van een eenvoudig houten kruis. Het leek alsof ze nog maar een paar dagen oud waren. Mijn God, dacht ik, de zoektocht naar de Congosaurus trok een bloedig spoor. Fronsend bekeek ik het kruis waar snel wat letters in waren gekrast. Het schrift kon ik amper ontcijferen omdat de maker of weinig moeite had gedaan leesbaar te schrijven, of niet in staat was geweest het beter te doen. Ik ging nog dichterbij staan en streek met mijn vingers over de letters.

Antoine Bergère
Moge God ons onze zonden vergeven

'Zegt die naam je iets?' vroeg Elieshi.
Ik schudde mijn hoofd en keek naar het gat in de grond. Het was klein en vanuit een vliegtuig niet te zien. Er lagen wel allerlei bewerkte stenen, maar er waren geen ruïnes of andere dingen die ons een idee hadden kunnen geven van wat zich eronder bevond. Ik begon me af te vragen hoe de soldaten er überhaupt in waren geslaagd deze plek te vinden, toen me plotseling iets opviel. De woorden op het kruis waren in het Engels geschreven. De betekenis van deze ontdekking woog zo zwaar dat ik even moest gaan zitten.
'Wat is er?' vroeg Elieshi, die bezorgd naast me neerhurkte. Ik wilde antwoorden, maar kon het niet. Er spookte van alles door mijn hoofd. Elieshi werd zichtbaar nerveus. 'Zeg toch wat. Heeft het iets met de graven te maken? Weet je hier iets van? Zijn dit misschien leden van

het Congolese reddingsteam?' vroeg ze mij. Toen ik op geen van haar vragen een antwoord gaf, schudde ze haar hoofd en draaide zich weer om naar de graven.
'Misschien zijn ze bij het onderzoeken van dit gebied verongelukt,' mompelde ze tegen zichzelf. 'Maar waar zijn ze aan gestorven? En waarom zijn ze hier begraven? En zelfs al is het zo gegaan, dan hadden de soldaten hun laatste woorden toch zeker in het Frans of Lingala geschreven, maar niet in het Engels. Vreemd, erg vreemd.'
'Vier,' hijgde ik. 'Het zijn er vier.'
'Ach, je kunt toch nog praten. Ja, het zijn er vier. En?'
'Zegt het aantal jou niets?' vroeg ik. 'Herinner je je niet wat ik over Emily en haar expeditie heb verteld? Ze was onderweg met vier begeleiders.'
Elieshi fronste. 'Wat probeer je me te vertellen? Dat dit de leden van Emily's expeditie zijn?' Ze zette haar handen op haar heupen. 'Dat kan ik me niet voorstellen. Als dit echt Emily's begeleiders zijn, wie heeft ze dan begraven? Wie heeft die woorden in het kruis gekrast? Ze kan ze toch moeilijk zelf hebben begraven.'
Ik antwoordde niet, maar staarde gehypnotiseerd naar het kruis. Ik werd bevangen door een vreemde angst. De angst iets te ontdekken wat ik niet wilde ontdekken.
'Er is maar één manier om achter de waarheid te komen,' zei Elieshi. 'Ik ga naar binnen en kijk even rond.' Ze knipte haar zaklamp aan en verdween in het gat.
'Wacht!'
Ik stond op en keek hoe Egomo haar volgde.
'Wat zou het ook,' mompelde ik. 'In elk geval zitten we daar beneden droog.' Ik trok mijn hoofd dieper in mijn kraag en klom achter ze aan.
Op ongeveer twee meter diepte begon een gang waarvan de wanden uit massieve kalksteen bestonden en die dicht begroeid waren met mos. De kaarsrechte gang zonder aftakkingen leidde langzaamaan steeds dieper de grond in. De lucht was plakkerig en vochtig. De grond was glad en meer dan eens moest ik me vasthouden om niet uit te glijden. Na ongeveer honderd meter kwam de gang uit in een zeshoekige grot, de muren waren uitgehakt in de grove kalksteen.

Ik was weliswaar geïnteresseerd in archeologie, maar ik had nog nooit over een cultuur gelezen die hexagonale kamers bouwde. Het werd steeds mysterieuzer. Het licht van onze lampen was net sterk genoeg om de hele kamer in een zwak licht te zetten. In het midden stond een altaarsteen die, net als de kamer zelf, zeshoekig was. In het bovenblad was een vlakke, stenen schaal uitgehold, die in de loop van de tijd zwart was geworden. Ook de zijkanten van de sokkel waren zwart gevlekt, iets wat het lichte kalksteen wat bezoedelde en het altaar het verontrustende uiterlijk van een offersteen gaf. Ik keek om me heen. Er waren geen andere gangen of aftakkingen. De ruimte liep dood. Plotseling hoorde ik iemand naar adem happen. Het was Egomo. Hij had zich een weg naar de andere kant van de kamer gebaand en wees op twee stenen beelden die daar sinds mensenheugenis de wacht leken te houden. Dichterbij gekomen begreep ik zijn schrik. Het waren kopieën van het monster uit het meer. De bekken in de verwrongen gezichten stonden wijd open en ontblootten rijen scherpe, puntige tanden. De ogen keken ons kwaad aan, alsof ze ons als indringers beschouwden. Met een starre blik leken ze al onze bewegingen te volgen terwijl we verder om ons heen keken.
Het plafond werd gedragen door twee grote stenen zuilen die naar boven toe in de vorm van een ster uitliepen en een ingewikkeld patroon van bogen vormden. De hele constructie was eeuwenoud. Hoewel aan te nemen was dat de bouwmeester het met primitieve middelen uit het kalksteen had gehakt, was het van een bovennatuurlijke schoonheid.
Plotseling begreep ik waarom de soldaten zoveel heisa over deze plek hadden gemaakt. Dit was een sensationele vondst. Versteende getuigen van een verloren cultuur. Ik twijfelde er geen seconde aan of deze plek kon worden gerekend tot de legendarische en belangrijke bouwwerken uit de oudheid. Het gevaar dat concurrerende machten elkaar in de haren zouden vliegen over de vraag wie het eigendom mocht opeisen, was groot.
'Lieve hemel, wat hebben we hier ontdekt?' mompelde Elieshi terwijl ze vol ontzag door de kamer liep. 'Het ziet eruit als een heiligdom voor Mokéle.'

‘Een plek waar een god wordt geëerd en aanbeden,’ vulde ik aan.
‘Als we op die beelden moeten afgaan, een angstaanjagende god,’ zei Elieshi bedenkelijk.
‘Verbaast je dat?’
Ze schudde haar hoofd. ‘Kijk alleen maar naar die tanden en die vreselijke ogen.’
‘Dit is een sensationele plek,’ fluisterde ik, om de stilte van deze heilige ruimte niet te ontwijden met profane woorden.
Elieshi liet haar vingers over het beeld glijden. ‘Ongelooflijk. Ik ben dan wel in dit land opgegroeid, maar over de cultuur die dit heeft gemaakt, is mij niets bekend. Hoe oud ze is of waarom ze niet meer bestaat. Er staat nergens iets over geschreven, nergens.’
‘Helaas helpt ons dat nu niet veel verder,’ reageerde ik ongeduldig. ‘We moeten iets meer te weten zien te komen over die vier lijken buiten en over wie ze heeft begraven.’
‘Goed idee,’ stemde ze in. ‘Laten we de grond eens wat nauwkeuriger bekijken. Kijk – hier zijn sporen.’
Alleen Egomo kon ons helpen.
De pygmee knikte toen Elieshi hem erop wees. Zijn antwoord was zoals gewoonlijk kort en bondig. Hij scheen zijn bedenkingen te hebben bij wat we hier deden. Maar langzamerhand raakte ik gewend aan zijn botte manier van praten. Elieshi vertaalde zijn antwoord met een scheve grijns. ‘Hij vraagt zich af waarom we hem dat niet eerder hebben gevraagd. Hij zegt dat we al veel sporen hebben vernield. Als je wilt, kan ik nog wat van de scheldwoorden herhalen die hij ons naar het hoofd heeft geslingerd.’
Ik grijnsde. ‘Natuurlijk.’
‘Hij zegt dat we erger zijn dan een bende meerkatten. We zijn alleen maar aan het kletsen en lopen zo blind door de omgeving dat we een luipaard pas zouden opmerken als we over hem struikelden. Enzovoort... Je kunt de rest er zelf bij verzinnen.’
‘Trots klein mannetje, niet waar?’
‘Zeker. Maar hij zal het proberen, als we echt willen.’
Ik gaf hem mijn zaklamp, maakte een buiging en vormde met mijn lippen het woord ‘Bedankt’.

Het onderzoek van de kamer nam enige tijd in beslag. Elieshi en ik stonden zwijgend naast elkaar en keken naar Egomo. Hij liep de hele kamer door en bestudeerde elke hoek en elke centimeter. Zelfs het altaar werd aan een grondig onderzoek onderworpen. Op een bepaalde plek langs de muur bleef hij erg lang staan. Dit punt lag precies tussen de twee beelden, op de plek waar de muur overging in de grond. Minutieus onderzocht hij de muur, wreef er met zijn handen over en blies het stof weg. Elieshi luisterde oplettend naar wat hij te vertellen had en haar ogen werden steeds groter.
'Wat is er?' drong ik aan.
'Als hij gelijk heeft, hebben we een probleem.'
'Brand los, wat is er. Vertel!'
'Hij zegt dat de soldaten hier zijn geweest. Ze hebben alles al doorzocht. De afdrukken van hun laarzen waren overal te zien.'
Ik knikte. 'Daar hebben we toch rekening mee gehouden?'
'Wacht even. Hij zegt ook dat er nog andere sporen zijn. Afdrukken van sportschoenen, ongeveer zoals die van jou. En van lichte wandelschoenen zoals die van mij. Deze afdrukken liggen voornamelijk over die van de soldaten.'
'Wie zegt dat ze niet van ons zijn?'
'Hij.'
'Is hij daar zeker van?'
'Wil je hem beledigen?'
'Liever niet,' antwoordde ik met een blik naar zijn verdrietige gezicht. 'Maar dat zou betekenen dat hier na de soldaten nog mensen zijn geweest. Wie zouden dat geweest kunnen zijn? Misschien mensen uit de buurt?'
Ze schudde haar hoofd. 'Met gymschoenen aan? Vergeet het maar. De voeten zijn ook veel te groot voor pygmeeën.'
'Dan is er nog maar een mogelijkheid.'
'?'
De naam vormde zich als vanzelf op mijn lippen.
'Emily!'
'Emily Palmbridge?' Elieshi fronste. 'Ik moet toegeven dat ik die mogelijkheid ook even heb overwogen. Maar het leek mij toch

onmogelijk. Het zou voor de hand liggender zijn dat hier een ander team is geweest. Een team waarvan wij niets wisten. Archeologen, etnologen of leden van het WCS. Die voetafdrukken kunnen van alles betekenen.'

Ik schudde mijn hoofd. 'Niet echt waarschijnlijk. Zo'n team had zeker aanwijzingen achtergelaten, per ongeluk of expres. Om nog maar te zwijgen van het feit dat zo'n vondst altijd zou worden bewaakt. Nee. Emily is hier. Ik kan haar bijna voelen.'

Een glimlach tekende zich af op haar gezicht. 'Je voelt meer voor haar dan je mij wilt laten geloven. Ze is niet alleen maar een jeugdliefde. Je hebt nog steeds gevoelens voor haar.'

Het was even pijnlijk stil. Ik kraste met mijn voeten over de grond. 'Dat is waar,' gaf ik toe. 'Er zijn nachten dat ik van haar droom. Maar ik kan nog steeds helder nadenken, als je dat bedoelt.'

Elieshi haalde haar schouders op, maar zei niets.

'Kan Egomo haar spoor naar buiten volgen?'

'Ik kan het hem eens vragen.' Ze praatte een tijdje met de pygmee en ik kreeg het gevoel dat hij haar dingen vertelde waarop ze niet had gerekend. Op haar gezicht verscheen een blik van ongeloof.

'Wat is er? Wat heeft hij gezegd?'

'Hij zegt dat het niet mogelijk is, omdat de regen alle sporen heeft gewist. Ook denkt hij dat de sporen niet naar buiten leiden, maar dat ze deze kamer niet heeft verlaten.'

'Hoe kan dat? Ik bedoel, wie deze sporen ook heeft achtergelaten, kan toch niet zomaar in rook zijn opgegaan?'

'Nee,' zei ze, en haar stem werd heel zacht. 'Degene die deze sporen heeft achtergelaten, is hier nog steeds. En wel achter deze muur.'

29

Twijfelend liet ik mijn hand over de massieve stenen muur glijden. 'Hoe komt hij daarbij?'
'Hier zijn sleepsporen op de grond te zien,' legde ze uit. 'Het lijkt alsof er verschillende zware dingen over de grond zijn gesleept. Ze verdwijnen direct onder de muur. Ook zijn er verse krassen te zien op de platen rechts en links van de stenen beelden. Je denkt misschien dat ik gek ben, maar ik zeg je: daarachter is nog een kamer. Deze wand is een deur en hij is onlangs nog gebruikt.'
'Sleepsporen?' Plotseling dacht ik aan de vier graven buiten. Deze gedachte beviel me absoluut niet. 'Geef me je zaklamp eens,' vroeg ik Elieshi. Ik voelde met mijn vingers in de voegen van de stenen blokken. 'Inderdaad,' hijgde ik. 'Er zijn hier inderdaad stenen die niet zijn gevoegd. Het zou zeker een ingang kunnen zijn. Maar waar is het mechanisme om ze te openen?' Ik ging weer staan en keek om me heen. 'Zoek naar een soort schakelaar of hendel,' zei ik. 'Naar iets dat die deur kan openen.'
Ik was in mijn element. Al jaren was ik gefascineerd door verhalen over geheime gangen, graven en catacomben. Op mijn nachtkastje hadden jarenlang de boeken gelegen over de ontdekking van Howard Carter in het Dal der Koningen. Mijn vader had me vroeger al de verhalen uit de klassieke oudheid voorgelezen, toen ik zelf nog amper kon lezen. Ik moest lachen bij de gedachte aan het spel dat we met zijn tweeën speelden. Het heette 'Laat me de wereld zien' en begon er altijd mee dat hij zijn grote, zware atlas op mijn knieën legde en de bladzijden tussen zijn vingers door liet glijden. Als ik 'stop' riep, liet hij het boek openvallen en mocht ik met mijn vinger een gebied aanwijzen. Hij moest me dan alles vertellen wat hij erover wist, te beginnen met de temperatuur en geologie, de planten en dieren die er voorkwamen, tot aan de bewoners en hun taal. Hij wist alles over alle gebieden ter wereld. Van de wonderen van de archeologie tot de mythen en legenden van allerlei fabeldieren. Op die

momenten voelde ik een zeer nauwe band met hem. Maar hoewel de avontuurlijke verhalen genoeg zouden zijn geweest, was hij meer iemand van de praktijk, van het eropuit trekken om de wonderen met eigen ogen te aanschouwen. Dat verschil had altijd als een schaduw boven onze relatie gehangen.
Ik haalde diep adem. Dit was eigenlijk de eerste keer dat ik zelf iets had ontdekt. Plotseling begreep ik hem, voelde ik de lokroep van het avontuur en het kriebelende gevoel iets ontdekt te hebben. Als hij me nu had kunnen zien, was hij vast trots op me geweest. Maar na een halfuur zoeken waren we nog steeds geen stap verder. Geen schakelaar of hendel. Niets om de deur mee te kunnen openen.
'Wat nu?' Elieshi rommelde in haar tas en haalde een mueslireep te voorschijn – ze had altijd een onuitputtelijke voorraad bij zich. 'Wil je er ook een?' Ik nam hem dankbaar aan en keek om me heen. In gedachten verzonken kauwde ik op de taaie reep. Mijn blik bleef hangen bij de stenen beelden. We hadden ze al onderzocht, maar misschien waren we wat vergeten. Met hun wijd opengesperde ogen en opvallende tanden zagen ze er afschrikwekkend uit. Te afschrikwekkend naar mijn gevoel. Ik kon me niet voorstellen dat de bouwers van deze stad met opzet zo dicht bij zo'n vreselijk wezen woonden dat ze diep in hun hart verafschuwden. Ze hadden net zo goed een paar honderd kilometer verderop een nederzetting kunnen bouwen. In mijn ogen was het een contradictie waar ik tot nu toe weinig belang aan had gehecht.
'Welk deel van de standbeelden vind jij het engst?' vroeg ik Elieshi tussen twee happen door. Ze bekeek de beelden van top tot teen en zei toen: 'In elk geval die tanden. Als ik eraan denk wat die tanden bij Sixpence hebben aangericht, lopen de rillingen mij over de rug.'
'Precies. Die bek en die tanden zijn verreweg het engst aan die beelden. We moeten ze eens beter bekijken.' Ik schoof de rest van de reep in mijn mond, veegde mijn handen af aan mijn broek en liep naar de monsters. Ze waren ongeveer drie meter hoog, maar hun kop boog zo'n eind naar voren dat ik er met mijn arm net bij kon. De tijd leek volledig aan deze beelden voorbij te zijn gegaan. Met een naar gevoel in mijn maag stak ik mijn hand direct in de bek. De tanden waren scherp en haalden mijn

huid open, maar daar liet ik me niet door afschrikken. Deze ruimte verborg een antwoord dat ik moest vinden, koste wat het kost.
'Wat doe je nou?' fluisterde Elieshi geschrokken toen ze het bloed zag dat langs mijn arm drupte. 'Houd direct op met die onzin!'
'Bezorgd?' vroeg ik met op elkaar geklemde kaken. 'Ik voel me vereerd.' Ik stak mijn arm tot aan mijn elleboog in de bek. Een nieuwe pijn schoot door mijn arm. Dit keer waren de wonden dieper, dat voelde ik. Het deed verdomde zeer, maar ik wilde niet opgeven. Plotseling kreeg ik het gevoel dat ik iets vasthad. Het was het tongbeen. Toen ik het met mijn vingers aanraakte, leek het te bewegen.
'Daar zit iets,' perste ik eruit. 'Een soort handgreep. Eens kijken of ik erbij kan.' Mijn gestrekte vingers omklemden de stenen hendel en ik trok eraan. Eerst hoorden we geknars, daarna gerommel en toen begon de spleet in de muur zich te openen.
'Dat kan toch niet waar zijn,' zei Elieshi. 'Het is je gelukt, gekke man!'
Maar toen stopte het gerommel en begon de spleet zich weer te sluiten. Ik trok nog een keer, maar zonder resultaat.
'Verdomme,' riep ik. 'De handgreep alleen is schijnbaar niet genoeg, er moet nog iets zijn. Probeer het eens bij het andere beeld.'
Maar Elieshi was te klein om haar arm in de bek te kunnen steken. Egomo, die zag dat het niet lukte, hielp haar door op handen en voeten te gaan zitten en zichzelf als opstapje aan te bieden.
'Ik hoop dat hij mijn gewicht kan dragen,' zei Elieshi terwijl ze voorzichtig op zijn schouderbladen ging staan. 'Ik heb al van verschillende mannen gehoord dat ik zwaarder ben dan ik eruitzie.'
Ik grijnsde. 'We merken het wel. Maar wat je ook doet, doe het snel.'
Voorzichtig verplaatste ze haar gewicht en zocht haar evenwicht. De spieren van de pygmee spanden zich aan onder zijn donkere huid.
'Alles in orde daar beneden?' vroeg ze bezorgd.
Egomo knikte. Hij mocht er dan teer uitzien, hij was een krachtige kerel. Voorzichtig schoof Elieshi haar hand in de spleet.
'Let op,' riep ik, 'de tanden zijn vrij scherp.'
'Hier gaat het beter,' antwoordde ze. 'Mijn polsen zijn wat smaller dan de jouwe. Nog even.'

'Snel.' De pijn in mijn arm was bijna ondraaglijk en begon zich uit te breiden. Ik wilde niet denken aan wat de tanden met mijn arm hadden gedaan.
'Ik heb de hendel,' riep Elieshi. 'Laten we samen trekken. Een... twee... drie!'
Ik trok. Weer hoorden we gerommel, maar dit keer veel luider. De spleet werd breder en breder. Het was gelukt! Snel trok ik mijn hand terug en bekeek mijn arm. Tot mijn grote opluchting zag ik dat het slechts een paar bloedende schrammen waren.
'Alles oké?' riep Elieshi, die Egomo weer omhoog hielp en naar me toe liep. 'Hoe is het met je arm? Laat eens kijken.'
'Het is niets,' gaf ik toe. 'Ik heb waarschijnlijk een wat te levendige fantasie.' Ik keek omhoog naar het stenen reptiel en zag mijn bloed aan zijn tanden kleven.
'Je moet straks direct een antiseptisch middel erop smeren, om te voorkomen dat de wond ontstoken raakt.' Op dat moment kwam de zware deur met een knarsend geluid tot stilstand.
De poort naar het mysterie van het oeroude rijk had zich geopend.
Verbaasd hield ik mijn adem in. Ik had overal op gerekend, maar niet op wat we nu zagen. Een walm van petroleum sloeg ons tegemoet. Boven op een stenen kroonlijst likten vlammen naar boven die de ruimte verlichtten. Op sommige plekken drupte een zwarte vloeistof op de grond die het kalksteen donker kleurde. Ik moest direct aan de donkere vlekken op het altaar denken en ik slaakte een zucht van verlichting. De oplossing van het raadsel was 'olie'.
De vloeistof stroomde uit een stenen opening naar buiten. De vlammen dansten op de wind en wierpen spookachtige schaduwen op de muur. Of er ergens een bron was die het licht voedde? Of misschien kwam de olie zo uit de grond? Hoe kon het dat dit systeem na zo'n lange tijd nog werkte? Raadsel na raadsel.
Ik liet mijn blik door de grot dwalen die we waren binnengestapt en die werd gesteund door zuilen die zo dik waren als bomen; daarnaast voelden we ons haast dwergen. De aanblik van dit oeroude bouwwerk was adembenemend. Het duurde een tijdje voordat ik alles op me in had laten werken.

'Laten we verdergaan,' zei ik tegen Elieshi en begon, zonder op haar antwoord te wachten, te lopen. Egomo wees voor ons op de grond. Het sleepspoor dat we in de andere kamer hadden gezien, ging hier verder. Hij had dus weer gelijk gehad. Als een rode draad leidde het spoor ons verder de duisternis in.
Onze zaklampen hadden we niet meer nodig. Langzaam en heel voorzichtig liepen we verder. Maar na een paar stappen moest ik al stoppen.
'Kijk daar eens, Elieshi,' fluisterde ik en wees op de muren die versierd waren met reliëfs zoals ik ze zelfs in het British Museum niet had gezien. Ik zag scènes uit een bizarre godenwereld, van een overweldigende fantasie en uitdrukkingskracht. Er waren kegelvormige gebouwen waar gevleugelde strijdwagens tussendoor vlogen, bronnen waaruit water omhoog spoot en zeshoekige piramiden. Er waren terrassen, tuinen, triomfbogen en bossen waar vreemde goden tussen de bomen liepen. 'Ziet er Egyptisch uit,' zei Elieshi. 'Maar ik moet toegeven dat ik geen deskundige ben.'
'Ik helaas ook niet,' gaf ik toe. 'Maar ik betwijfel of de Egyptenaren hier iets mee te maken hebben. Ik krijg eerder het gevoel dat het omgekeerd is. Deze godenwereld ziet er veel ouder uit dan die van de Egyptenaren. Nog niet zo menselijk. Eerder...'
'Ja?'
Ik zuchtte. Eigenlijk had ik het onderwerp helemaal niet willen aansnijden, maar nu ik mijn mond voorbij had gepraat, moest ik het hele verhaal wel vertellen.
'Heb je wel eens van de theorie gehoord dat zowel de piramiden als de sfinx veel ouder zijn dan wordt aangenomen?'
Ze schudde haar hoofd.
'Op de sfinx zijn bijvoorbeeld erosiegeulen te vinden die van boven naar beneden lopen. Sporen van winderosie zijn horizontaal. Het kan dus alleen maar watererosie zijn. Het heeft in de Sahara al bijna zesduizend jaar amper geregend. De woestijn bestond allang toen de Egyptenaren zich daar vestigden. Er zijn theorieën die beweren dat de piramiden van Giza duizenden jaren voor de farao's zijn gebouwd. Ze hebben ze gewoon omgebouwd tot grafmonumenten en zijn in een gespreid bedje gaan liggen, om het zo maar te zeggen.'

'Wie heeft ze dan gebouwd, als de farao's het niet waren? De goden?' Haar blik deed me hopen dat ze deze vraag serieus meende. Waarom ook niet. Na alles wat we hadden gezien, was niets onmogelijk.
'Moderne theorieën gaan uit van een hoge cultuur die veel ouder is dan die van de Egyptenaren,' ging ik verder. 'Deze bestond in een tijd waarin de Sahara nog groen en vruchtbaar was en er nog olifanten en neushoorns leefden.'
'Misschien ook Congosauriërs?' Elieshi keek me vol verwachting aan.
'Misschien. Maar van deze cultuur ontbreekt elk spoor.' Ik haalde mijn schouders op. 'Het enige dat tot nu toe is gevonden, zijn sporen, tekens en aanwijzingen. Volgens geruchten zou er een opgraving zijn geweest aan de rand van Djebel Uweinat, op de grens van Libië en Soedan, waarbij men een zeshoekige piramide heeft aangetroffen. Maar om onduidelijke redenen is daar nooit meer bekend over geworden. Het was waarschijnlijk een verzinsel van de media.'
'Maar dit is geen verzinsel.' Elieshi's ogen lichtten op. 'Als het klopt wat je zegt, kan het toch zijn dat we eindelijk een spoor hebben gevonden dat deze theorie zou bevestigen.'
'Meer dan een spoor. Het zou de ontbrekende schakel zijn,' vulde ik aan. 'En even zo sensationeel als de ontdekking van Mokéle m'Bembé.' Met glanzende ogen draaide ik me weer om naar het reliëf. Elke scène was anders, maar hoe fantastisch de afbeeldingen er ook uitzagen, een detail hadden ze allemaal gemeen. Een detail dat betrekking had op de werkelijkheid.
'Kijk daar eens,' fluisterde ik en wees naar een bepaald detail. Het onderste deel van het reliëf leek een gesloten, onderaardse kosmos voor te stellen. Een soort onderwereld.
Elieshi volgde de contouren met haar vingers. 'Congosauriërs,' fluisterde ze, 'honderden Congosauriërs.'
Ik keek hoe haar vingers over de lijvige vormen gleden, die elkaar omstrengelden. Veel ervan hielden een lange staaf in hun klauwen, andere objecten die leken op draagbare televisies of kisten. Of waren het boeken? Het werd steeds vreemder.
'Een paar ervan lijken het gewelf te ondersteunen,' onderbrak Elieshi de stilte. 'Het lijkt alsof ze de hele bovenste helft van het beeld dragen.

Als ik kunsthistoricus zou zijn, zou ik zeggen dat het hele fundament van onze wereld op hun schouders rust. Zonder hen zou alles instorten.'
Ik knikte. 'Een vrij directe symboliek, niet waar? En kijk daar eens. Een aantal baren waarop zieke of stervende mensen liggen die door de aanraking van de dieren weer genezen. Zijn dat tranen die uit hun ogen stromen?'
'Ze huilen om het leed van de mensheid.' Elieshi leek geëmotioneerd en ging verder met haar vingers over het reliëf.
Ik zuchtte. 'Dan zaten we de hele tijd op het verkeerde spoor. De mensen hebben zich niet ondanks deze wezens hier gevestigd, maar juist om die reden. Ze hielden van ze en vereerden ze. Ze hebben ze verafgood. Als dat geen teken van vredelievendheid is, dan weet ik het niet meer.'
'Dan zijn die beelden vast bedoeld om ongewenste gasten buiten te houden,' zei Elieshi. 'Om ongelovigen af te schrikken. Toch...,' ze schudde haar hoofd, '... begrijp ik het nog steeds niet helemaal.'
'Wat niet?'
Ze spreidde haar handen. 'Dit hier. Dit enorme geheim. Elke vraag levert weer een nieuwe vraag op. Wat waren dat voor mensen die deze ruimten hebben gebouwd, waarom zijn ze verdwenen en hoe is deze cultuur ten onder gegaan? Maar vooral, wie heeft deze olielampen aangestoken? Want je wilt mij toch niet vertellen dat die al duizenden jaren onafgebroken branden.'
'Het is precies die praktische manier van denken die ik zo in je waardeer,' zei ik met een knipoog. 'We kunnen onze kunsthistorische discussie beter uitstellen totdat we hebben ontdekt wie zich hier bevindt – hoe moeilijk het ook is.'
Ze knipoogde terug. 'Je wordt nog eens een echte avonturier. Wat een verschil met het knaapje dat ik een week geleden leerde kennen.'
'Nu moet je niet overdrijven,' wimpelde ik af, hoewel ik haar compliment waardeerde. 'Ik besterf het bijna als ik denk aan wat daar beneden op ons ligt te wachten. En hoe langer we hier blijven staan, hoe erger het wordt. Laten we maar gewoon gaan kijken.'
We liepen verder, maar dit keer waren we doelgericht en keken minder om ons heen.

We belandden sneller bij ons doel dan verwacht. Dat kwam mogelijk door de lampen, die met hun gouden gloed de ruimte groter deden lijken dan hij in werkelijkheid was. In elk geval maakte de gang na ongeveer vijftig meter een knik naar rechts en kwam hij uit in een tweede ruimte, die qua vorm en grootte te vergelijken was met de entree.

Ik stootte een kreet van verbazing uit. Deze ruimte was niet leeg zoals de ingang, maar ook niet gevuld met kisten, sarcofagen en andere heiligdommen, zoals ze te vinden waren in Egyptische tempels. Het was een modern ingericht laboratorium. Ik zag klapstoeltjes en een tafel waarop apparatuur stond die niet onderdeed voor die van ons. Het was zelfs een exacte kopie van ons laboratorium aan Lac Télé. Aan de muur hingen schetsen en diagrammen. Er stond een kleine dieselgenerator die de technische apparatuur en halogeenlampen van stroom had voorzien. Maar of hij had het begeven, of hij was uitgezet. Het laboratorium werd nu alleen nog verlicht door de flakkerende olielampen.

Ik moest een paar keer diep in- en uitademen om me ervan te verzekeren dat ik niet droomde. Hier waren ze dan, de antwoorden waar we naar op zoek waren. Dit kon alleen maar Emily's geheime laboratorium zijn waar zij en haar mannen zich hadden teruggetrokken nadat hun kamp aan het meer was vernield. Wanneer en hoe ze deze plek hadden gevonden en waarom ze zich zo lang verborgen hadden gehouden, zonder een teken van leven te versturen, zouden we nog wel ontdekken. Maar waar zaten zij en haar helpers? De grot zag eruit alsof er tot voor kort nog was gewerkt, maar nu, in het licht van de olielampen, leek het eerder een grafkamer. Misschien was er nog een geheime deur.

'Emily?' De muren weerkaatsten mijn roep. 'Emily, ben je hier ergens?'

Geen antwoord.

Elieshi trok aan mijn arm en wees op een aantal slaapplekken die in het donkere deel van de ruimte waren gemaakt. De isomatjes en slaapzakken lagen door elkaar en leken al een tijd niet te zijn gebruikt.

Allemaal, op één na.

Mijn adem stokte toen ik zag dat er een lichaam in lag.

30

Het lichaam lag in foetushouding op de grond. Het leek net een bundel wasgoed die iemand achteloos in een hoek had gegooid. Ik voelde een steek in mijn hart. Plotseling wist ik dat ik te laat was gekomen. Egomo en Elieshi leken het ook te voelen, want ze lieten mij voorgaan.

Emily zag eruit alsof ze lag te slapen. Maar ze was dood – en al een tijdje. Dankzij de lage temperatuur van de tempel was haar lichaam goed bewaard gebleven. Ik slikte en begon haar te onderzoeken. Haar linkerhand was provisorisch verbonden en ik zag dat de onderliggende wond niet goed was genezen. De wond zag eruit alsof hij door meerdere scherpe objecten was aangebracht. Misschien had Emily zich opengehaald aan de scherpe tanden van de beelden. Of de infectie haar fataal was geworden, kon ik niet inschatten, maar waarschijnlijk had ze enorm veel pijn geleden. Haar mooie gezicht, dat op de foto's in Palmbridge Manor nog zo jong en levenslustig was geweest, was bleek en ingevallen. Maar om haar mond zag ik nog de bekende tekenen van jeugdige overmoed die me al zo lang geleden had betoverd. De mond die zo verleidelijk kon lachen en mij mijn eerste kus had gegeven.

Er wordt wel gezegd dat de eerste liefde alle stormen kan weerstaan en ik voelde dat dit waar was. Ik wist echter niet zeker of dit betrekking had op de werkelijke persoon of op het ideaalbeeld dat je van iemand construeert. Natuurlijk wist ik dat de vrouw in mijn armen eigenlijk een vreemde was. Toch tilde ik haar op en drukte haar gezicht tegen mijn schouder. Wij waren alleen, zij en ik, en terwijl ik mijn handen door haar korte blonde haar liet glijden, werd ik overspoeld door herinneringen aan onze jeugd.

Het duurde een hele tijd voordat ik afscheid had genomen en haar weer kon loslaten. Toen ik opkeek, zag ik dat haar vingers een boek omklemden. Het had een rode linnen kaft, leren hoekjes en op het omslag was het wapen van de familie Palmbridge gedrukt. Ik veegde

mijn tranen weg en pakte het. Het was een dagboek en nadat ik het uit haar starre hand wist te bevrijden, opende ik het op de plek waar ze haar laatste notities had opgeschreven. De aantekening dateerde van 9 februari, de dag waarop ik in Brazzaville was geland – 9 februari. Het duurde even voordat de betekenis van deze datum tot me doordrong. Als we hadden geweten dat ze nog leefde, als we direct met onze reddingsmissie waren begonnen, dan nog waren we te laat gekomen. Emily Palmbridge was op dat moment al ongeneeslijk ziek geweest. Dat was een even ontnuchterende als onontkoombare constatering. Een constatering die ook iets troostends had. Haar lot was op dat moment al bezegeld en we hadden er niets aan kunnen veranderen.
In Elieshi's ogen zag ik dat ze diep geraakt was.
'Dat is ze, nietwaar?' vroeg ze.
'Waarom heeft ze niet geprobeerd hier weg te komen?' mompelde ik. 'Waarom heeft ze zich hier teruggetrokken, zonder een teken van leven te geven? Het is zo zinloos.'
'Misschien staan de antwoorden in haar dagboek,' stelde Elieshi voor en ze stak haar hand uit. 'Mag ik?'
'Graag,' fluisterde ik, terwijl ik Emily's lichaam tegen me aan drukte. 'Ik kan nu niet lezen.'
Ze sloeg het dagboek open en probeerde de tekst te ontcijferen, iets wat niet gemakkelijk was omdat de aantekeningen allemaal met een bibberende hand waren geschreven.

Dinsdag 9 februari, 08:20 uur
Ben doodmoe. Heb afgelopen nacht bijna geen oog dichtgedaan. Verschillende medicijnen zijn op en ik kan de ontsteking niet meer tegenhouden. De infectie brandt als een vuur in mijn lichaam. Ik kan mijn mannen er alleen nog met geweld van weerhouden om hulp te gaan zoeken. De soldaten zijn vast en zeker op aandringen van mijn moeder gestuurd. Wie had ooit kunnen vermoeden dat de situatie zo zou veranderen? Het geheim van Lac Télé mag in geen geval in de verkeerde handen terechtkomen, al helemaal niet in handen van de Congolese regering. Er staat te veel op het spel. Ik ben begonnen data en aantekeningen te wissen, zonder dat de anderen er wat van merken. Ze zouden het niet begrijpen.

We weten niet wat voor vreselijke explosie dat was vanochtend, maar het geluid kwam duidelijk uit de richting van het soldatenkamp. Misschien zijn ze aangevallen, misschien was het een ongeluk. Antoine wilde gaan kijken, maar ik was tegen. De mannen mogen ons niet vinden, anders is alles verloren. Tot voor kort had ik me graag overgegeven, maar de dingen die ik in de loop van de tijd te weten ben gekomen, dwingen mij tot deze keuze. Mijn team staat op het punt van muiterij. Iedereen is ziek.
Nu de soldaten de tempel hebben ontdekt, weet ik niet hoe lang ik mijn mannen nog in toom kan houden. Ik ben bang dat ik nog maar één keuze hebt.

Ik schudde mijn hoofd, vol onbegrip. 'Wat bedoelt ze daarmee? Gaat het nog verder?'
'Jazeker.' Elieshi keek op en staarde me vreemd aan. 'Ik weet echter niet of je het ook wilt horen.'
'Ik moet wel,' antwoordde ik. 'Ik moet precies weten wat hier is gebeurd.'
Ze zuchtte. 'Oké.'

Het is volbracht. Ik heb het onvoorstelbare gedaan. Ze zijn dood. Allemaal. Ze waren mijn vrienden en trouwe metgezellen. Ze hebben hun leven voor mij gegeven en dit was mijn dank. Moge de Heer het mij vergeven.
Ze wilden naar huis. Alsof ik dat ook niet zou willen. Maar als dat was gebeurd, hadden ze gepraat. Ze hadden allemaal gepraat en het geheim dat deze plek herbergt, verklapt. Gelukkig ging alles heel snel. Ze hebben er amper iets van gemerkt. Wat daarna kwam, was veel moeilijker. Met moeite heb ik hun lichamen naar buiten gesleept en begraven. In elk geval hebben ze een christelijke begrafenis gehad. Ik heb voor Antoine zelfs een kruis gemaakt. Men zal me misschien veroordelen om wat ik heb gedaan, maar ik zag geen andere mogelijkheid. Ze zijn bijzonder. Ze hebben een gave die wij niet begrijpen, en wij hebben het recht niet om ze te vervolgen of doden. En dat zal gebeuren als bekend wordt waar we mee te maken hebben. Teams van over de hele wereld zullen hier komen en ze offeren op het altaar van de wetenschap. En als er een paar het overleven, zullen ze als kasplantjes in dierentuinen of laboratoria hun leven slijten, als onderzoeksobjecten in dienst van de wetenschap. Als ik de mensen maar had kunnen laten zien wat ze mij hebben laten

zien. Maar ze zijn zich amper bewust van wat ze kunnen. En zolang ik nog een sprankje leven in mij heb, zal ik hun geheim bewaren. Wat ik heb gedaan, is onvergeeflijk, maar ik kon niet anders.
Moeder, ik bid God dat je me begrijpt wanneer je dit leest.
Ik ben zo zwak dat ik bijna niet meer op mijn benen kan staan. Ik voel hoe het leven uit me wegstroomt. Wie dit boek vindt, kan ik alleen nog mijn laatste wens vertellen: mijd Lac Télé, koester het geheim en vertel het aan niemand. De mens is niet de kroon van de schepping, ook al vindt hij het moeilijk om dit te accepteren.

Emily Palmbridge

'Dat was het.' We zwegen en Elieshi sloeg het boek dicht.
'Mijn god, wat heeft ze gedaan?' mompelde ik, terwijl ik probeerde te begrijpen wat ze had geschreven. Plotseling voelde ik afkeer voor het lichaam dat ik in mijn armen hield.
'Ze heeft die mannen daarbuiten vermoord,' ik schudde mijn hoofd. 'Wat is er gebeurd dat ze zo veranderd is?'
Elieshi keek me aan met een moeilijk in te schatten blik. 'Emily Palmbridge schijnt in elk geval een extreem mens te zijn geweest, je hebt je dat misschien nooit zo gerealiseerd. Of je hebt het niet willen zien, zoals we zeggen. Feit is dat ze een ander mens was dan de droomfiguur waar je de laatste twintig jaar over hebt gefantaseerd. Ik vind het vreselijk dat ze dood is, maar dat verandert niets aan het feit dat je jeugdliefde een grote illusie was. Als je haar nog levend had aangetroffen, was het een ontmoeting met een vreemde geweest. In het ergste geval had je amper iets weten te zeggen.'
Ik veegde met mijn hand over mijn gezicht. 'Je hebt gelijk. Ik was een idioot.'
'Nou, dat ook weer niet,' antwoordde ze met een flauwe glimlach om haar mond. 'Misschien een hopeloze romanticus. En dat is iets moois, vind ik. Een ding is echter erg vreemd.'
'Hm?'
Elieshi ging staan en begon te ijsberen. 'Dit laboratorium hier en de lange tijd die ze hier heeft doorgebracht, dat past helemaal niet bij het oorspronkelijke plan.'

'Waar heb je het over?' Ik was nog erg geëmotioneerd en hervond pas langzaam weer de kracht om me op het gesprek te concentreren.
'Is jou niet opgevallen hoezeer Emily Palmbridge van standpunt is veranderd? Wat ze hier in haar dagboek zegt...,' ze hield het omhoog, '... staat lijnrecht tegenover de doelstellingen van de expeditie. Ze schijnt zich tegen haar eigen moeder te hebben gekeerd. Het was toch het plan om genetisch materiaal van Mokéle te verzamelen, naar huis te gaan en de gevonden informatie te gebruiken in het Human Genome Project. Nietwaar?'
'Zo ongeveer.' Langzaam begreep ik waar Elieshi op doelde. 'Misschien heeft ze ontdekt wat wij hebben ontdekt. Dat het bij Mokéle niet alleen gaat om een nieuwe soort, maar om een sprong in de evolutie? Dat kan toch?'
Elieshi schudde vastberaden haar hoofd. 'Enkel dat feit had een vrouw als Emily Palmbridge echt niet van gedachten doen veranderen. Integendeel. Ze had de onverenigbaarheid van Mokéle's en ons DNA juist als overwinning gezien, omdat ze de enige was die hem had onderzocht. Het is bijna ondenkbaar wat er uit Mokéle's erfgoed te halen zou zijn geweest. Nee...,' ze aarzelde. 'Ze moet nog iets anders hebben ontdekt. Iets wat wij tot op heden nog niet hebben gevonden. Iets wat zo buitengewoon is dat ze haar eigen moeder niet meer vertrouwde. Herinner jij je nog de woorden in haar dagboek? *Ze zijn bijzonder. Ze hebben een gave die wij niet begrijpen... Als ik de mensen maar had kunnen laten zien wat ze mij hebben laten zien.*'
Elieshi leunde achterover en keek me met een scheef gezicht aan. 'Je wilt me toch niet zeggen dat je toen niets hebt gedacht, toen je dat hoorde.'
'Om eerlijk te zijn: nee. Ik was met mijn gedachten heel ergens anders. Maar je hebt gelijk, die paragraaf is wat vreemd. Wie zijn "zij" en welke "gaven" bedoelt ze?'
'Wie "zij" zijn, dat moge duidelijk zijn, maar wat hun gaven precies zijn, daarover tast ik evenzeer in het duister als jij. Maar die laatste zin is vreemd: *De mens is niet de kroon van de scheppping, ook al vindt hij het moeilijk om dit te accepteren.*'

Ik stond op en wreef over mijn arm. Pas nu viel me op dat het hier onder koel was. 'Geen idee wat ze daarmee bedoelde. Misschien was ze niet helemaal meer bij haar verstand, toen ze dat schreef.'
Elieshi bladerde peinzend door het dagboek. 'O jawel, dat was ze wel. Ze wilde alleen niet prijsgeven wat ze had ontdekt en de mensen die dit boek zouden vinden niet onnodig nieuwsgierig maken.'
'We kunnen eens rond gaan kijken,' stelde ik voor. 'Misschien vinden we iets wat ons verder helpt, hoewel ik niet al te veel verwacht. Ze schreef ook dat ze alle documenten heeft vernietigd. Maar we kunnen het altijd proberen.'
We keken alle aantekeningen en databases op de computer door, maar het was zoals ik had gevreesd. Met een aan waanzin grenzende zorgvuldigheid waren allerlei sporen die ons dichter bij de ontdekking van de Palmbridge-expeditie hadden kunnen brengen, gewist. Papieren, gegevens, zelfs de dragers waarop het bloed van Mokéle had gezeten, waren vernietigd. Emily had ze in een petrischaaltje met olie overgoten en verbrand.
'Het heeft geen zin,' gaf ik na een halfuur toe. 'Emily is grondig te werk gegaan. De weinige informatie die nog leesbaar is, zegt helemaal niets. Het had net zo goed om de onderzoeksresultaten over de Congelese moerasschildpad kunnen gaan.'
'Met het verschil dat dat dier niet bestaat.' Elieshi keek ontgoocheld. 'En wat moeten we nu doen, denk je?'
'De vraag is: wat kunnen we doen? Ik ben bang dat we niet veel in handen hebben. Gezien onze precaire situatie stel ik voor niets te doen.'
'Niets? Hoe bedoel je? Hier alles zo te laten staan en liggen?'
Ik knikte. 'Hoe moeten we dit allemaal meenemen? Maar ik wil Emily graag naast haar expeditieleden begraven. Ik denk dat ze dat zou hebben gewaardeerd.'
'En daarna?'
Ik haalde mijn schouders op. 'Dan, denk ik, zullen we Emily's laatste wens respecteren en vergeten wat we hier hebben gezien.'
Elieshi keek me vol ongeloof aan. 'En het onderzoek naar Mokéle aan iemand anders overlaten?'

Ik haalde weer mijn schouders op. 'Denk eens aan onze situatie. We zijn zwaar aangeslagen, Sixpence is dood, en ons vliegtuig is een hoop roest. Mokéle is kwaad en zal ons weer aanvallen. We moeten hier weg. We kunnen het op alle manieren proberen te bekijken, maar we zijn uitgespeeld.'

Elieshi schopte een steen weg. 'Verdomd logisch geredeneerd, meneer de professor, dat moet ik je nageven. Het bevalt me misschien niet, maar ik kan er niets aan veranderen.' Ze liet haar schouders zakken. 'We hebben nog één hoop. Als het ons lukt ons geheim voor ons te houden, hebben we misschien nog een kans om op een dag terug te keren. In elk geval zijn we dan beter voorbereid.' Mij viel op dat ze niet overtuigd leek te zijn van haar eigen woorden, maar ik hield me stil. Ze klampte zich vast aan een laatste strohalm en dat wilde ik haar niet ontnemen.

Elieshi wierp nog een laatste blik op de slaapplaatsen en zei toen: 'Oké. We gaan Emily begraven. Dat heeft ze verdiend. Dan verlaten we deze tempel en gaan zo snel mogelijk naar huis.'

31

Toen we na een voettocht van drie uur eindelijk weer de vertrouwde tenten voor ons uit de natte bosjes zagen opdoemen, waren mijn benen zo zwaar als lood. Maar hoe vermoeiend de tocht ook was geweest, het had mij enorm geholpen een aantal dingen helder te krijgen. De afgelopen uren had ik genoeg tijd gehad om afscheid te nemen en te concluderen dat ik jarenlang in een reusachtige zeepbel had geleefd. Maar dat was nu voorbij. Ik wilde naar huis. Ik wilde Sarah in mijn armen nemen en haar zeggen dat ik een idioot was geweest. En ik wilde haar mijn excuses aanbieden en haar beloven dat het vanaf nu allemaal beter zou worden.
Het kamp was verlaten. Van Maloney was geen spoor te bekennen. Hij was niet in zijn eigen tent of in een van de andere tenten. De rubberboot lag nog langs de kant, dus we hoefden ook niet bang te zijn dat hij ons voorgoed had verlaten. Misschien was hij even een stukje gaan wandelen, misschien was hij naar het graf van zijn vriend gegaan. In dat geval wilde hij blijkbaar even alleen zijn.
Elieshi en ik besloten snel wat te eten te maken en dan te gaan slapen. Ik speelde kort met het idee om contact op te nemen met Lady Palmbridge en haar over de laatste ontwikkelingen te vertellen, maar na enige aarzeling besloot ik het niet te doen. Het bericht van de dood van haar dochter wilde ik niet over de telefoon brengen. Elieshi was evemin in de stemming om te praten. Met snelle, gecontroleerde bewegingen schoof ze wat muesli naar binnen en daarna trok ze zich terug om haar aantekeningen bij te werken. Boven het kamp hing een wolk die niet zwarter had kunnen zijn. Terwijl ik de afwas deed, besloot ik pas morgen te gaan pakken. Het vliegtuig was vernield, dus moesten we via de satellietinstallatie een piloot laten komen om ons op te halen. En tot die hier zou zijn, hadden we nog genoeg tijd om het kamp af te breken. Maar ik had geen idee wie we moesten bellen en wilde liever wachten tot Maloney terugkwam. Ik ging even rustig zitten om Emily's dagboek te lezen, maar na nog geen twee pagina's viel ik in slaap.

Het was aardedonker toen ik door een vreemd geluid werd gewekt. Mijn eerste gedachte was Mokéle. Was het monster teruggekomen om een van ons te halen? Ik herinnerde me het verhaal van Maloney over de krokodil en luisterde in het donker. Daar was het weer. Iets kletste heen en weer in de modder. Soms klonk het geluid alsof er iets groots over de drassige grond werd getrokken. Voorzichtig opende ik de rits van mijn tent en keek naar buiten. Het was gestopt met regenen en de maan scheen door de gaten in de bewolking. Na een tijdje herkende ik het silhouet van Maloney, die aan de rand van het water met iets bezig was. Hij sleepte een grote boei aan een touw achter zich aan, iets wat hem de nodige moeite leek te kosten. Ik wilde net opstaan en naar hem toegaan toen ik merkte dat Egomo naast mijn tent zat en de wacht hield. Zijn blik had iets waarschuwends, dus hield ik me stil. Iets in zijn houding vertelde me dat ik me beter gedeisd kon houden. Hij had een goed gevoel voor dit soort dingen en daarom hiel ik me stil. Samen keken we naar Maloney, die weer terugkwam en nog een groot object door het water sleepte. Het bleek een van de drijvers van het vliegtuig te zijn. Wat moest die man sterk zijn. Die dingen wogen zo'n driehonderd kilo. Na een tijdje had Maloney zijn doel bereikt. Zwaar hijgend begon hij de twee drijvers aan elkaar te knopen. Zijn bewegingen getuigden van een enorme kracht en inspanning.
Egomo gebaarde dat ik weer moest gaan slapen. Het was niet nodig dat we allebei als nachtbrakers de wacht hielden. Om eerlijk te zijn, vond ik dat niet erg, want ik was nog doodmoe. Ook wist ik dat ik op Egomo kon vertrouwen. Daarom kroop ik weer in mijn nest, sloot de nacht buiten en viel direct in slaap.

Toen ik mijn ogen weer opende, was het nog donker. Maar een blik op mijn horloge vertelde me dat het al laat in de ochtend was. Ik stapte uit mijn tent en keek omhoog. De hemel zag eruit alsof hij met golfplaten was dichtgetimmerd.
'Vreemd weer, vandaag,' bromde een stem van de andere kant van het kampvuur. Het was Maloney, die net een paar lange stukken touw aan elkaar had geknoopt. 'Het gaat later vandaag nog onweren,' zei hij. 'Als je wilt, kun je mij helpen bij de voorbereidingen.'

'Goedemorgen,' groette ik hem, nog een beetje suf van de afgelopen nacht. 'Fijn je weer te zien. Ik moet toegeven dat we je gisteravond hebben gemist. We begonnen ons bijna zorgen te maken.'
'Om mij?' Hij lachte droog. 'Ik ken niemand om wie je je minder zorgen hoeft te maken.'
'Voel je je weer wat beter?' Ik hoopte dat deze vraag niet te persoonlijk was, maar ik wilde hem graag vertellen over wat we gisteren hadden meegemaakt en dat we graag snel weg wilden. Waarschijnlijk had hij ook nog iets te doen voordat we een vliegtuig lieten komen.
'Er is veel te vertellen,' ging ik verder. 'Als je wilt, vertel ik het je onder een kop koffie.'
'Niet nodig,' antwoordde hij. 'Terwijl jij gisteravond al lekker lag te dutten, heeft Mademoiselle n'Garong me alles al verteld. De ontdekking van de graven, de tempel, het lijk van de dochter van Lady Palmbridge. Trieste zaak. Maak ik heb je toch verteld dat het een zinloze trip zou worden.'
'Zinloos? Nou, ik weet niet wat Elieshi je precies heeft verteld, maar zinloos was onze tocht zeker niet.'
'Ze heeft me genoeg verteld. Dit land wordt op een gegeven moment iedereen fataal.'
Hij keek omhoog naar de wolken. 'Nu heeft iedereen van ons datgene verloren wat ons het dierbaarst was.' Hij keek me weer aan met zijn mysterieuze groene ogen. 'Je komt er wel weer overheen. En wat die ruïnes betreft...,' hij haalde zijn schouders op. 'Er zijn zo veel oude ruïnes op deze aardbol. En ze liggen allemaal te wachten om te worden onderzocht. Of deze hier belangrijk zijn of niet, is niet aan ons om te beslissen.' De onverschilligheid in zijn stem irriteerde me. Hij praatte alsof het hem allemaal niets deed. Dat Emily's dood hem niet veel deed, kon ik begrijpen, hij kende haar niet. Maar de manier waarop hij over het verlies van zijn beste vriend sprak, maakte me achterdochtig.
'Dan heeft Elieshi je waarschijnlijk ook verteld dat we graag zo snel mogelijk willen vertrekken.' Ik dwong mezelf te glimlachen. 'We zijn klaar. Om eerlijk te zijn, kan ik bijna niet wachten tot ik weer eens kan douchen en in een echt bed kan slapen.'

'Dat zal moeten wachten,' zei hij en hij liep weg met zijn touw. Ik liep snel achter hem aan. 'Wat betekent dat? Bedoel je dat we het kamp eerst waterdicht moeten maken voordat het onweer losbarst? Het heeft de laatste storm toch ook goed doorstaan.'
Hij bleef staan. 'Waarom heb je het over het kamp? Nee, ik heb je hulp nodig bij het vlot. Gisteren heb ik de twee drijvers van het vliegtuig gedemonteerd en hiernaartoe gebracht. Vanochtend heb ik ze aan elkaar gebonden tot een vlot. Ik wil hem zo snel mogelijk drijfwaardig maken. Je weet toch dat de vissen bij onweer het beste bijten.' Ik dacht een glimlach te zien, maar zijn ogen bleven koud.
Langzaam kreeg ik een wee gevoel in mijn maag. 'Vlot, vissen? Ik begrijp je niet. Voor de duidelijkheid: wat wil je precies gaan doen?'
'Ik heb het erover dat ik de Congosaurus een kopje kleiner wil gaan maken. Wat dacht je dan?'
Mijn misselijkheid sloeg om in bezorgdheid. 'Dat meen je toch niet serieus, wel? Je maakt een grapje.'
'Nee hoor. Ik ben van plan het dier op te jagen en te doden. En jij gaat mij daarbij helpen.'
Daar was het weer, paniek. Al mijn vermoedens over Maloneys geestestoestand werden bewaarheid. Hij leek zijn verstand te hebben verloren. Wat mij het meest verontrustte, was de manier waarop hij de woorden uitsprak. Rustig en gelaten, alsof hij een terloopse opmerking over het weer had gemaakt. Mijn vermoedens verdringend probeerde ik zo ontspannen mogelijk te klinken als onder deze omstandigheden maar mogelijk was. 'We zijn hier klaar, Stewart.' Het was de eerste keer dat ik hem bij zijn voornaam aansprak. Het moest hem het gevoel geven dat ik hem vertrouwde.
'We hebben de monsters, we weten wat er met Emily is gebeurd, we kunnen hier niets meer doen. Opdracht uitgevoerd. Meer hoeven we niet te doen.'
'En of we nog wat moeten doen, David.' Hij wierp me een stalen blik toe. 'Wat nodig is en wat niet, dat bepaal ik nog altijd. Deze expeditie staat onder mijn commando en dat zal zo blijven tot we weer gezond en wel in Brazzaville zijn. Einde discussie.'

'Misschien moeten we kort overleggen met onze opdrachtgeefster,' antwoordde ik bits. Als hij hard tegen hard wilde vechten, dan kon ik dat ook. Mijn vechtersgeest was wakker geworden en dit keer zou ik niet toegeven. 'Deze expeditie staat uiteindelijk nog altijd onder leiding van Lady Palmbridge. Laat haar beslissen.'
Blijkbaar hadden we nogal hard gepraat, want ineens doken Elieshi en Egomo op.
'Wat is er aan de hand?' mompelde de biologe slaperig. 'Is het zo belangrijk dat jullie twee al vroeg in de ochtend ruzie moeten maken?'
'Zeker,' siste ik. 'Het is erg belangrijk. Wil jij het vertellen, Maloney? Of zal ik het maar doen?'
De jager staarde mij woedend aan, maar zei geen woord.
'Oké, prima. Hij wil Mokéle vangen. Dat is hij van plan. En wij moeten hem daarbij helpen. Maar ik weiger dat te doen.'
'Het is mijn expeditie en mijn beslissing,' antwoordde de jager koppig. 'Je staat onder mijn bevel en ik zeg je dat je moet kalmeren en me moet helpen bij de voorbereidingen van de jacht.'
'Wij zijn je slaven niet. Waar jouw beslissingen toe leiden, hebben we wel gezien,' siste ik. 'Jouw beslissingen zijn een regelrechte ramp. Ik ben niet van plan jouw incompetentie nog een seconde langer te tolereren.'
Elieshi blikte radeloos tussen ons heen en weer. 'Dat is een grapje, zeker? Ik bedoel dat gedoe met Mokéle.'
Maloney pakte op zijn dooie gemak een sigaret uit zijn borstzakje en stak die aan. 'Waarom denkt iedereen toch dat ik een grap maak? Zie ik eruit als een clown?' De rook trok over ons heen en eindelijk leek ook Elieshi de ernst van de situatie in te zien. Ze wierp mij een veelzeggende blik toe en liep langzaam op Maloney af.
'Stewart,' zei ze met haar zachtste stem, 'we hoeven Mokéle niet te doden. Ik heb je dat gisteravond toch al uitgelegd. We hebben de monsters en de aantekeningen van Emily. Dat is wat van ons is gevraagd. David en ik hebben ontdekt dat het om een zeer speciale soort gaat, die veel te belangrijk is om te doden. Alsjeblieft, Stewart, laten we naar huis gaan.' Ze was hem tot op een paar centimeter genaderd en legde haar hand op zijn arm.

Zijn reactie kwam zo plotseling dat ik er niets tegen kon doen. Met één krachtige klap sloeg hij haar midden in het gezicht. Aangedaan zakte ze op de grond, terwijl uit een wond boven haar rechteroog bloed sijpelde. Ik schreeuwde naar Maloney, duwde hem aan de kant en knielde naast Elieshi neer. Maar hij reageerde helemaal niet. Hij stond daar gewoon maar en keek woedend op haar neer.
'Ik kan het niet hebben als iemand mij aanraakt,' zei hij.
'Daarom hoefde je haar nog niet te slaan!' schreeuwde ik. 'Wat ben je voor mens?'
Maloney deed een stap mijn kant op, maar Egomo sprong er direct tussen. Hij hief zijn gespannen kruisboog op en richtte die op de borst van de jager. Met een hoofdbeweging gebaarde hij dat hij moest verdwijnen. De Australiër lachte kil en vertrok.
Ik haalde opgelucht adem. 'Bedankt, Egomo, dat was echt mijn redding. Wat is er met hem gebeurd?'
Voorzichtig tilde ik Elieshi's hoofd op en depte met de mouw van mijn hemd het bloed van haar voorhoofd. Op dat moment deed ze haar ogen open. Verward keek ze me aan. 'Wat was dat?' mompelde ze. 'Ik wilde alleen maar even met hem praten.'
'Je hebt hem aangeraakt, toen sloeg hij door. Geen idee wat er met hem aan de hand is, maar ik vrees het ergste. Door de dood van zijn vriend is bij hem een zekering doorgebrand. We moeten hier zo snel mogelijk vandaan. Hoe eerder, hoe beter.'
'Mijn hoofd,' kreunde ze. 'Het is allemaal mijn schuld. Hij heeft me gewaarschuwd hem niet aan te raken.'
Ik rolde met mijn ogen. 'Dat jullie vrouwen altijd de schuld bij jezelf zoeken. Vooral als jullie verliefd zijn. Oké, misschien heb je even niet nagedacht, maar dat betekent niet dat hij je zomaar tegen de grond mag slaan.'
Ze voelde aan de bult boven haar oog. 'En jullie mannen moeten eens afstappen van dat misplaatse idee dat wij verliefd zijn als we met iemand het bed in stappen.'
Ik grijnsde. 'Touché. Maar even eerlijk, we moeten hulp gaan halen, zo snel mogelijk. Kun je weer staan?'
Toen ze ging staan, was ze nog wat bleek en onvast op de benen.

'Kom,' zei ik en ik bracht haar naar de voorraadtent. 'We zoeken iets koels om de zwelling te stoppen en dan gaan we Brazzaville bellen om een vliegtuig te laten sturen.'
'Bedankt, David.'
Ik keek verrast op. 'Wat is dat? Geen professor meer?'
Ze lachte en gaf me een vluchtige kus op de wang.

Ongeveer tien minuten later verlieten we de voorraadtent. De buil boven Elieshi's oog was nu zo groot als een kippenei, maar een koelelement had haar wat verlichting gegeven. Zo onopvallend mogelijk slopen we naar de satellietinstallatie. We wilden geen ophef maken en nog een ruzie riskeren. Maloney was totaal onberekenbaar en we wisten niet hoe hij zou reageren op nog een provocatie. Ik opende snel het antennepaneel en schakelde de ontvanger in. De seconden die het apparaat nodig had om warm te draaien, duurden tergend lang. Eindelijk was het zover. Mijn vingers gleden over het toetsenbord om de opgeslagen nummers op te roepen, om zo te achterhalen wie we moesten bellen om een vliegtuig. Geen resultaat.
'Heb je nog een ander nummer?' vroeg Elieshi. 'Misschien dat van het onderzoeksministerie. Of misschien van staatssecretaris Assis?'
'Geen resultaten. In dit verdomde telefoonboek staan alleen maar nummers in de Verenigde Staten. Waarschijnlijk staan alle andere nummers op Maloneys mobiele telefoon.'
Ze knikte. 'Erg slim van hem, om ons alle informatie te onthouden. Maar er is nog een mogelijkheid. Ik zal contact opnemen met Marcellin Agnagna, een oude bekende van mij op het ministerie van Landbouw. Hij heeft al aan veel expedities deelgenomen en is hier de juiste man voor.' Ze trok een klein, versleten leren boekje uit haar broekzak en bladerde erin. 'Ach, hier staat het,' grijnsde ze. 'Gelukkig heb ik dit boekje altijd bij me. Ik lees voor...'
Ze kreeg de kans niet meer om me het nummer voor te lezen, want op dat moment weerklonk een knal, gevolgd door een oorverdovend gekraak en gesplinter. De satellietontvanger verdween voor mijn ogen. In plaats daarvan zag ik alleen nog een flits. Ik voelde hoe ik werd getroffen door de drukgolf van een explosie en een wolk van

scherpe metaal- en kunststofsplinters in mijn gezicht werd geslingerd. Ik viel achterover. De pijn was vreselijk. Kermend lag ik op de grond. Ik probeerde weg te kruipen, ergens naartoe waar ik veilig was, maar het lukte me niet. Ik ging rechtop zitten en voelde aan mijn gezicht. De pijn in mijn ogen veranderde in een fonkelend vuurwerk van rode en gele flitsen. Een warme vloeistof sijpelde door mijn vingers en over mijn mond. Het laatste wat ik me kon herinneren, was de smaak van bloed.
Toen werd het zwart.

32

Egomo rende zo snel zijn voeten hem konden dragen. Hij had geen idee waar hij was of welke kant hij op rende. Hij wilde alleen maar weg van de waanzin die zich meester had gemaakt van zijn wereld. Op een gegeven moment, toen hij ver genoeg weg was, zou hij stoppen en proberen zich te oriënteren. Daarna hoopte hij de weg terug te kunnen vinden naar zijn dorp. Zijn schouder deed pijn, maar ondanks de inspanningen van de afgelopen dagen was hij goed genoeg genezen om de vierdaagse tocht naar zijn dorp aan te kunnen. Er spookten allerlei gedachten door zijn hoofd. De pijn wees op genezing, had Elieshi gezegd. Misschien had ze zich vergist. Hier was geen genezing, alleen pijn. Toen het schot viel en hij toe moest kijken hoe het apparaat waarmee ze hulp wilden halen in duizend stukjes uiteen barstte, toen hij had gezien hoe David vol in het gezicht werd getroffen en hevig bloedend op de grond viel, met de handen tegen zijn gezicht gedrukt, werd het hem duidelijk dat de duistere god van het meer hier aan het werk was. Hij had hem gevoeld vanaf het moment dat hij voor het eerst een blik had geworpen op het spiegelende wateroppervlak. Het waren niet de wezens in het meer, het was het meer zelf. Diens zwarte adem. Een vloek die iedereen raakte die te lang bij het water verbleef. Bij Maloney was die gekte duidelijk te merken. Wat was dat voor man geweest die hij op de dag van hun aankomst had leren kennen? Een grote man, aandachtig, ietwat hautain, maar vriendelijk. En nu? Waar waren zijn grootmoed en scherpzinnigheid gebleven? Waar waren zijn verstand en vermogen om het goede in de mens te zien? Er was slechts een gebroken mens overgebleven die door een enkele gedachte werd beheerst: wraak! De zwarte adem had hem te pakken, dat wist Egomo zeker. Toen hij aan zijn vrienden David en Elieshi moest denken, ging hij langzamer lopen. Ze waren ook veranderd, ook al waren de veranderingen bij hen minder drastisch. Ze waren serieuzer geworden en verdrietig. Geen wonder na wat ze samen in het gras-

land hadden meegemaakt. Hij dacht aan de blanke vrouw in de tempel. Was dit echt dezelfde vrouw geweest die zoveel maanden geleden in zijn dorp was geweest? David had haar schijnbaar gekend. Haar dood had hem veel pijn gedaan. Pijn wees op genezing.
Elieshi's woorden maalden steeds weer door zijn hoofd. Hij ging steeds langzamer en langzamer lopen. Uiteindelijk bleef hij staan, hijgend, de kruisboog tegen zijn borst geklemd. Wat voor genezing stond zijn vrienden te wachten? Zijn broeder was in gevaar. Weerloos tegen de waanzin van de jager.
Egomo's gedachten schoten alle kanten op. Kon hij gewoon weglopen en zijn eigen heil boven dat van de anderen stellen? Was dat wel goed? Had hij niet de plicht hen te helpen, zoals ze hem toen hadden geholpen? Was hij niet verplicht om mensen te helpen die in nood waren?
Een paar dagen geleden had hij nog gedacht als lafaard naar zijn dorp te moeten terugkeren. Maar hij had zichzelf overwonnen en was gebleven. En nu zag hij de mogelijkheid om als held terug te keren – of te sterven.
Hij twijfelde even, maar draaide zich vervolgens om.

Ik hoorde gesnik. Even dacht ik dat ik mijn eigen stem hoorde. Maar toen voelde ik zachte handen op mijn gezicht en hoorde ik rustgevende woorden. Het was Elieshi die huilde.
'Wat is er gebeurd?' mompelde ik, terwijl ik probeerde rechtop te gaan zitten. Door de ondraaglijke pijn in mijn borst moest ik weer gaan liggen. 'Waar ben ik, waarom is het zo donker?' Verbeelde ik het me of werd het gesnik luider? En waarom kon ik niets zien? De wereld om me heen was donkerder dan de zwartste afgrond. Ik voelde aan mijn gezicht en schreeuwde het uit. De huid voelde aan als een grote open wond. Erger nog was het besef dat mijn ogen wijd open waren en niet door een doek of verband werden bedekt, maar ik toch niets kon zien. Een vreselijke gedachte maakte zich van mij meester en ik probeerde te bedenken wat er met mijn gezicht was gebeurd. Ik voelde handen die me voorzichtig weer achterover drukten.

'Niet doen,' fluisterde Elieshi. 'Niets aanraken.'
'Wat is er met mijn gezicht?' Ik trok mezelf los. Aarzelend voelde ik aan mijn wangen en weer schreeuwde ik het uit. De pijn was hels. Mijn huid voelde aan als een maanlandschap. Ik raakte in paniek. 'Wat is er met mij aan de hand,' fluisterde ik, 'en waarom kan ik niets zien?'
'Je ogen zijn...,' Elieshi's stem haperde. Het duurde even voordat ze weer kon praten. 'Het komt allemaal weer goed,' mompelde ze. 'Maar je moet heel stil blijven liggen, zodat ik je wonden kan verzorgen.'
'Ben ik blind? Je moet het me vertellen. Wat is er aan de hand?' Mijn stem haperde, maar nog steeds zei Elieshi niets. 'Het laatste dat ik me kan herinneren, is een verblindende flits,' zei ik. 'Daarna herinner ik me niets meer.'
'Ik ben geen arts,' zei de biologe uiteindelijk. 'Het enige dat ik kan zeggen, is dat je direct naar een ziekenhuis moet. Als er nog iets te redden valt, dan daar.'
Haar woorden troffen me diep. Ze zei dus dat ik misschien nooit meer iets zou zien. 'Mijn god,' fluisterde ik, 'hoe heeft dit kunnen gebeuren?'
'Het was Maloney,' zei de biologe en haar stem trilde van woede. 'Hij heeft ons begluurd toen we probeerden Marcellin te bereiken. Hij heeft...,' en opnieuw trilde haar stem, '... hij heeft geschoten. De satellietontvanger explodeerde, een paar centimeter van je gezicht vandaan. Je bent flauwgevallen. Ik probeer je al uren wakker te krijgen.' Ik hoorde hoe ze haar neus snoot. 'Je hebt geluk gehad dat je nog leeft.'
Allerlei gedachten dwarrelden me door het hoofd, als een herfstwind. 'Waarom deed hij dat? Wat is er met hem aan de hand?'
'Weet ik niet. Misschien voelde hij zich bedrogen, misschien is hij echt gek geworden. Nadat hij had geschoten, verdween hij het bos in. Ongeveer een uur later hoorde ik nog een schot.'
'Heeft hij zichzelf...?' de woorden bleven me in de keel steken.
'Om eerlijk te zijn ben ik daar wel bang voor, David. Ik wil hier weg, zo snel mogelijk.'

Ik raapte al mijn moed bij elkaar. 'Vertel me de waarheid. Hoe zit het met mijn ogen?'
'...'
'Je moet het me vertellen, Elieshi, alsjeblieft!'
'Het spijt me.'
Ik knikte.
'Je moet nu heel stil blijven liggen, zodat ik je hoofd kan verbinden.' Ze tilde mijn hoofd op en gaf aan dat ik deze positie een tijdje moest aanhouden. Ik voelde hoe ze het verband aanbracht en hoorde even later het scheuren van stof. Even voelde ik een drukkend gevoel toen Elieshi het uiteinde van het verband vastzette met een kram. Daarna bracht ze een tweede verband aan.
De minuten tikten voorbij. Vreemd. De wetenschap dat ik blind was, was niet zo erg als ik had gedacht. Eigenlijk verwonderde ik mezelf over de rust waarmee ik die jobstijding had geaccepteerd. Vroeger had ik me vaak afgevraagd of een leven in volledige duisternis überhaupt mogelijk was. Geen licht meer, geen kleuren. Nooit meer genieten van de aanblik van een mooie vrouw, de weidsheid van een landschap of van een sterrenhemel. Ik had het me voorgesteld alsof je levend werd begraven. En nu? Ik voelde de wind op mijn huid, die als voorbode van het onweer een paar kleine regendruppels meevoerde. Ik rook het modderige water van het meer en hoorde hoe de golven in de wind tegen de oever sloegen. Alles was rustig en vredig.
Te vredig.
'Wat heb je me gegeven?'
'Morfine. Tien milliliter,' antwoordde ze. 'Je verwondingen zijn ernstig. Het zijn misschien oppervlakkige snijwonden,' ging ze verder, 'maar ze zitten over het hele gezicht. Ik heb erg veel plastic en metaal uit je gezicht moeten halen. Daarbij heb je veel bloed verloren, maar je overleeft het wel.'
'Heb je zelf niet?'
'Ik stond direct achter je en...,' zei ze. 'Nou, klaar, ik hoop dat het verband niet te strak zit, anders moet ik het nog een keer loshalen.'
'Bedankt. Het gaat wel.'
'Wil je proberen te gaan staan?'

Ik ging onhandig staan en merkte dat de pijn zelfs door de dichte sluier van de morfine drong. Toen ik uit balans raakte, pakte Elieshi me onder de armen en ondersteunde ze me. 'Ik heb een plan om hier weg te komen,' zei ze. 'De rubberboot ligt nog aan de wal. De tank in de buitenboordmotor lijkt goed vol te zitten. Als we ons haasten, kunnen we verdwijnen zonder dat Maloney er iets van merkt. Proviand en de belangrijkste zaken zoals de bloedproeven en het dagboek heb ik al ingepakt. Het enige dat nog ontbreekt, ben jij.'
'Waar wil je dan naartoe?' vroeg ik verbaasd.
'We zullen de weg volgen die Emily Palmbridges videocamera heeft afgelegd. Weet je nog dat ik Maloney eens naar zijn noodplan vroeg? Nu is het moment aangebroken om het in de praktijk te brengen.'
'Een andere mogelijkheid zal zich niet meer voordoen. Dus waar wachten we op?' antwoordde ik.

Vijf minuten later waren we bij de plek aangekomen waar de boot lag. Elieshi leidde me het water in totdat ik op een ronde welving stootte. Ze hielp me in de boot, waarna ze zelf aan de andere kant instapte. Het is een vreemd gevoel geen vaste bodem meer onder de voeten te voelen, vooral als je niets kunt zien. Ik voelde de bewegingen van de boot duidelijker dan de vorige keer.
'Ben je er klaar voor?' hoorde ik Elieshi zeggen, en de spanning was duidelijk in haar stem te horen. Op dat moment bedacht ik me: 'Wat is er gebeurd met Egomo?'
'Die heeft zich uit de voeten gemaakt,' zei Elieshi, terwijl ze aan de startkabel trok. Haar stem klonk geërgerd. 'Hij ging er als een haas vandoor toen het schot viel. Sindsdien heb ik hem niet meer gezien.' Ze trok opnieuw aan de kabel, maar de buitenboordmotor hoestte alleen maar even. 'Wat is er eigenlijk aan de hand met dit rotding,' vloekte ze, toen hij na een derde poging nog niet aansloeg. 'Eerder deed hij het nog perfect.'
'Problemen met de motor?'
De stem was dichtbij. Te dichtbij.
Ik voelde hoe Elieshi zich omdraaide. De boot wankelde onheilspellend. Ik hoorde haar vloeken. Weer trok ze aan de startkabel.

'Wil je zo vriendelijk zijn mijn boot te verlaten? Hij is voor belangrijkere zaken nodig.' Maloneys stem was koud, zonder enige emotie. 'Doe geen moeite. Het is erg lastig om een motor te starten zonder bougie.'
De biologe hield direct op met haar startpogingen. 'Vervloekte smeerlap. Geef ons de bougie terug en laat ons gaan,' siste ze.
Een schamper lachje drong tot me door. 'Je hebt hier helemaal niets te willen. Of wil je dat ik je een kogel door je hoofd jaag?' Een klik. 'Mijn boot uit, en snel een beetje.' Ik kon bijna voelen hoe hij zijn geweer op ons richtte. 'Dit is de laatste keer dat je probeert mij erin te luizen. De volgende keer schiet ik raak.'
Voorzichtig verliet ik de boot en hinkte terug. Elieshi pakte mijn hand en leidde me totdat ik weer droge grond onder mijn voeten had.
'Wat ontroerend,' zei Maloney. 'Jullie zijn echt een prachtig stel. Als dat geen reden is om een feestje te bouwen. Je ziet er chic uit met dat verband, Astbury, echt chic. Nu naar de tenten en snel een beetje!'
'Waarom doe je dit, Maloney?' vroeg ik verrassend kalm. Waarschijnlijk lag het aan de morfine die door mijn aderen stroomde. 'Wat hebben we je aangedaan?'
'Stel niet zulke domme vragen. Jullie hebben me bedrogen, jullie allebei. Dat jullie tegen mijn wil een vliegtuig wilden laten komen, dat was een onvergeeflijke fout. Jammer van het zendapparaat, maar we redden het zo ook wel. Dat jullie me voor gek uitmaken, daar kan ik mee leven, maar dat jullie mijn boot wilden stelen, dat kan ik niet laten gebeuren.'
'Ik hoop dat je in de hel rot,' vloekte ik. 'Ik kan niet meer zien. Is dat de dank die ik krijg nadat ik je het leven heb gered?'
'Dat heeft mijn respect afgedwongen, maar het heeft mijn beslissing niet beïnvloed. Zelfs al had je mij tien keer het leven gered. Ik laat nooit iets tussen mij en mijn prooi komen. Heeft Sixpence je dat niet verteld?'
Ik hoorde Elieshi naast me schuimbekken van woede. 'Hou toch eens op met dat gezwets, ik word er doodziek van,' zei ze met beheerste stem. 'Dat je überhaupt de naam van je vriend nog durft uit te spreken! Het is jouw schuld dat hij dood is, ben je dat alweer vergeten?

Hij heeft zijn leven gegeven om je uit het graf te houden dat je zelf had gedolven. Jij zou eigenlijk in dat gat moeten liggen, niet hij.'
'Hou je mond, dom wijf, houd direct je mond!' Woedend liep hij een paar stappen op ons af.
'Je kunt de waarheid niet verdragen, nietwaar?' antwoordde ze koppig. 'Jouw wraak is niets meer dan een enorme berg onderdrukte schuldgevoelens die je wilt afwentelen op een onschuldig dier.'
'Onschuldig?' schreeuwde hij. 'Onschuldig? Dat stuk vee heeft mijn vriend gedood. Hij heeft hem opengescheurd, half opgegeten en vertrapt tot er bijna niets meer van hem over was.' Zijn stem trilde. Ik sprong op en hoewel ik niet precies wist waar hij stond probeerde ik hem de weg te versperren. Heimelijk hield ik er rekening mee dat ik door hem tegen de grond zou worden geslagen, of in elk geval aan de kant zou worden geschoven, maar dat gebeurde allemaal niet. In plaats daarvan hoorde ik een merkwaardig gezoef, gevolgd door een doffe klap. Het klonk als een pijl.
Maloney schreeuwde het uit. Zonder iets te zien, wist ik wat er was gebeurd: Egomo was teruggekomen.
Nu hoorde ik hem rennen. Ik hoorde het gekreun en gehijg van vechtende mensen. In één klap werd me duidelijk hoe hulpeloos ik was. Ik balde mijn vuisten in grenzeloze woede. Ik kon de vechtende mannen voor me bijna vastpakken, hoorde gesnuif, klappen, gehijg en toen weer een onderdrukte kreet.
Plotseling was het allemaal voorbij en wel op een manier zo vreselijk dat ik het zelf niet had kunnen bedenken.
'Nee, Stewart, niet doen!' gilde Elieshi in mijn oor, gevolgd door de oorverdovende knal uit een wapen. Ik hoorde een gekreun als van een gewond dier, daarna viel een lichaam op de grond. En terwijl Elieshi een klagende kreet uitstootte, wist ik dat Maloney Egomo had geraakt. Hij moest ergens voor me liggen. Ik strompelde de kant op waar de knal vandaan was gekomen.
'Terug, Astbury,' hijgde Maloney. 'Geen stap verder.'
Ik negeerde hem.
'Ik waarschuw je, Astbury, mijn geweer is nog geladen.'

'Schiet dan,' was alles wat ik tegen hem zei terwijl ik naast het lichaam van mijn gevallen vriend neerknielde. Egomo hield zijn kruisboog nog steeds tegen zijn borst gedrukt. Ik nam zijn ruwe hand in de mijne. Een eigenaardige warmte leek van hem uit te gaan. Ze kroop langs mijn arm omhoog naar mijn borst, waar ze de droefenis en kou verdreef. Ik kon bijna zien dat Egomo lachte en voelde dat hij afscheid nam. Vreemd genoeg had ik niet de indruk dat hij het erg vond van dit leven te scheiden. Hij leek de dood te verwelkomen. Op dat moment kon ik zijn gedachten denken en zijn gevoelens voelen, alsof een deel van hem op mij overging. Toen werd zijn lichaam slap.

De wind stak op, blies over het water op het meer en deed het met veel lawaai tegen de oever slaan. Over het meer weerklonk de donder, als voorbode van het dreigende onweer.

'Is hij dood?' Vreemd genoeg hoorde ik spijt in Maloneys stem.

Ik knikte.

Hij strompelde dichterbij. 'Verdomd, zo had het niet moeten gaan. Jammer, hij had lef. Ik dacht dat hij mijn vriend was,' mompelde hij. 'Waarom deed hij dat?'

'Omdat hij goed van kwaad kon onderscheiden,' siste Elieshi, nog steeds vechtlustig. Maar er was niets meer te winnen. De strijd was beslecht.

'Laat maar, Elieshi,' zuchtte ik. 'Het heeft geen zin verder te vechten. We hebben verloren.'

'Maar...'

'Geen "maar". Houd je maar stil, anders maak je het alleen maar erger,' zei ik en ging zitten. Alle kracht leek uit mijn lichaam gevloeid.

'Je zegt het,' hoonde de Australiër, die de vaardigheid leek te bezitten zijn droefheid als een handschoen uit te trekken.

'Respect, David. Je hebt me net op een idee gebracht.'

Hij hinkte om ons heen, als een kat die haar prooi besluipt. Ik kon bijna horen hoe een plan in zijn hoofd vorm kreeg. Toen hij eindelijk bleef staan, wist ik dat er iets vreselijks stond te gebeuren.

'Eigenlijk was ik van plan de duikerantilope die ik in het bos heb

geschoten, als aas te gebruiken,' zei hij. 'Maar als ik erover nadenk, is iets levends eigenlijk veel beter.'
'Wij? Als aas? Waarvoor?' siste Elieshi.
De jager hoestte en spuugde op de grond. Waar Egomo's pijl hem ook had geraakt, het bezorgde hem veel pijn. 'Twee keer raden, liefje. Ga staan en doe geen domme dingen.'
Ik hoorde een klap en een schreeuw toen hij de biologe dwong te gaan staan.
Ik kwam met moeite overeind. 'Hou daarmee op,' zei ik moe. 'Laat Elieshi los en neem mij mee. Dat was je toch de hele tijd al van plan, nietwaar? Hier ben ik.'
Een cynisch lachje drong tot me door. 'Wat ken je mij intussen goed, Astbury.' Een por in mijn maag deed me dubbelklappen als een zakmes. Maar ik had erop gerekend en me mentaal voorbereid. Elieshi vloekte een paar keer, maar Maloney hoorde haar niet. Het ging hem schijnbaar alleen om mij.
'Hoe voelt dat, Mr. Astbury? Bent je er klaar voor je schepper te ontmoeten?'
'De jouwe of de mijne?' kreunde ik van de pijn. 'Ik denk niet dat we door dezelfde God zijn gemaakt.'
'Lopen, mannetje,' beval hij en duwde me hardhandig in de richting van de boot. Dit keer vond ik de weg sneller.
'Wacht hier,' zei Maloney toen ik in de boot was geklommen en was gaan zitten. 'Ik zal onze vriendin nog snel aan een boom vastbinden. We weten allebei hoe brutaal ze kan zijn.'
Ik hoorde het ploffen van zijn voeten toen hij wegliep en daarna een paar vloeken en verwensingen. Hij was blijkbaar bij zijn poging haar vast te binden op de nodige weerstand gestoten. Toen hij terugkwam, pufte hij als een oude, versleten locomotief. 'Die vrouw is echt een duivelin,' hijgde hij.
'Wat heb je met haar gedaan?'
'Niets wat ze niet had verdiend. Ik denk dat Mademoiselle n'Garong behoorlijke hoofdpijn zal hebben als ze weer wakker wordt.' Daarmee was het onderwerp voor hem afgedaan. Luidruchtig ging hij achter in de boot aan de slag. Hij was blijkbaar van plan zijn zelfge-

maakte vlot achter de boot te binden. Na een tijdje was hij klaar en kwam hij bij me zitten. Ik hoorde hoe hij de bougie plaatste en aan de startkabel trok. Dit keer sprong de motor direct aan. De wind streelde mijn huid terwijl we aan ons laatste gezamenlijke tochtje begonnen.

De boot verwijderde zich van de oever en voer langzaam naar het midden van het meer. De lucht was vol donderslagen, en ik voelde de eerste fijne regendruppels al op mijn huid.

33

De tocht leek langer te duren dan de eerste keer.
'Wat ben je eigenlijk van plan?' vroeg ik de jager. 'Vind je ook niet dat je mij nu een verklaring schuldig bent?'
'Wat wil je weten?'
Zijn openheid verraste mij. Ik had eigenlijk verwacht dat we tot het einde van de tocht zwijgend naast elkaar zouden zitten, maar Maloney was een man die moeilijk te doorgronden was. 'Ik wil weten waarom het voor jou zo belangrijk is om Mokéle te doden. Is het niet genoeg dat je vriend is gestorven en we hier niets meer kunnen doen?'
Hij hoestte kort. 'Weet je wat het probleem is, Astbury? Onze voorstelling van wanneer een opdracht is afgerond en wanneer niet, komt niet overeen. Herinner je je het verhaal nog dat ik je op de middag van onze eerste ontmoeting in Palmbridge Manor heb verteld?'
'Je bedoelt dat verhaal over die krokodil?'
'Dat ja. Je geloofde me toen niet, dat kon ik aan je reactie wel merken. En toch was elk woord waar. Ik vermoed dat de reden voor je twijfel lag in het feit dat je de diepere betekenis van het verhaal niet hebt begrepen. Jij kunt je niet voorstellen dat iemand een half miljoen dollar afslaat om zijn eigen wraakgevoelens te bevredigen. Heb ik gelijk?'
'Helemaal.'
'Je bent in elk geval eerlijk. Maar het heeft geen zin je uit te leggen hoe het met Mokéle zit als je het krokodillenverhaal al niet begrijpt. Het is eigenlijk hetzelfde verhaal, alleen is mijn tegenstander dit keer wat groter en slimmer.'
Ik schudde mijn hoofd. 'En of ik je heb begrepen. En ik moet toegeven dat ik je heb overschat, Maloney. Eventjes dacht ik dat er meer achter stak dan gewoon wraak. Maar dat is het enige waar het jou om gaat, nietwaar? Om de bevrediging van ijdele, egoïstische wraakgevoelens, die voortkomt uit een minderwaardigheidsgevoel en zelfmedelijden. Als je ook nog een houten been had gehad, was je bijna

kapitein Ahab geweest, alleen zit jouw haar wat anders.' Ik spuugde minachtend in het water. 'Ik heb echt medelijden met je.'
'Je kunt zeggen wat je wilt, het maakt mij geen moer uit,' zei hij. 'Wraak, zeg je? Wat een onzin. Met wraak heeft het helemaal niets te maken. Het gaat om het evenwicht, om de natuurlijke balans, maar zelfs als ik het je zou willen uitleggen, dan zou je het niet begrijpen. Net zoals je van het verhaal van Beowulf weinig hebt begrepen.'
'Waar slaat dat nu weer op? Grendel was slecht, dus heeft Beowulf hem gedood, meer niet.'
'Onzin. Goed en kwaad zijn menselijke maatstaven, die in de natuur geen enkele geldigheid hebben, en ook niet in die legende thuishoren. Het ging Beowulf erom dat het evenwicht weer werd hersteld. Oog om oog, tand om tand, ben je dat vergeten? Ach ja, je hebt het Oude Testament niet gelezen. Had je toch eens moeten doen, in dat boek vind je meer waarheden die nog heel goed op de moderne wereld van toepassing zijn. In mijn land bestaat er een vergelijkbare legende. De sage van Nyngarra.'
Ik spitste mijn oren. 'De naam die je in de boom hebt gekerfd?'
'Precies. Nyngarra was een wezen van steen. Onoverwinnelijk. Hij doorkruiste het land en doodde iedereen die hem in de weg stond. Zelfs een leger van honderden mannen kon hem niet verslaan. Een wijze oude man stelde daarom voor een enorme val te bouwen, een gat in de grond bedekt met takken, met daarop stukken van een geroosterde kangoeroe. Aangetrokken door de geur kwam Nyngarra aan, hij rook het vlees, wilde het pakken en liep in de val. Toen wierpen de mannen takken en vuur in het gat, totdat de hitte de stenen man deed springen. Het regende brokken steen. De rode waren zijn lichaam, de zwarte zijn lever en de gele zijn vet. Het evenwicht was weer hersteld.'
Ik schudde mijn hoofd. 'Dat verhaal zou net zo goed heel anders kunnen worden geïnterpreteerd. Je bekijkt de wereld gewoon zoals het je uitkomt.'
'En jij behoort tot die mensen die hun hele leven hebben doorgebracht in hun veilige, beschaafde omgeving en die geen enkel gevoel meer hebben voor de natuurlijke, door God geschapen orde der din-

gen. Mensen die zich vastklampen aan termen als ethiek en moraal, waarden die voor de menselijke samenleving misschien belangrijk zijn, maar die in de natuur geen enkele betekenis hebben. Geloof je werkelijk dat dieren of planten ethisch handelen? Wat zou het dus voor zin hebben om jou uit te leggen wat ik van plan ben?'
'Maar je bent toch een mens, of vergis ik me soms?'
Hij lachte. 'Naar jouw maatstaven waarschijnlijk niet. Volgende vraag.'
'Hoe denk je dan precies het evenwicht weer te herstellen en mij en Mokéle uit de weg te ruimen?'
Het sarcasme was duidelijk in mijn stem te horen.
'Heel eenvoudig. Ik zal je moeten vragen op het vlot plaats te nemen en daar te wachten. Het zal vast niet lang duren voordat je bezoek krijgt.'
'Waarom zou Mokéle mij aanvallen en niet jou?'
'Omdat jij, in tegenstelling tot mij, tot de tanden toe bewapend bent. Kijk, Astbury, als ik iets van onze confrontatie met deze Congosaurus heb geleerd, is het dat hij erg agressief reageert op wat voor wapens dan ook.'
Ik merkte dat onder het verband het zweet me over het gezicht liep.
'Ik zal geen enkel wapen ter hand nemen, zelfs niet als je mij half doodslaat,' antwoordde ik koppig.
'O, dat hoeft ook niet,' zei hij gelaten. 'Het gevaar dat jij jezelf gewoon overboord gooit, is mij eerlijk gezegd te groot. Nee, ik ben wat veel beters van plan, iets wat Mokéle nog voor een leuk dilemma zal plaatsen. Maar meer wil ik nu nog niet verraden. Het moet een verrassing blijven.'

Ongeveer vijf minuten later bereikten we ons doel. Maloney drukte de motor uit en trok het vlot dichterbij. De regen begon steeds harder te vallen. Het tikken van de druppen op het rubber van de boot was zo hard dat Maloney moest schreeuwen om zich verstaanbaar te maken.
'Klim op het vlot. En snel een beetje.'
'Dat doe ik niet,' riep ik terug. De angst voor wat mij op dat vlot te wachten stond, maakte me overmoedig.

'Wat zei je?' riep Maloney weer, en dit keer klonk het minder als een vraag dan een dreigement.
'Ik heb gezegd dat ik helemaal niet van plan ben op dat duivelse vlot te klimmen...' De klap kwam onverwacht en kwam hard aan. Hij raakte me precies op mijn hoofd. Een helse pijn breidde zich uit over de linkerkant van mijn gezicht.
'Herhaal nog een keer wat je net zei,' schreeuwde Maloney woedend. 'Ik heb je niet verstaan.'
'Ik zei, ik zal geen voet zetten op jouw...' opnieuw een klap, dit keer tegen de rechterkant van mijn hoofd. Ik had de klap verwacht, maar dat maakte de pijn er niet minder om. Ik merkte dat ik op het punt stond flauw te vallen en proefde warm bloed.
'Zelfs al sla je me half dood,' mompelde ik zwak, 'dat zal mijn besluit niet veranderen. Ik zal in elk geval niet op het vlot klimmen.'
Ik spande al mijn spieren aan in afwachting van een nieuwe klap, maar die bleef uit. In plaats daarvan zei Maloney: 'Je hebt lef, Astbury, dat moet ik je nageven. Maar wat je zegt, is dom. Je bent helemaal niet in de positie om te onderhandelen. Of je nu levend of dood op het vlot zit, het maakt mij niet uit. Maar je gaat op dat vlot, dat is zeker.'
'Dan moet je mij maar vermoorden.'
'Als je dat graag wilt...'
Er suisde iets zwaars door de lucht. Ik hoorde een oorverdovend gekraak, voelde een stekende pijn en toen viel ik om.

Ik werd wakker van een aanhoudend geruis. Ik voelde een tromgeroffel van warme regendruppels op mijn hoofd neerkomen, die met een gestaag straaltje langs mijn rug naar beneden liepen. Het geruis had iets monotoons, rustgevends, dat me helemaal omhulde en een gevoel van geborgenheid gaf. Was dit het hiernamaals? De druppen liepen over mijn gezicht en verzamelden zich in mijn mond, van waar ze weer in een gestaag stroompje in mijn schoot drupten. Ik zat op het vlot. Pas langzaam werd ik me bewust van mijn lichaam. Dit besef deed een bevreemdende vraag in mij opkomen. Als ik alleen nog maar geest en ziel was, waarom had ik dan nog een lichaam? Er klopte iets niet. Ik

probeerde me te bewegen en werd gestraft met een gevoel dat evenmin bij mijn voorstelling van het hiernamaals paste. Pijn. Een brandende, kloppende pijn. Het leek net alsof iemand met een smeedhamer op mijn schedel aan het slaan was, van waaruit de pijn zich uitbreidde naar mijn armen en benen. Terwijl ik wanhopig probeerde de pijn weg te drukken, raakte ik ervan overtuigd dat ik niet dood kon zijn. Waar was ik? De poging om mijn linkerbeen te bewegen, resulteerde opnieuw in een pijnscheut. Maar mijn nieuwsgierigheid won het. Bij de tweede poging was de pijn al minder. Ik ging rechtop zitten en probeerde een voor een of mijn ledematen het nog deden. Alles leek nog te werken, maar mijn armen kon ik niet bewegen, hoewel ik wel voelde dat ze nog op hun plek zaten. Blijkbaar had iemand ze op mijn rug gebonden. Een metalen stang voorkwam dat ik ze kon optillen. Stukje bij beetje herinnerde ik me alles weer en begreep wat er met me was gebeurd. Maloney!
Ik realiseerde me iets vreselijks: ik zat vastgebonden op een wankel vlot, midden op Lac Télé.
De warme tropische regen hulde de wereld in een uniform geruis. Het slokte alle andere geluiden uit de omgeving op, zodat ik niet met zekerheid kon zeggen of Maloney zelf nog in de buurt was. Ook had ik geen idee van wat hij van plan was, maar dat het niets goeds beloofde, wist ik wel. Wapens, dat was het woord dat ik me nog herinnerde. 'In tegenstelling tot mij zul je tot de tanden toe bewapend zijn,' dat waren zijn woorden geweest. Een overweldigend gevoel van hulpeloosheid overviel me. Hier zat ik dan, midden op het meer, omgeven door de eeuwige nacht, blind, vastgebonden en zonder enig idee welk duivels plan Maloneys hersenen hadden uitgebroed.
Het verband om mijn hoofd was inmiddels zo nat dat een beweging van mijn hoofd genoeg was om het los te schudden en als een vochtige lap te laten vallen. De regen deed de gewonde huid goed. Hij koelde de wonden en wiste het zoute zweet weg. Ik tilde mijn hoofd op en probeerde wat druppels in mijn mond te vangen, om de ergste dorst te lessen. De regen gaf me weer energie en verdreef de kloppende pijn achter mijn slapen. Eerst moest ik mezelf bevrijden, de rest kwam daarna wel. Mijn vingers voelden een grof stuk touw om mijn polsen,

dat door de natheid helemaal doorweekt was. De plantenvezels waren opgezwollen en hadden zich zo volgezogen dat ik de poging om ze met mijn nagels los te pulken al snel moest opgeven. Ik tastte de bodem af op zoek naar iets scherps om het touw mee door te snijden. Maar ook dat lukte niet. Het leek alsof ik boven op een groot aantal cilindervormige objecten zat, die geen kanten of hoeken hadden. Als laatste optie bleef over mijn vastgebonden handen over het uiteinde van de stang te wrijven die als een scheve mast uit de bodem van het vlot stak. Met grote moeite ging ik staan. Maar ik moest concluderen dat de stang te lang was. Hij stak minstens een kop boven me uit. Ook een poging om hem met mijn lichaam om te buigen, mislukte. Er was geen beweging in te krijgen. Waarschijnlijk was het een van de steunbalken waarmee de drijvers onder de Beaver bevestigd waren geweest en dat die sterk waren, daar twijfelde ik niet aan.
Hijgend van inspanning zakte ik weer op de grond. Nog een keer tastte ik de bodem af, maar mijn hoop om een scherp kantje te vinden, werd elke seconde kleiner. Maar wat waren dat voor vreemde cilinders waar ik op zat? Ze voelden aan alsof ze van plastic waren gemaakt, maar ik kon me niet herinneren dat er zoiets in het vliegtuig had gezeten. Ze waren op elkaar gestapeld, maar als ik mijn vingers uitstrekte en ertussen stak, voelde ik dat ze aan de onderkanten met elkaar waren verbonden via draden. Draden?
Plotseling wist ik waar ik die dingen eerder had gezien en wat het was. Een verlammende schrik schoot door mijn lichaam. Ik zat op dicht op elkaar gepakt C4, op een tapijt van springstof. Een kleine reserve, voor het geval niets anders werkt, zo had Maloney zijn voorraad liefdevol omschreven. Ik herinnerde me nog de rol met kabels en het kleine besturingskastje waarmee de lading tot ontploffing kon worden gebracht. Plotseling werd me duidelijk wat hij van plan was. Ergens in het donker lag hij op de loer, te wachten tot de Congosaurus mij aan zou vallen. En als het dier dichtbij genoeg was, dan zou hij op de knop drukken en ons allebei de lucht in jagen. Twee vliegen in één klap.
Een doortrapt plan, even geniaal als dwaas. 'Maloney!' brulde ik. 'Ik heb door wat je van plan bent, verdomde klootzak. Maar je komt er

niet mee weg, dat beloof ik je. Zowaar ik hier zit, je zult ervoor boeten!'
Stilte.
Misschien kon hij mij niet antwoorden, omdat hij te ver weg was. Maar het was waarschijnlijker dat hij niet wilde antwoorden. Mijn dreigement was natuurlijk ook te gek voor woorden.
'Maloney, geef antwoord!'
Nog steeds niets. Waarschijnlijk lag hij op een veilige afstand in zijn rubberbootje, met de ontsteking in de hand, te genieten van mijn geschreeuw. En het domme was dat ik absoluut geen bewijzen had. Na alle rampen die we tijdens onze reis hadden meegemaakt, was het voor hem een peulenschil naar huis terug te keren en een willekeurig verhaal op te hangen over onze dood. Inclusief Elieshi, want na wat hij hier van plan was, kon hij haar onmogelijk in leven laten. Ik raakte in paniek. Ik moest mezelf echt bevrijden. Met al mijn kracht begon ik aan het touw te trekken, tot ik de pijn niet meer kon verdragen. Daarna probeerde ik met mijn voeten tegen de plastic cilinders te duwen, in de hoop een ervan los te maken en de stroomkring van de ontsteking te onderbreken. Maar de springstof leek wel vastgeschroefd. Het lukte me ook niet om een van de ontstekingsdraden vast te pakken en los te trekken. Totaal ontgoocheld trapte ik tegen het vlot. De doffe schoppen weerkaatsten over het water. Naar alle waarschijnlijkheid waren ze ook onder water te horen.
Geschrokken hield ik op. Was ik helemaal gek geworden? Ik had net zo goed kunnen roepen: 'Hallo, hier ben ik! Kom me maar opeten!'
Terwijl ik bedacht welke mogelijkheden me nog restten, hoorde ik een luid geraas van links. Een geluid dat al mijn hoop op een goede afloop met één klap deed verdwijnen. Mokéle m'Bembé was onderweg en ik twijfelde er geen moment aan dat ik nog maar een paar momenten te leven had.

34

Het geluid schoot van links naar rechts, toen verstomde het. Ik gaf me niet over aan de illusie dat Mokéle misschien zijn interesse in mij had verloren, want daarvoor was ik veel te interessant. Wie kon een prooi weerstaan die blind en vastgebonden op een paar pond zeer explosief C4 zat? En inderdaad, een paar minuten later hoorde ik het geruis weer. Tegelijkertijd prikte de typische geur van rotte vis in mijn neus. Mokéle zou mij niet meer uit het oog verliezen. Het leek alsof het monster op veilige afstand om mijn vlot heen cirkelde en de situatie probeerde in te schatten voordat hij zou uithalen. En als dat gebeurde, zou Maloney de springlading onder mijn achterwerk laten ontploffen. Machteloos zakte ik in elkaar. Ik had geen schijn van kans.

Mijn gedachten dwaalden af naar Sarah, die nu misschien in de bibliotheek zat en onderzoek deed, of onder het genot van een kopje thee naar de regen zat te kijken die tegen de ramen sloeg. Ik dacht aan Lady Palmbridge, hoe ze door haar huis liep, in de hoop snel bericht te krijgen over haar dochter, en aan Aston, achter haar aan schuifelend om aan al haar wensen te voldoen. Ze werden op dit moment allemaal verraden door Maloney, want ze zouden er nooit achter komen wat er echt was gebeurd, op die noodlottige woensdag 17 februari op Lac Télé.

Terwijl ik nog in gedachten verzonken was, hoorde ik een stem, die me vreemd genoeg bekend voorkwam. Ik tilde mijn hoofd op en luisterde.

Nee, ik moest me hebben vergist, er was helemaal niets te horen, behalve de regen die maar bleef vallen. En toch, daar was de stem weer, dit keer luider en sterker.

In één keer waren al mijn vermoeidheid en berusting verdwenen. Allerlei onsamenhangende beelden raasden door mijn hoofd, als golven over een rots. Ze waren net zo onduidelijk als een flikkerend televisiebeeld met sneeuw. Of ik was gek geworden of ik leed aan de gevolgen van hersenbeschadiging, ontstaan door Maloneys aanval. Misschien was er nog een derde mogelijkheid. Plotseling herinnerde ik me weer wat ik op de bodem van het meer had beleefd. De vreemde signalen die ik daar beneden had gekregen. De beelden, de woorden, de taal. Zou er misschien een verband zijn? Misschien was ik toch niet gek en kon ik inderdaad horen wat Mokéle dacht. Het idee was gewoon te gek voor woorden. Maar toch...

Ging het misschien om een primitieve vorm van telepathie? Was dat wat Sarah me tijdens ons vorige telefoongesprek wilde vertellen toen ze het over een 'gevaarlijk geheim' had? Waren deze signalen misschien de sleutel om met het reptiel in contact te treden? Als Mokéle echt telepathisch aangelegd was, konden Elieshi en ik tenminste verklaren waarom het dier zo'n kolossale hoeveelheid data in zijn erfgoed had opgeslagen. Ook herinnerde ik me ineens weer de woorden in Emily's dagboek: 'Ze hebben een gave die wij niet begrijpen.'

Er was maar één manier om erachter te komen of ik gelijk had, maar ik moest me haasten, want al te veel tijd had ik niet meer. Ik concentreerde me en probeerde alle gedachten uit mijn hoofd te bannen. Ik moest proberen Mokéle's gedachten uit de mijne te filteren.

Stukje bij beetje werden de beelden scherper. Ik dacht bekende motieven als het meer, de jungle en het grasland te herkennen, maar andere waren totaal abstract. Ze leken meer op een chaotische verzameling foto's, te vergelijken met een collage gemaakt door een verstrooide en ongeremde kunstenaar. Maar hoe langer ik me concentreerde, hoe duidelijker het werd dat zich achter die beelden een terugkerend patroon verborg. Een patroon dat geen inhoud probeerde uit te dragen, maar gevoelens. Emoties die enorm duidelijk en expressief waren. De woede en het verdriet die erin besloten lagen, waren zo intens dat mijn blinde ogen zich vulden met tranen. Ik kreeg een vreemd idee. Kon het zijn dat ik, nu mijn geest zo'n behoefte had aan beelden, de benodigde gevoeligheid had om deze gedachten ook te ontvangen? Ofwel, dat mijn blindheid mij de mogelijkheid had gegeven om contact te maken met dit wezen? Ik merkte dat ik heel dicht bij de oplossing van het geheim was. De stemmen, de beelden, onze labtests, de gebeurtenissen in de tempel,

alles werd ineens duidelijk. Mokéle m'Bembé was een sprong in de evolutie, precies zoals Elieshi al had gedacht. Hij was het eerste en enige levende wezen dat telepathie, dus het vermogen om met gedachten te communiceren, als zintuig had weten te ontwikkelen.
Opnieuw hoorde ik geruis, maar dit keer was het bedrieglijk dichtbij. Bijna tegelijkertijd sloeg er een golf van woede en verontwaardiging over me heen. Mokéle had blijkbaar gemerkt welk gevaar er van mijn vlot uitging. Hij had de betekenis van dit dodelijke apparaat uit mijn gedachten gefilterd.
Ik moest iets doen, en wel snel. De beelden die ik binnenkreeg, gingen steeds vaker over de dood, en ik had niet veel tijd nodig om erachter te komen dat hiermee mijn eigen dood bedoeld werd. Wanhopig greep ik de laatste strohalm die mij nog als verdediging was overgebleven, ook al had ik weinig hoop dat mijn plan zou slagen. Als Mokéle gedachten kon versturen, dan kon hij ze hoogstwaarschijnlijk ook ontvangen.
Ik concentreerde me uit alle macht op de springlading, waarbij ik mijn best deed geen enkel detail te vergeten. Mijn innerlijke blik gleed over de plastic cilinders, de draden waarmee ze met elkaar waren verbonden, en de kabeldoos die met de ontsteker verbonden was. Steeds weer riep ik het scenario voor ogen van wat er zou gebeuren als Maloney op de knop zou drukken. Ik stelde me voor hoe de vonk zijn weg zou vinden door de kabel, hoe hij het vlot zou bereiken en de springlading zou activeren. Ik stelde me de kracht voor waarmee het vlot zou exploderen en de drukgolf die al het leven in een omtrek van vijftig meter zou verwoesten, en de vuurbal die als kroon op het werk naar de hemel op zou stijgen, terwijl het eromheen puin regende. Dat alles probeerde ik zo beeldend mogelijk te denken, met de bijbehorende geluiden, zoals ik dat al in talloze Hollywoodfilms had gezien.
Mokéle's reactie was verbluffend. Het monster stootte een kreet uit vol angst en woede en dook ter plekke weer onder. De daarbij ontstane golven tilden mijn vlot de lucht in en lieten het als een kurk op het water dansen. Ik werd heen en weer geslingerd en knalde met mijn hoofd tegen de ijzeren stang. Maar de pijn was niets in ver-

gelijking met het enthousiasme dat me vervulde. Zelfs in mijn stoutste dromen had ik niet verwacht dat mijn plan echt zou werken. Dit kon geen toeval zijn. Ik kon een grijns niet onderdrukken. Het was me echt gelukt contact te maken.

Aangemoedigd door dit succes probeer ik het nog een keer. Misschien lukte me het ook om Mokéle ertoe te brengen de springlading onschadelijk te maken. Daarvoor moest ik eerst de zwakke plek van het hele systeem zien over te brengen. Het was vast geen goed idee om de Congosaurus te vragen de detonatoren te vernielen. Afgezien van het feit dat ik dan ook het slachtoffer van zijn enorme tanden zou worden, bestond het gevaar dat de ladingen vanzelf zouden afgaan. Ook een aanval op Maloney sloot ik uit. Niet dat ik hem de dood niet gunde, maar het gevaar dat hij op het laatste moment op de ontstekingsknop zou drukken, was te groot. Bleef de kabel over die de ontsteker verbond met de springladingen.

Dat was het. Dat was de zwakke plek die ik had gezocht! Als de stroomtoevoer werd onderbroken, dan kon Maloney de springlading niet tot ontploffing brengen. Tenzij hij persoonlijk het touwtje boven water vasthield, maar zo gek zou hij wel niet zijn. Ik probeerde me voor te stellen hoe de kabel onder water van mijn vlot naar de rubberboot van Maloney liep. Hij was relatief dik, ongeveer vier millimeter, en werd door middel van een roodblauwe isolatie tegen het water beschermd. Zo'n kabel zou zelfs een beest zo groot als een bultrug goed kunnen zien.

Ik had mijn gedachte maar net verstuurd toen ik een geborrel en gesis hoorde, op een paar meter afstand van het vlot. Mokéle was er weer, en dit keer leek ik zijn volledige aandacht te hebben. Als in een spiegel zag ik wat hij zag. De beelden van zijn eigen ogen werden naar mij teruggeseind. De regenwolken waren verder gedreven, de nacht was ingevallen en de stralen van de maan sneden als zilverkleurige zwaarden door de hemel. Het was adembenemend mooi. Plotseling kon ik mezelf zien, op het vlot, met gekruiste benen, de ogen stijf dicht, mijn gezicht mismaakt door de snijwond. Knip. Het enorme lijf dook onder en doorzocht het water dicht onder het oppervlak. Ik zag algen en luchtbellen, die als ballerina's in de stroming deinden. En plotseling zag ik de kabel. Net zoals ik had vermoed, lag die een paar centimeter onder het wateroppervlak. Knip. Mokéle opende zijn enorme mond en beet de kabel met één beet door. Ik hield mijn adem in, in de verwachting dat Maloney dit had voorzien en een zekerheid had ingebouwd, maar er gebeurde niets. De Congosaurus zwom nog een, twee keer om het vlot heen en dook toen direct naast mij op uit het water. Hoewel ik de penetrante vislucht kon ruiken en het doffe gebrul van het beest hoorde, was ik dit keer niet bang. Ik voelde dat Mokéle mij geen kwaad wilde doen, terwijl zijn kop zich over mij heen boog en hij mij bekeek. Een vlaag medelijden overspoelde me, toen ik mijn gezicht hief en hem met mijn blinde ogen aanstaarde. Maar was het medelijden met mezelf of met Mokéle? We leken op een bovenaardse manier met elkaar te zijn versmolten.

Op dat moment gebeurde er iets totaal onverwachts. Had ik dit kunnen voorspellen, dan was ik zeker van schrik en afschuw teruggedeinsd. Mokéle opende zijn mond en spuugde me in mijn gezicht. Net zoals in mijn nachtmerrie in Brazzaville.

Ik schreeuwde het uit.

Het taaie, stinkende speeksel brandde als vuur op mijn huid en in mijn ogen. Ik voelde hoe het over mijn gezicht liep en op mijn schouders drupte. Ik trok en wrikte aan mijn boeien, maar nog steeds kreeg ik mijn handen niet vrij. Het enige dat ik wilde, was dat vreselijke spul uit mijn ogen wrijven. Waarom had hij dat gedaan? De berichten die ik had doorgekregen waren toch vriendelijk geweest, vol medeleven. Misschien had ik me toch vergist en me die telepathische kracht maar verbeeld. Misschien was die hele gebeurtenis met de doorgebeten kabel ook niets meer geweest dan een illusie, een wensdroom...

Als dat klopte, zou Maloney elk moment de springlading kunnen activeren, want zo dichtbij als nu zou Mokéle niet weer komen. De pijn in mijn gezicht verdreef die gedachten. De afgelopen seconden was de pijn bijna ondraaglijk geworden. Ik schreeuwde het uit. Op het moment dat ik de pijn echt niet meer kon verdragen, zag ik een dun streepje licht. Het was eerst nog een heel smalle streep veelkleu-

rig licht, maar het werd steeds meer. Eerst dacht ik dat ik me vergiste, maar waar ik ook keek, de strepen bleven. Met de seconde werd het beeld helderder en duidelijker. Nu kon ik zelfs vormen herkennen. Ik dacht dat ik mijn benen en voeten kon zien, die nog steeds in mijn wandelschoenen staken. Ik zag het glinsterende water en de mist die over het meer lag. Ik herkende de springladingen waarop ik zat, de drijver van onze oude Beaver. Maar het meest ongelooflijke was dat ik alles met mijn eigen ogen zag. Op het moment dat ik weer kon zien, verdween de pijn. Pupillen, smal als streepjes keken gelaten op mij neer. Als de ogen van een kunstenaar die zijn werk bekijkt.
Het besef trof mij als donderslag bij heldere hemel: het reliëf in de tempel... de zieke en bedlegerige mensen, die genezing zochten... De tranen die het reptiel vergoot... het was allemaal waar. Het waren echter niet alleen de tranen die een helende uitwerking hadden, maar ook het speeksel. Het scheen een regeneratieve uitwerking te hebben op cellen, een effect dat vast en zeker aan de basis lag van zijn eigen veranderde genen. Deze genen leken ook de reden te zijn voor de enorme zelfhelende krachten waarover Mokéle beschikte en die ervoor zorgden dat zelfs de ergste wonden zich binnen een paar seconden sloten.
Ik lachte, want ineens had dit wezen al zijn afschrikwekkendheid verloren. Ineens zag ik het met dezelfde ogen waarmee ook de bouwers van de tempel het hadden gezien.
Mokéle's lange hals boog zich voorover en zijn met tanden gevulde mond kwam gevaarlijk dichtbij. Toch voelde ik geen angst. Hij gaf een kort rukje en beet de metalen buis kapot. Ik kon mijn handen weer bewegen en toen was het gemakkelijk om de boeien langs de scherpe kant van het doorgebeten metaal los te snijden.
Mokéle brulde nog een keer kort, draaide zich om en verdween naar de diepte, naar zijn rijk. Ik zat daar, versteend als een zoutpilaar, en keek sprakeloos naar mijn handen. Ik had zonet een wonder meegemaakt. Minutenlang bleef ik gewoon zitten en staarde de nacht in.
Als ik beter had opgelet, had ik de boot eerder opgemerkt die me geluidloos van achteren naderde. Het gebeurde bliksemsnel, en toen ik me omdraaide, was het al te laat.

35

'Goedenavond, Astbury,' zei een al te vertrouwde stem. Ik draaide me om.
'Zo komen we elkaar weer eens tegen.'
'Maloney!' Dat was het enige dat ik kon uitbrengen.
'Ik zie dat je mij nog niet bent vergeten. Ik moet toegeven, ik voel me vereerd.' Hij drukte zijn hand tegen zijn borst en maakte een spottende buiging. 'Ik was je natuurlijk ook niet vergeten.' Hij keek wantrouwig om zich heen. 'Waar is dat beest? Ik kreeg vanuit de verte de indruk dat hij je levend wilde opeten. Ik heb mij blijkbaar vergist. Hoe is het je gelukt om je te bevrijden en mijn constructie te saboteren? En vooral, hoe kan het dat je weer kunt zien? Je kunt toch zien, nietwaar?' Hij maakte een snelle beweging met zijn hand, waarop mijn ogen direct reageerden. 'Verdomd, hier gaat niets volgens plan,' voegde hij er met een grimmige blik aan toe. 'Nou ja, die fout met je ogen is ook snel weer rechtgezet.' Plotseling zag ik iets flitsen in zijn handen. Het was het lemmet van een groot mes, waar het maanlicht zich in weerspiegelde. Ik twijfelde er niet aan of Maloney met zo'n ding kon omgaan, dus verroerde ik me niet. 'Ik zie dat je toch een wapen hebt meegenomen,' zei ik, terwijl ik het glimmende stuk metaal geen seconde uit het oog verloor.
'Het is een gewoonte van me. Helemaal zonder wapens voel ik me zo naakt.' Terwijl hij het zei, dwaalde zijn blik over het springstoftapijt, op zoek naar het defect.
'Ik snap niet hoe het je is gelukt mijn plan te dwarsbomen. Ik heb het allemaal van tevoren uitgebreid getest. Je kunt je voorstellen hoe teleurgesteld ik was toen ik op de ontsteker drukte en er niets gebeurde. En dat terwijl ik jullie twee prachtig in beeld had, jou en Mokéle. Hoe wil je dat uitleggen, en waarom heeft het beest jou niet opgevreten? Ben je een soort paardenfluisteraar? Ach ja, ik zal er nog wel achterkomen.' Hij trok aan de detonatiekabel en merkte direct dat daar het probleem lag. Met een krachtige ruk trok hij de kabel

uit het water, tot hij bij het punt was waar Mokéle de kabel had doorgebeten.
'Wat is dit in godsnaam!' vloekte hij, terwijl hij het rafelige uiteinde bekeek. 'Ziet eruit alsof het is doorgebeten. Dat verdomde beest is slimmer dan ik dacht. Wacht maar, dit is ook zo weer opgelost.' Hij deed een stap in de richting van de rubberboot om de ontsteker te halen. Het was duidelijk dat hij de twee kabels weer met elkaar wilde verbinden en het nog een keer wilde proberen. Terwijl hij zich over de boot boog, lette hij even niet op. Dat was de kans waarop ik had gewacht. Wat ik nu deed, grensde aan zelfmoord, maar ik zag geen andere uitweg. Het vooruitzicht om weer te worden vastgebonden en nog een keer te fungeren als levende bom, was erger dan de dood. Ik wilde die vreselijke minuten niet nog een keer doormaken. Ik nam een aanloop en sprong boven op hem, terwijl ik probeerde hem het mes uit handen te slaan. Het lukte maar deels. Onze lichamen sloegen tegen elkaar, maar het lukte me niet zijn hand te pakken. In plaats daarvan verloren we ons evenwicht en vielen we hard op de metalen drijver, waarbij ik ongelukkigerwijze onderop kwam te liggen. Toen we de drijver raakten, perste zijn gewicht alle lucht uit mijn longen. Het duurde even voordat ik weer kon ademen, en dit moment gebruikte Maloney in zijn voordeel. Zo snel als een cobra hief hij zijn hand en stak toe. Ik zag het mes flitsen en draaide mijn hoofd nog net op tijd opzij, waarna het mes zich met een vreselijk gekraak in de drijver boorde. Maloney vloekte, trok het mes los en hief het nog een keer op, klaar om me weer te steken. Met beide handen probeerde ik het wapen af te weren, maar de man beschikte over bovenmenselijke krachten. Terwijl zijn andere hand zich om mijn keel sloot en deze dichtdrukte, kwam de verschrikkelijke metalen punt steeds dichterbij. Hij zou precies mijn oog raken. Maar hoezeer ik me ook verzette, tegen deze krachten was ik niet opgewassen. Het was slechts een kwestie van seconden totdat het lemmet zich in mijn schedel zou boren.
Ik dacht dat ik een knak hoorde en stootte een laatste, vertwijfelde schreeuw uit.
Op dat moment werd de druk op mijn keel minder. Maloneys ogen kregen een starre uitdrukking en hij opende zijn mond om iets te

zeggen. Eerst dacht ik dat mijn schreeuw hem weer tot bezinning had gebracht, maar toen er wat rood speeksel over zijn lippen drupte, zag ik dat er iets vreselijks was gebeurd. Maloney werd steeds lichter. Zijn stuiptrekkende lichaam werd van me afgetild. En toen zag ik het. Zijn lichaam bungelde als een marionet aan het uiteinde van een groengevlekte, gespierde hals, die hem als een bouwkraan de lucht in tilde.

Mokéle!

Hij was teruggekomen. Ik zag de glinsterende ogen van het monster, zijn opengesperde neusgaten en gele tanden, die nu roodgekleurd waren. Ik moest aan het knakkende geluid denken en voelde dat mijn maag in opstand kwam. Maloneys bewegingen namen af. Zijn hand kon het mes niet langer vasthouden, en het kletterde naast mij op het dek. Toen ik het daar koud en glimmend zag liggen, realiseerde ik me dat ik mijn leven aan dat wapen te danken had. Zonder dat wapen was het monster niet teruggekeerd. Maar in één ding had ik me vergist. Mokéle verafschuwde niet het wapen zelf, daarvoor had hij niet genoeg verstand van zaken. Hij verafschuwde de gedachte aan het feit dat ermee werd gedood.

Vol afschuw zag ik hoe de jager de diepte in werd getrokken.

Het werd stil op het meer. De laatste golven ebden weg en lieten een spiegelende vlakte achter, die als een opgepoetste kelk het maanlicht weerspiegelde.

Als in een droom stapte ik van het vlot in de rubberboot en ging naast de buitenboordmotor zitten. Ik pakte de startkabel vast en wilde er net aan trekken toen ik zag wat Maloney allemaal aan uitrusting had meegenomen. Ineens werd het me helder. Daar lag een duikuitrusting. Maloney was waarschijnlijk op alles voorbereid geweest en was zelfs bereid geweest zijn vijand in het water te confronteren. Mijn blik dwaalde van het neopreenpak naar de pikzwarte spiegel van het meer en weer terug. Plotseling vormden Sarahs woorden zich op mijn lippen. Als je het geheim wilt oplossen, moet je nog een keer gaan duiken, had ze gezegd. Het was een gedachte die echter zo dwaas was dat ik hem in mijn vroegere leven direct zou hebben verworpen. Maar dit was een nieuwe wereld. Een nieuw leven. Ik trok mijn kleren uit, trok het duikpak aan en zette mijn plan om in daden.

Ongeveer twee uur later legde ik weer aan. Ik had dan wel mijn horloge verloren, maar aan de stand van de maan kon ik zien dat het al na middernacht was. Het kamp lag er rustig en verlaten bij. Ik maakte een grote bocht om Maloneys tent en zag een zwak licht vanuit de voorraadtent komen. Ik tuurde de duisternis in op zoek naar Elieshi, die hier ergens aan een boom was vastgeketend.
'Elieshi?'
Mijn roep bleef onbeantwoord.
'Elieshi, waar ben je?'
Geen antwoord. Met een knoop in mijn maag besloot ik eerst een zaklamp te halen voordat ik haar ging zoeken. Hopelijk was ik niet te laat. Ik rende naar mijn tent en sloeg de flappen terug.
'Blijf staan!' Het bevel kwam zo onverwacht dat ik als bevroren bleef staan.
'Handen boven het hoofd!'
'Elieshi?' Ik moest knipperen om aan het plotselinge felle licht te wennen.
'David?' Een gestalte maakte zich los uit de hoek van de tent en ging in het licht staan. Ik zag alleen het geweer in haar handen, maar aan het getinkel van haar vlechtjes hoorde ik dat het de biologe was.
Ook zij scheen me nu pas te herkennen. 'David!' Ik hoorde een vreugdekreet en toen voelde ik alleen nog maar armen om mijn hals en kussen in mijn gezicht. Het duurde even voordat ze me weer losliet. Haar gezicht was nat van de tranen. Maar toen week ze terug en keek me aan alsof ze een spook had gezien.
'Wat is er met je gezicht gebeurd? En met je ogen?'
'Ik kan weer zien.'
Ze wiste met een vieze mouw de tranen uit haar ogen. 'Wat?' Er ontsnapte haar een droog lachje. 'Hoe kan dat? Ik bedoel... je was blind, ik heb het zelf gezien.'
'Laten we zeggen dat er een wonder is gebeurd.'
'Jij hebt het over wonderen? Jij?'

Ik knikte. 'De wereld schijnt er vol van te zijn. Je moet alleen leren ze te zien.'
'En Maloney?'
Ik schudde mijn hoofd. 'Hij heeft het niet gehaald. Maar voordat ik je het hele verhaal vertel: hoe gaat het met jou? Wie heeft je bevrijd?'
'Ik niet.' Ze pakte mijn hand en nam me mee naar het achterste gedeelte van de tent, waar ik een bed zag, gemaakt van kleding en dekens. Erop lag Egomo. Hij had een bloederig verband om zijn schouder en keek me ongelovig aan. Hij leefde nog.
'Hoe is dat mogelijk?' fluisterde ik, toen ik naast hem ging zitten en zijn hand vastpakte.
'Ik kreeg de kans niet meer om je te vertellen dat pygmeeën in het geval van hun nabije dood in een soort trance kunnen raken, waaruit ze na een tijd weer ontwaken,' fluisterde Elieshi. 'De adem en polsslag stoppen. Een aangeboren reflex, die het verschil tussen dood en overleven kan betekenen. Hij werd wakker toen jullie al op het meer zaten. Hij heeft mij nog kunnen bevrijden, maar door het schot heeft hij veel bloed verloren. Hij is erg zwak. Ik weet niet of hij de ochtend zal halen.'
'Haal de pijl met Mokéle's bloed,' zei ik, 'en haast je!'
Elieshi fronste, maar ging toch en kwam even later terug met de pijl.
'Wat ben je van plan?' fluisterde ze toen ze zag hoe ik alle kamers op één na opende en de ampullen eruit haalde.
'Wacht maar.' Ik haalde het verband van Egomo's schouder, opende een van de ampullen en liet het bloed in de open wond druppelen. De hand van de pygmee verkrampte. 'Vertrouw me, Egomo. De pijn is maar tijdelijk. Je zult snel weer beter worden.'
'Wat doe je?' vroeg Elieshi en ze keek me aan alsof ik gek was geworden.
'Ik kreeg het idee al toen we de structuuranalyse van Mokéle's genen hadden gedaan in het sequentieapparaat. Deze enorme hoeveelheid aan genetische informatie moest een doel hebben, dat heb je zelf gezegd,' legde ik uit, terwijl ik de rode vloeistof over Egomo's schouder liet druppelen. 'Het doet iets in het lichaam van de dinosaurus. Iets wat wij niet kunnen. Een gave die wij niet bezitten.'

Elieshi knikte. 'Alleen weten we niet wat het is.'
'Wel,' glimlachte ik. 'Ik heb zelfs twee eigenschappen ontdekt. De ene is het vermogen om gedachten te versturen...'
'Telepathie?'
'Precies. De tweede is een enorme toename in het zelfhelingsproces. Ik vermoed dat Mokéle genen heeft die gecodeerd zijn om het DNA en de cellen te repareren, waarbij de groei van de cellen wordt gecontroleerd en kapot weefsel binnen seconden kan worden hersteld. Het schijnt om een soort intelligent gen te gaan dat zijn hele DNA bestuurt.'
Elieshi schudde haar hoofd. 'Dat is toch absurd. Telepathie en wonderbaarlijke genezing bestaan helemaal niet. Vroeger niet en in de toekomst niet.'
Ik draaide me naar haar om, zodat onze gezichten nog maar een paar centimeter van elkaar verwijderd waren. 'Kijk me dan in de ogen en zeg me dat ik gek ben. Ik weet dat het ongelooflijk klinkt, maar ik heb er geen andere verklaring voor. Het enige dat ik weet, is dat ik hier naast je zit en je kan aankijken. En dat heb ik te danken aan Mokéle en zijn gave.'
Op dat moment ging Egomo rechtop zitten en rekte hij zich uit, alsof hij uit een diepe slaap was ontwaakt. Zijn starheid was verdwenen. Hij wiste het bloed van zijn schouder en keek ongelovig naar de plek waar tot voor kort nog een pijnlijke schotwond had gezeten. De wond had zich als door toverkracht gesloten. Ik boog naar voren om zijn rug te bekijken, maar ook daar was niets te zien van een schotwond.
'Dat kan toch niet,' stotterde Elieshi, die de pygmee van boven tot onder aftastte. 'Om het gebroken sleutelbeen heeft zich nieuw bot gevormd. De breuk is helemaal geheeld.'
Ze liet zich achterover zakken, bijna niet in staat om nog een woord uit te brengen. 'Je had gelijk,' mompelde ze na een tijde. 'Het is een wonder. En wat voor een.'
Ik ging staan. 'En daarom moeten we nu heel voorzichtig zijn.'
'Wat bedoel je?'
Ik dacht na hoe ik het haar zou uitleggen. Voor haar was het alsof ze

net de deur naar het paradijs had geopend, terwijl ik al een paar uur de tijd had gehad om over de situatie na te denken. En de gedachten die in me op waren gekomen, wezen allemaal één richting uit. 'Wat ik nu ga zeggen, mag nog gekker klinken dan al het andere,' zei ik glimlachend. 'Maar het kan het allerbelangrijkste zijn. Voor ons, voor het leven in dit meer, zoniet voor al het leven op aarde.'
'Dat klinkt erg geheimzinnig. Brand los.'
'Ik denk dat niets van wat er hier is gebeurd, naar buiten mag komen. Niets over Mokéle en zijn soortgenoten en niets over zijn gaven. We moeten het stilzwijgen bewaren over de Congosaurus en hem weer naar het rijk der fabelen verbannen waar hij al duizenden jaren lang een vreedzaam leven leidt.'
Ze keek me wantrouwig aan. 'Waarom?'
'Laat je fantasie even de vrije loop. Probeer je een wereld voor te stellen waarin elk mens, ja, elk wezen, met een wondermiddel uit zijn lijden kan worden verlost.'
'Een droom.'
'Ja, maar een droom die heel snel kan veranderen in een nachtmerrie als we aan de consequenties denken. Denk maar eens aan de problemen waar we nu mee te maken hebben: overbevolking, oorlog om grond, de uitbuiting van onze planeet. Een paar mensen zouden nog rijker worden ten koste van miljoenen anderen. We zouden in één klap het natuurlijke evenwicht veranderen. Een evenwicht dat door onze inmenging toch al uit balans is geraakt. De gevolgen zouden catastrofaal zijn.' Ik leunde achterover. 'Als ik iets van Stewart Maloney heb geleerd, dan is het dat ik me realiseer dat het fataal is om het evenwicht te veranderen. Wij mensen hebben daar een bijzonder talent voor, en tot nu toe is er nog niet veel goeds van gekomen.'
Een dun lijntje verscheen tussen haar wenkbrauwen. Ze had even nodig om over mijn woorden na te denken. Eindelijk leek ze een beslissing te hebben genomen. 'Van alle verhalen die ik vanavond heb gehoord, klinkt deze het minst gek.' Daarna streek ze met haar handen door haar haar en knikte. 'Afgesproken. Je kunt op mijn steun rekenen.'

'Wat? Gewoon zomaar? Geen discussie, geen gescheld, geen ge-professor?'
Ze keek me serieus aan, maar in haar ooghoeken zag ik alweer een schalks lachje. 'Ik waarschuw je. De professor kun je weer krijgen, als je wilt.'
Ik hief mijn handen. 'Oké, oké, ik zeg niets meer. Laten we vrienden blijven. Dat vind ik fijner.'
Elieshi knipoogde naar mij. 'Ik ook.' Ze draaide zich om, boog zich over de kist met alcoholische dranken en hengelde trefzeker naar de beste fles rode wijn die we hadden meegenomen. Een schat uit de wijnkelder van Lady Palmbridge, die we als een schat hadden bewaakt en die eigenlijk bedoeld was als beloning voor een geslaagde jacht. Ze tilde de fles op en keek op het etiket. 'Hm, Chateau Margeaux 1986. Zegt jou dat wat?'
'Nooit van gehoord,' loog ik dapper, terwijl ik rillend toekeek hoe ze de kurk er met een ruk uittrok en de fles aan haar lippen zette. 'Op het evenwicht.' Ze liet een grote slok door haar keel stromen, zette de fles neer en smakte van genot. 'Niet slecht,' zei ze, terwijl ze haar mond aan haar mouw afveegde en de fles aan mij gaf. 'Margaux, ik denk dat ik die naam maar moet onthouden.'
'Doe dat.' Ik nam een slok, sloot mijn ogen en liet de smaak een tijdje op me inwerken. Daarna leunde ik ontspannen achterover en gaf de fles door aan Egomo. De wereld scheen ineens een beetje ronder en perfecter te zijn geworden.

36

Donderdag 18 februari

De volgende ochtend stond ons een treurig afscheid te wachten. Egomo wilde ons verlaten. Hij was die nacht hersteld van zijn verwondingen en wilde direct vertrekken, om terug te kunnen naar zijn dorp. Al mijn pogingen hem met behulp van de kaart uit te leggen dat de weg over de zijrivieren van de Likouala veel korter was en dat hij het beste met ons mee kon gaan, werden beantwoord met hoofdschudden. Hij was niet over te halen om ook maar een voet in onze boot te zetten. Hij had besloten te voet te gaan en of hij nu een dag eerder of later thuis zou komen, maakte niet uit. Hij dacht alleen maar aan Kalema, die hij direct na zijn terugkomst ten huwelijk wilde vragen. We lieten hem uit onze voorraad een paar bruidsgeschenken uitzoeken. Omdat we toch van plan waren op wat proviand voor onderweg na alles te laten liggen en staan, had hij genoeg keus. Na lang dubben koos hij voor een kleurig T-shirt van Elieshi, de kleine houten pijp van Sixpence en Maloneys zware bowiemes. Hoewel hij wist dat de Australiër een gewetenloze man was geweest, had hij blijkbaar toch nog veel bewondering voor hem. Ik gaf hem mijn oude, versleten kompas, een erfstuk van mijn vader, en legde hem uit dat de naald altijd de richting aangaf van mijn thuis. Egomo knikte ernstig, stak zijn hand in zijn tas en haalde er een stuk wortel uit dat hij mooi had bewerkt. Na een tijdje ontdekte ik een vorm in het bruine hout. Twee in elkaar verstrengelde figuren.
Hij drukte me de wortel in de hand en maakte me duidelijk dat ik hem 's nachts onder mijn hoofd moest leggen als ik hem weer wilde zien. Hij glimlachte. Ik glimlachte terug, hoewel het huilen mij nader stond dan het lachen.
Toen kwam het moment om afscheid te nemen. Ook in Elieshi's ogen zag ik de tranen glinsteren.

'Tja, ik denk dat het tijd is dat wij ook vertrekken,' mompelde ik verlegen. Ik gaf Egomo een hand. Elieshi deed hetzelfde en gaf hem als afscheid ook een kus op de wang. 'Het ga je goed, Egomo, en bedankt voor alles,' zei ze. Daarna pakte ze mijn hand en samen liepen we naar de rubberboot. We hadden alleen de dingen gepakt die we dachten nodig te hebben voor de reis naar Brazzaville die een week zou duren, maar toch was het nog heel wat. Voornamelijk eten en brandstof, als ook persoonlijke dingen, zoals Maloneys fotocamera, Emily's dagboek en de aantekeningen van sergeant Matubo.
Egomo stond aan de waterkant en keek toe hoe we ons in het bootje wurmden. Ik ging naast de buitenboordmotor zitten, regelde de brandstoftoevoer en trok aan de startkabel. Na wat gehoest en nadat we in een blauwe wolk uitlaatgassen waren gehuld, sprong de motor aan.
'Het ga je goed, mijn vriend,' riep ik en zwaaide, terwijl we langzaam koers zetten over het meer. 'En vertel je familie over ons!' De pygmee stond aan het water en zwaaide terug, terwijl hij steeds kleiner werd.
'Een ding is toch jammer,' zei Elieshi. 'Zodra hij ons niet meer ziet, bestaan we niet meer voor hem. Dan maken we deel uit van de wereld van legenden en mythen.'
We waren zo'n tweehonderd meter van de kant verwijderd toen ze mijn arm pakte. 'Kijk eens,' zei zei. 'Wat is er met Egomo aan de hand? Ik geloof dat hij ons wat wil vertellen.'
Ik keek naar de kant en zag dat hij zich ergens enorm over opwond. Hij zwaaide wild met zijn armen en wees steeds naar links. Elieshi pakte haar verrekijker en zocht de oever af. Plotseling stootte ze een kreet van verrassing uit.
'Kijk daar eens, David,' hijgde ze opgewonden, terwijl ze de camera pakte. 'Kijk daar. Daar naast de bananenboom.'
Ik drukte de verrekijker tegen mijn ogen en stelde hem scherper. Plotseling zag ik het. Er stond een olifant aan de waterkant. Maar het was een dwerg van een olifant, amper groter dan een zwijn. Toch zag het er niet uit als een jong.
'*Loxodon pumilio*,' riep Elieshi blij en klikte een paar keer met haar camera. 'Een dwergolifant. Het dier waarvan niemand geloofde dat

het echt bestond, behalve Egomo en ik. Ik geloof mijn ogen niet. Hebben we hem toch nog gezien. Bedankt Egomo, bedankt!' Ze piepte van plezier en zwaaide wild met haar armen.
De pygmee hief zijn arm op en zwaaide een laatste keer. Daarna draaide hij zich om en verdween in het eeuwig groene bos.

37

Woensdag 3 maart
Aan de Californische kust

De golven van de Grote Oceaan sloegen met een regelmatige, rustige hartslag tegen de rotsen. Het schuim dreef op de lucht. De wind droeg het geschreeuw van de meeuwen en de geur van zeewier met zich mee. Sarah stond naast me en hield mijn hand vast, terwijl we samen over de witte brandingsgolven keken, naar de plek waar hemel en water tot een stralende lijn versmolten. Ik was in het hart van de duisternis geweest en was teruggekomen. Ik had de halve wereld over moeten reizen om mezelf te vinden. Hier, aan de rand van de grootste oceaan ter wereld, had ik mijn doel bereikt. Ik begon te begrijpen waarom ik Sarah altijd had benijd. Dat diepe optimisme, dat de dingen zo zouden gaan als ze moesten gaan. Eindelijk was ik niet bang meer.

Sarah keek me zijdelings aan alsof ze precies begreep wat ik dacht. Haar haar wapperde in de wind en ze glimlachte, terwijl ze haar gezicht weer naar de zon keerde.

Ik had haar vijf dagen geleden, direct na onze aankomst in Brazzaville, gebeld. Ze had alles laten liggen om Elieshi en mij op onze reis naar Californië te kunnen vergezellen. Toen we elkaar in de lobby van de Londense luchthaven Gatwick in de armen waren gevallen, had ze me op onnavolgbare wijze kenbaar gemaakt dat ze me niet nog een keer alleen zou laten vertrekken. Hoe kon ik nee zeggen tegen zo'n geweldige vrouw?

Toen ik haar hand kneep, voelde ik dat ik voor het eerst in lange tijd gelukkig was. 'Stel je voor,' zei ik, 'ik heb vannacht van Egomo gedroomd. Zoals hij me had voorspeld. Ik had de wortel onder mijn kussen liggen en ik heb van hem gedroomd. Is dat niet gek?'

'Helemaal niet,' lachte ze. 'Dat is magie.'

Terwijl we aan het water stonden te praten, zag ik Elieshi door het pijnboombos slenteren en de toch al veel te dikke eekhoorntjes voeren. Ze had erop gestaan Emily's dagboek persoonlijk af te geven. Dat was ze de Lady verschuldigd, zei ze. Ze had zelfs voorgesteld de oude dame tegen onze afspraken in te vertellen over wat er echt bij Lac Télé was gebeurd. Iets wat ik wel riskant vond, maar een wens die ik na lang nadenken toch inwilligde. Nu was het te hopen dat de laatste wil van haar dochter de oude dame ervan kon overtuigen dat ons plan het beste was.

Drie uur waren voorbij gegaan sinds we iets van haar hadden gezien of gehoord. Ze had zich teruggetrokken op de bovenste verdieping van haar paleis, waar ze het dagboek bestudeerde. Zelfs Aston mocht niet bij haar in de buurt te komen, iets waar hij duidelijk grote moeite mee had. Ik zag hem besluiteloos heen en weer schuifelen van de tuin naar het huis, het hoofd zorgelijk gebogen. Ik had medelijden met hem.

'David.' Ik draaide me om en zag dat Elieshi snel op ons af kwam lopen. Ze wees naar de hoofdingang. 'Ik geloof dat ze eraan komt. Nu wordt het spannend.'

Lady Palmbridge kwam naar buiten en liep langzaam op ons af. Aston liep naast haar en ondersteunde haar. Ineens leek ze honderd jaar ouder te zijn geworden. De wetenschap dat haar dochter was gestorven, had haar zwaar aangegrepen. Toen ze bij ons was, zag ik dat ze gehuild had. Ze keek langs ons naar de zee. 'Is het hier niet heerlijk? Dit was Emily's favoriete plek. Als ze zich zorgen maakte of gewoon alleen wilde zijn, kwam ze hiernaartoe om naar de golven en de meeuwen te luisteren.' Ze keek op en pakte mijn hand. Haar vingers waren ijskoud. 'Dank jullie wel dat jullie zijn gekomen en mij persoonlijk hebben verteld van de dood van mijn dochter.' Ze keek ons een voor een aan. Ik zag dat alleen haar ijzeren discipline haar ervan weerhield om in tranen uit te barsten. 'Het betekent erg veel voor mij dat jullie haar nog hebben gezien, ook al leefde ze niet meer. Ik denk dat ze daar, waar ze nu ligt, een waardig graf heeft gekregen.'

Ik trok verbaasd mijn wenkbrauwen op. 'U bent dus niet van plan haar te laten overvliegen?'

Ze schudde vastberaden haar hoofd. 'Nee. Hoe minder opzien we baren, hoe beter. Ik geloof ook dat ze gelukkig zou zijn om daar te liggen waar ze nu ligt. Ze had altijd al een zwak voor het avontuur. Ze had vast ingestemd met deze laatste rustplaats.' Lady Palmbridge keek op en keek Elieshi en mij indringend aan. 'Ik wil jullie nu beiden mijn verontschuldigingen aanbieden. Ik ben niet eerlijk tegen jullie geweest wat deze expeditie betrof, omdat ik dacht dat hoe minder jullie zouden weten over het geheim van het meer, hoe gemakkelijker het zou zijn om ernaartoe te gaan en mijn dochter op te halen. Een grote fout. Jullie hebben zo veel verschrikkelijks meegemaakt. Ik vind het nog steeds een groot wonder dat jullie het hebben overleefd. Ik weet niet of jullie het me ooit kunnen vergeven, maar een ding kan ik jullie verzekeren, David. Ronald zou trots op je zijn geweest als hij je nu had gezien.'

De gedachte aan mijn vader maakte me verdrietig. 'Eigenlijk had hij dit dier moeten ontdekken, omdat hij het grootste deel van zijn leven heeft gewijd aan de zoektocht naar het onbekende. Maar als ik eraan denk dat hij zijn ontdekkingen nooit openbaar had mogen maken... Ik denk dat het zijn hart zou hebben gebroken.' Ik keek haar aan en mijn boosheid vervloog. De dood van haar dochter was voor haar straf genoeg. Ik haalde diep adem en stelde de belangrijkste vraag: 'Wat gaat u nu doen?'

Er verscheen een glimlach op haar gezicht. 'Ik weet hoe belangrijk het voor jullie is. Ik heb gemerkt dat er daar beneden iets met je is gebeurd dat een ander mens van je heeft gemaakt. Een gevoel overigens, dat ik ook kreeg toen ik het dagboek van mijn dochter las. Ik weet niet wat het is, en ik wil het ook niet weten, maar het moet een zeer sterk gevoel zijn geweest. De laatste wens van mijn dochter was dat we het meer en het geheim in vergetelheid zouden laten raken. Ik ben van plan die wens in te willigen.'

Ik kon bijna niet geloven wat ik hoorde. 'En hoe gaat het dan verder met het project?'

Haar mond werd een smal streepje. 'Het project stierf op het moment dat mijn dochter voor het laatst haar ogen sloot. Eerlijk gezegd was het altijd haar idee geweest, en trouwens...,' ze haalde haar schouders op, '... ben ik er intussen van overtuigd geraakt dat we de natuur zijn gang moeten laten gaan. Het is een troost te weten

dat het proces van evolutie nog steeds werkt en het leven zich verder ontwikkelt. Met of zonder de mens.'
Lady Palmbridge stak haar hand in haar jaszak en haalde een klein koelelement tevoorschijn dat de laatste met bloed gevulde ampul bevatte, het enige bewijs dat ons verhaal waar was. 'Alsjeblieft,' zei ze en ze drukte mij de ampul in de hand. Daarna sloot ze mijn vingers. 'Ik heb hem niet meer nodig. Doe ermee wat je wilt.'
Ze trok haar schouders recht. 'En nu dat professoraat dat ik had beloofd, David. Weet je zeker dat je niet op mijn aanbod wilt ingaan? Ik had het beloofd en ik houd me aan mijn beloften.'
Ik schudde mijn hoofd. 'Bedankt, ik waardeer het echt, maar ik moet helaas nee zeggen. Ik heb op deze reis mijn eigen krachten leren kennen en vertrouw erop dat ik het ook zonder hulp van buitenaf zal redden.'
'Daar ben ik van overtuigd. Ik zou daarom graag mijn aanbod doorgeven aan Mademoiselle n'Garong. De oude Ambrose zal het niet gemakkelijk vinden, maar ik denk dat hij het wel zou overleven. Wat denk je ervan?'
'Heel graag,' zei ik en ik keek vol leedvermaak toe hoe Elieshi's mond openviel. Zo sprakeloos had ik haar nog nooit gezien.
'Goed, dan is dat opgelost,' zei Lady Palmbridge. 'Twee miljoen dollar voor de bescherming van het Congolese Nationale Park en ter ondersteuning van de Animal Listening Projects. Met u als projectleider, Elieshi. Begrepen?'
'Ik...' was het enige wat de biologe kon zeggen. Het duurde even voordat het tot haar was doorgedrongen, maar toen gooide ze haar armen in de lucht en slaakte ze een vreugdekreet. Ze danste zo dicht langs de rand van de kliffen dat we ons bijna zorgen begonnen te maken dat ze eraf zou vallen. Maar na een tijdje was ze weer tot rust gekomen en kon ze eindelijk antwoorden. 'Bedankt, Lady Palmbridge,' zei ze, nog steeds buiten adem. 'Dat is geweldig. U weet niet wat dat voor mij en mijn land betekent.'
'Bedank David maar, dat hij zo onbaatzuchtig het geld heeft afgestaan,' antwoordde de vrouw. Om haar ogen verschenen lachrimpeltjes. 'Neem me niet kwalijk, David, maar hoe langer ik erover

nadenk, hoe meer ik de indruk krijg dat het geld bij Elieshi in veel betere handen is. Ik weet niets over Congo en zou er graag een keer zelf naartoe gaan. U hebt er toch niets op tegen als ik u zo nu en dan kom bezoeken?'
De biologe straalde van oor tot oor. 'Natuurlijk niet. Wanneer u wilt. Dat geldt trouwens voor jullie allemaal. O, ik kan niet wachten tot ik weer thuis ben en iedereen het goede nieuws kan vertellen. Ik wed dat er een feestje komt dat zelfs in Londen te horen is.'
Lady Palmbridge knikte en zei: 'Mooi, dan is alles geregeld. Willen jullie me nu verontschuldigen? Ik wil graag gaan slapen. Jullie blijven toch tot morgen, nietwaar?'
Ik knikte. 'Als dat mag. Daarna willen we nog een paar dagen aan de westkust blijven om uit te rusten van onze reis.'
'Jullie zijn mijn gasten,' antwoordde ze. 'Hiller zal overal voor zorgen en een interessante tour voor jullie samenstellen. Mooi, dan zie ik jullie morgenavond bij het diner.' Ze liep langzaam weg en liet ons achter.
Ze was amper weer in huis toen we alledrie door elkaar begonnen te praten, Elieshi en Sarah het luidst. Ik voelde me bijna het vijfde wiel aan de wagen, maar dat was niet erg. Het was net alsof iemand een enorme last van mijn schouders had genomen. Vreemd, dacht ik, hoe mensen van mening veranderen als hun dierbaarste bezit wordt afgenomen. Het leven krijgt plotseling een hele andere betekenis. Dingen die vroeger belangrijk leken, hebben nu ineens een hele andere waarde. Plotseling werd het stil en merkte ik dat de twee vrouwen me vol verwachting aankeken.
'Sorry,' zei ik, 'ik was met mijn gedachten even ergens anders. Wat willen jullie weten?'
Elieshi lachte wel, maar in haar ogen zag ik dat de vraag serieus bedoeld was. 'Ik vroeg je of je ons wilde vertellen wat je op de bodem van het meer hebt gezien toen je na Maloneys dood nog een keer bent gaan duiken.'
'Hoe weet je...'
'Ik heb oren en ogen in mijn hoofd. Ik kan ook een en een bij elkaar optellen. Jouw gedrag en het feit dat het duikpak nat was, was

genoeg om de rest erbij te bedenken. Je bent weer beneden geweest, zoveel is zeker. Dus, wat heb je gezien?'
Ik knikte, maar wist niet zeker of ik antwoord wilde geven. Eigenlijk wilde ik erover zwijgen, maar aan de andere kant was het nu ook niet meer belangrijk.
'Oké,' zei ik en zuchtte. En toen begon ik te vertellen hoe ik naar de bodem van het meer was gedoken, hoe ik de kloof weer had gevonden en naar binnen was gezwommen. Hoe de spleet steeds breder was geworden, tot hij uitmondde in een labyrint van gangen en grotten die zich over een onvoorstelbaar groot gebied uitbreidden. En dat ik daar beneden, aan het eind van alle dingen, lichten had gezien. Duizenden lichtjes, een stad, nee een zee van licht. 'Dat was alles,' zei ik grinnikend. 'En ik weet zeker dat jullie er geen woord van geloven. Hoe kunnen jullie ook.'
Elieshi legde een vinger op mijn lippen en knikte. Sarah liet haar arm om mijn heup glijden en trok zich tegen me aan. 'Een mooi verhaal. Zelfs al vind ik het waarschijnlijker dat je hebt gehallucineerd en de waterdruk bonte sterretjes op je netvlies heeft getoverd. Maar toch, het blijft een mooie droom. Als ik jou was, zou ik er niemand van vertellen, als je niet wilt dat je voor de rest van je leven in een cel met gecapitoneerde muren wordt opgesloten.'
Ik glimlachte. 'Begrepen.'
We bleven lang zwijgend naast elkaar staan en keken naar de zee.
'Wat gaan jullie nu doen met het monster?' vroeg Sarah na een tijdje en wees op het koelelement.
Elieshi keek me aan en knikte naar het klif. Ik begreep direct wat ze bedoelde.
Ik hield mijn adem in, boog naar achteren en slingerde de cartouche met een wijde boog de zee in.

GEMEENTELIJKE OPENBARE BIBLIOTHEEK KOKSIJDE

Dankwoord

Ik wil iedereen bedanken die mij heeft gesteund met lof, kritiek en goede adviezen; vooral mijn levenspartner Bruni Fetscher bedank ik voor haar kritische blik en onverstoorbare optimisme;
mijn zoons Max en Leon, wier interesse in dinosauriërs mij op het juiste spoor heeft gebracht;
Andreas Eschbach, Rainer Wekwerth, Wulf Dorn en Hermann Oppermann, wier gedachten en ideeën een constante bron van inspiratie zijn;
Michael Marak, wiens idee het was zijn roman *Morphogenesis* inhoudelijk te verbinden met *Het oog van Medusa* en *Monstrum*; de opmerkzame lezer wens ik veel plezier bij de zoektocht;
Martina Kötzle, voor haar enorme hulp bij de zoektocht naar de kleine foutjes;
Bastian Schlück, mijn agent, voor zijn kritiek en ideeën, maar ook voor zijn bekwaamheid in het uitgeversvak;
Jürgen Bolz, mijn redacteur, wiens tekstuele en inhoudelijke kennis van zaken de finishing touch aan het boek heeft gegeven;
en, zoals altijd op deze plek, mijn vaste redacteur Carolin Graehl, voor haar gulheid, haar vertrouwen en haar moed.

Lees ook van Karakter Uitgevers B.V.

THOMAS THIEMEYER

Het oog van Medusa

Archeologe Hannah Peters doet al jarenlang onderzoek in de Sahara. Diep in het hart van de woestijn, volledig geïsoleerd van de rest van de wereld, ligt het zandsteenplateau Tassili N'Ajjer, waar zich duizend jaar oude, geheimzinnige rotstekeningen bevinden. En hier doet Hannah een unieke vondst: een Medusa-sculptuur, versierd met landkaarten en symbolen.

De tekens en symbolen op het beeld lijken te verwijzen naar een plaats veel zuidelijker, diep in de bergen, waar zich een object van onuitsprekelijke schoonheid en gevaar moet bevinden. De samenleving die het in lang vergeten tijden geschapen heeft, schijnt op het hoogtepunt van haar bestaan ten onder te zijn gegaan.

Een team van de National Geographic Society krijgt de opdracht deze schat op te sporen. Samen met Chris, de klimatoloog van de groep, komt Hannah op het spoor van een geheimzinnige tempelruïne. Daar bevindt zich een mystiek object dat wel eens een noodlottige invloed op de moderne wereld zou kunnen hebben...

ISBN 90 6112 354 2